초등 5A

상위권의 기준

최상위 사고력

수학 좀 한다면

선 하나를 내리긋는 힘!

직사각형이 있습니다.
윗변의 어느 한 점과 밑변의 두 끝을 연결한
삼각형을 만듭니다.

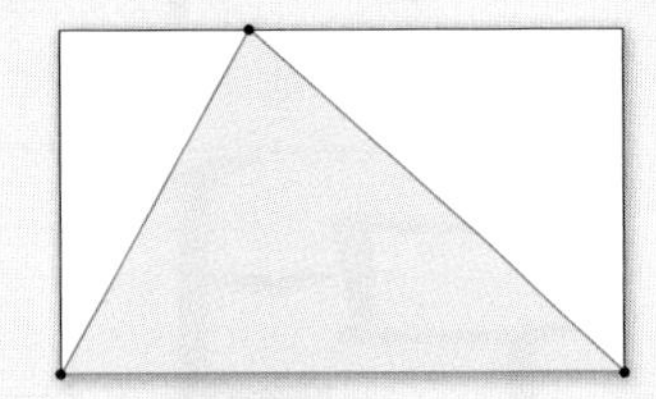

이 삼각형은 직사각형 전체 넓이의 얼마를 차지할까요?

옛 수학자가 이 문제를 푸느라
몇 날 며칠 밤, 땀을 뻘뻘 흘립니다.

그러다 문득!
삼각형의 위쪽 꼭짓점에서 수직으로 선을 하나 내리긋습니다.

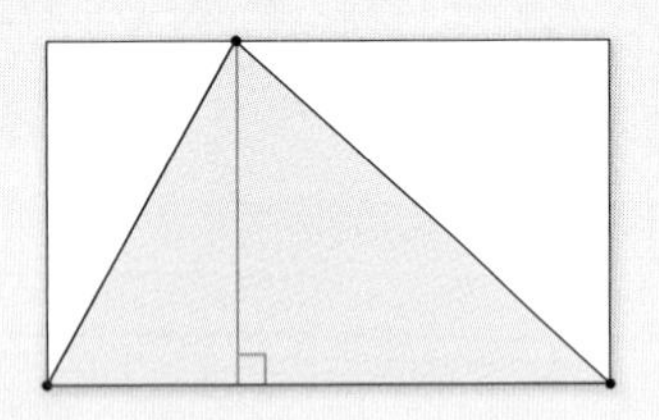

최상위 사고력을 위한 특별 학습 서비스

문제풀이 동영상

최고난도 문제를 동영상으로 제공하여 줍니다.

최상위 사고력 5A

펴낸날 [초판 1쇄] 2019년 4월 24일 [초판 4쇄] 2024년 2월 28일
펴낸이 이기열
대표저자 한헌조
펴낸곳 (주)디딤돌 교육
주소 (03972) 서울특별시 마포구 월드컵북로 122 청원선와이즈타워
대표전화 02-3142-9000
구입문의 02-322-8451
팩시밀리 02-338-3231
홈페이지 www.didimdol.co.kr
등록번호 제10-718호
구입한 후에는 철회되지 않으며 잘못 인쇄된 책은 바꾸어 드립니다.

이제 모든 게 선명해집니다.
직사각형은 2개로 나뉘었고
각각의 직사각형은 삼각형의 두 변에 의해 반씩 나누어 집니다.

정답은 $\frac{1}{2}$

그러나 중요한 건 정답이 아닙니다.
문제를 해결하려 땀을 뻘뻘 흘리다, 뇌가 번쩍하며
선 하나를 내리긋는 순간!
스스로 수학적 개념을 발견하는 놀라움!

삼각형, 직사각형의 넓이 구하는 공식을 달달 외워
기계적으로 문제를 푸는 것이 아닌

진짜 수학적 사고력이란 이런 것입니다.
문제에 부딪혔을 때, 문제를 해결하는 과정 속에서
스스로 수학적 개념을 발견하고 해결하는 즐거움.
이러한 즐거운 체험의 연속이 수학적 사고력의 본질입니다.

선 하나를 내리긋는 놀라운 생각.
디딤돌 최상위 사고력입니다.

수학적 개념을 발견하고 해결하는 즐거운 여행

정답을 구하는 것이 목적이 아니라
생각하는 과정 자체가 목적이 되는 문제들로 구성하였습니다.

낯설지만 손이 가는 문제

어려워 보이지만 풀 수 있을 것 같은,
도전하고 싶은 마음이 생깁니다.

4-2. 모양을 겹쳐서 도형 만들기

1 겹쳐진 부분을 찾아 색칠하고 색칠한 도형의 개수를 각각 쓰시오.

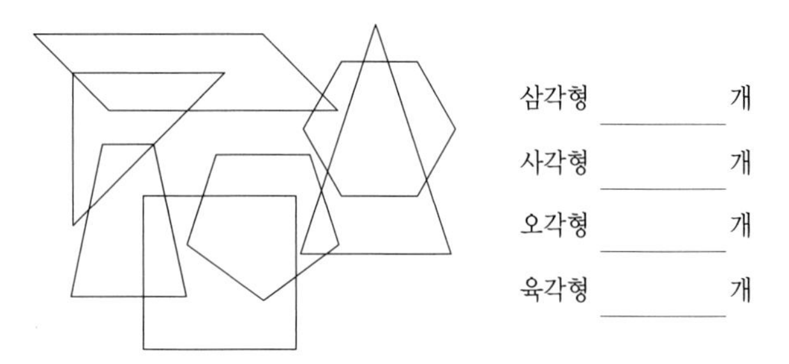

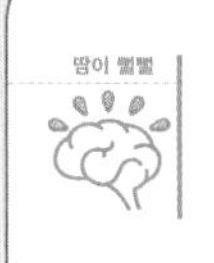

2 크기와 모양이 같은 삼각형 2개를 겹쳤을 때 겹쳐진 부분의 모양이 오각형과 육각형이 되도록 그리시오.

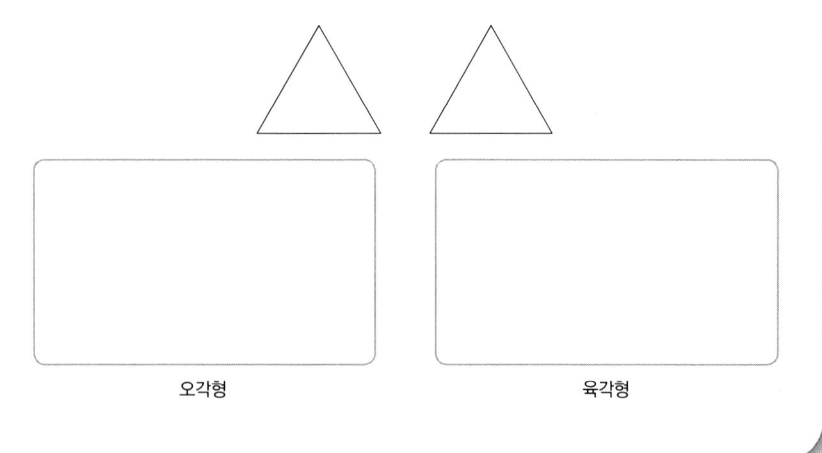

땀이 뻘뻘

첫 번째 문제와 비슷해 보이지만 막상 풀려면
수학적 개념을 세우느라 머리에 땀이 납니다.

뇌가 번쩍

앞의 문제를 자신만의 방법으로 풀면서 뒤죽박죽 생각했던 것들이 명쾌한 수학개념으로 정리됩니다. 이제 똑똑해지는 기분이 듭니다.

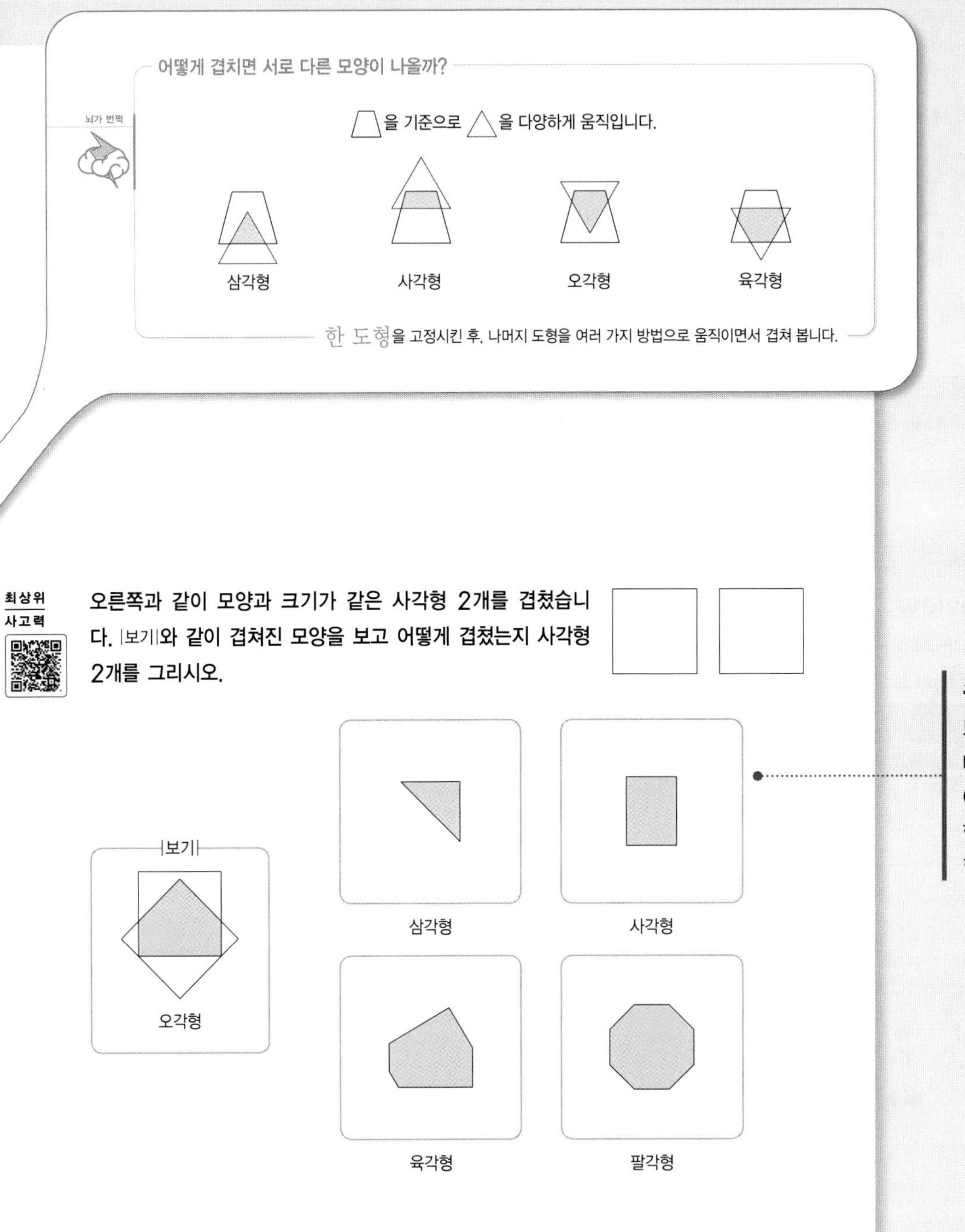

최상위 사고력 문제

뇌가 번쩍을 통해 알게된 개념을 다양한 관점에서 이해하고 해석해 봄으로써 한 단계 더 깊게 생각하는 힘을 기릅니다.

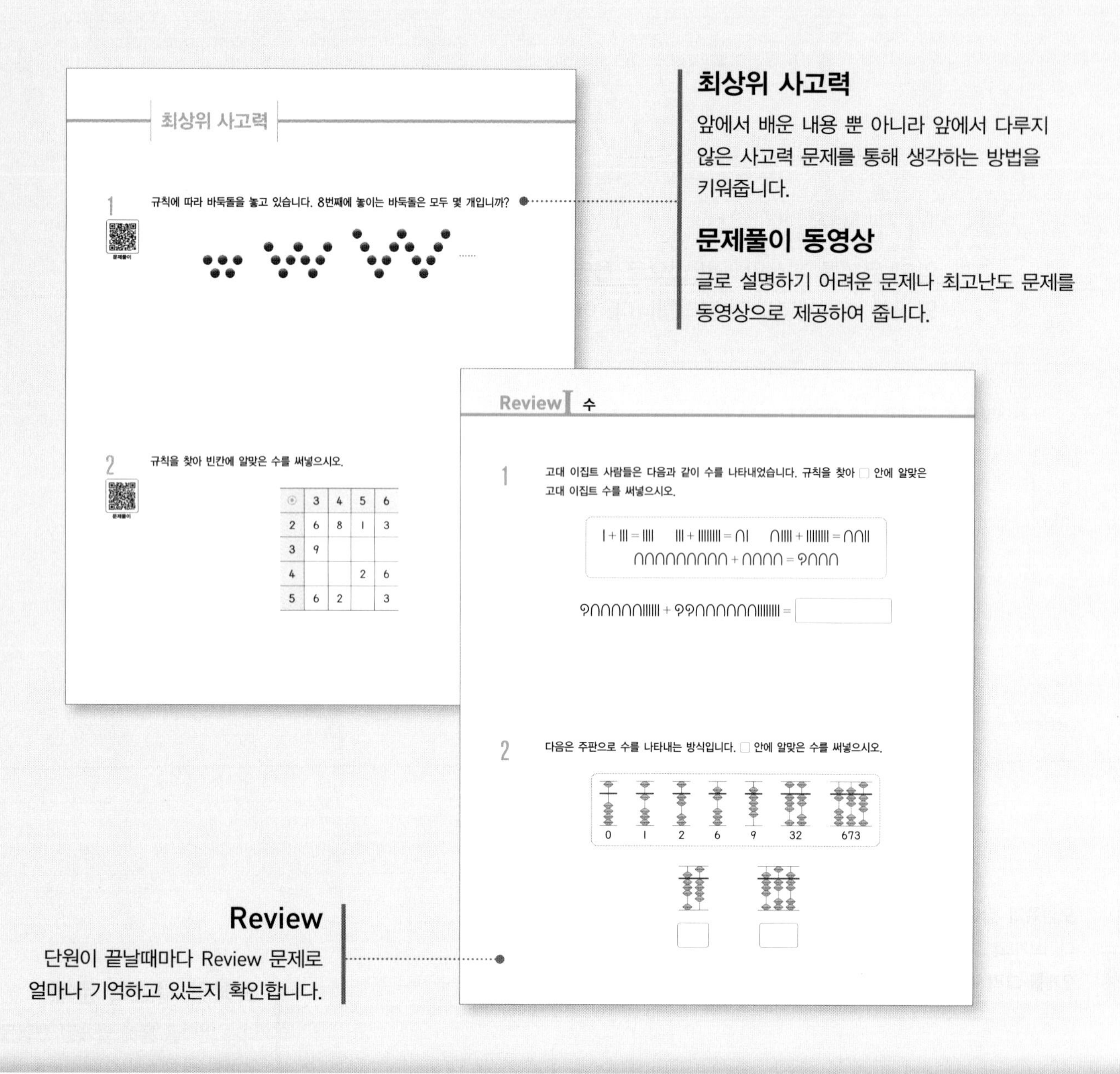

최상위 사고력

앞에서 배운 내용 뿐 아니라 앞에서 다루지 않은 사고력 문제를 통해 생각하는 방법을 키워줍니다.

문제풀이 동영상

글로 설명하기 어려운 문제나 최고난도 문제를 동영상으로 제공하여 줍니다.

Review

단원이 끝날때마다 Review 문제로 얼마나 기억하고 있는지 확인합니다.

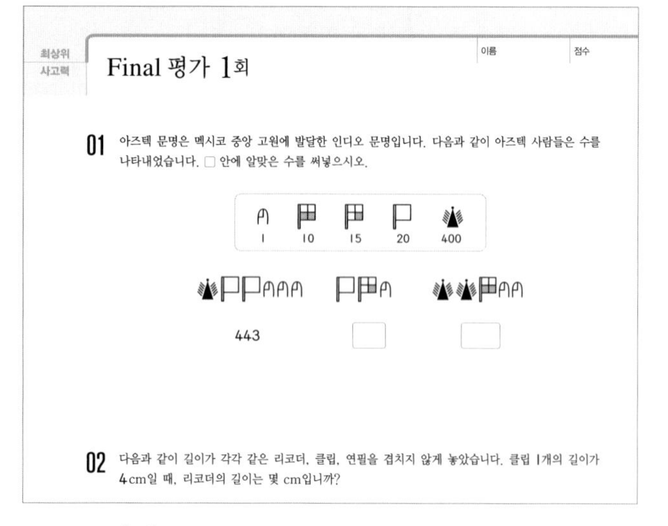

Final 평가

이 책에서 다룬 사고력 문제를 시험지 형식으로 풀어보며 실전 감각을 키웁니다.

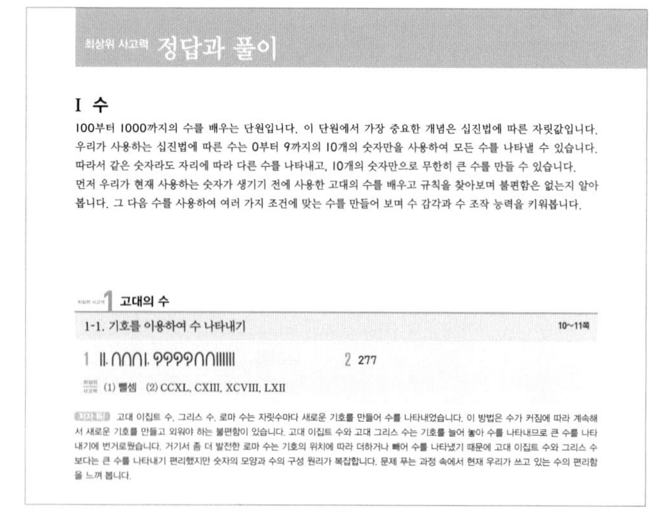

최상위 사고력 정답과 풀이

I 수

100부터 1000까지의 수를 배우는 단원입니다. 이 단원에서 가장 중요한 개념은 십진법에 따른 자릿값입니다. 우리가 사용하는 십진법에 따른 수는 0부터 9까지의 10개의 숫자만을 사용하여 모든 수를 나타낼 수 있습니다. 따라서 같은 숫자라도 자리에 따라 다른 수를 나타내고, 10개의 숫자만으로 무한히 큰 수를 만들 수 있습니다. 먼저 우리가 현재 사용하는 숫자가 생기기 전에 사용한 고대의 수를 배우고 규칙을 찾아보며 불편함은 없는지 알아봅니다. 그 다음 수를 사용하여 여러 가지 조건에 맞는 수를 만들어 보며 수 감각과 수 조작 능력을 키워봅니다.

최상위 사고력 1 고대의 수

1-1. 기호를 이용하여 수 나타내기 10~11쪽

1 (고대 이집트 기호)　2 277

최상위 사고력 (1) 뺄셈 (2) CCXL, CXIII, XCVIII, LXII

저자 톡! 고대 이집트 수, 그리스 수, 로마 수는 자릿수마다 새로운 기호를 만들어 수를 나타내었습니다. 이 방법은 수가 커짐에 따라 계속해서 새로운 기호를 만들고 외워야 하는 불편함이 있습니다. 고대 이집트 수와 고대 그리스 수는 기호를 늘어 놓아 수를 나타내므로 큰 수를 나타내기에 번거로웠습니다. 거기서 좀 더 발전한 로마 수는 기호의 위치에 따라 더하거나 빼어 수를 나타냈기 때문에 고대 이집트 수와 그리스 수보다는 큰 수를 나타내기 편리했지만 숫자의 모양과 수의 구성 원리가 복잡합니다. 문제 푸는 과정 속에서 현재 우리가 쓰고 있는 수의 편리함을 느껴 봅니다.

친절한 정답과 풀이

단원 배경 설명, 저자 톡!을 통해 문제를 선정하고 배치한 이유를 알려줍니다. 문제마다 좀 더 보기 쉽고, 이해하기 쉽게 설명하려고 하였습니다.

contents

Ⅰ 연산
교과 과정
1. 자연수의 혼합 계산

Ⅱ 수 (1)
교과 과정
2. 약수와 배수

Ⅲ 규칙
교과 과정
3. 규칙과 대응

Ⅳ 수 (2)
교과 과정
4. 약분과 통분
5. 분수의 덧셈과 뺄셈

Ⅴ 측정
교과 과정
6. 다각형의 둘레와 넓이

I 연산

1 자연수의 혼합 계산

1-1 자연수의 혼합 계산의 최대 · 최소
1-2 (   )로 묶기
1-3 간단하게 계산하기

2 수 퍼즐

2-1 수 넣기
2-2 포포즈 (1)
2-3 포포즈 (2)

3 목표수 만들기

3-1 자연수의 계산식 만들기
3-2 홀수와 짝수를 이용하여 목표수 만들기
3-3 100 만들기

1-1. 자연수의 혼합 계산의 최대 · 최소

1 ○ 안에 $+$, $\times$를 써넣어 다음과 같은 식을 만들려고 합니다. 계산 결과가 가장 작을 때의 값을 구하시오.

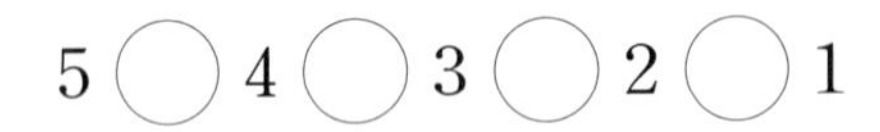

땀이 뻘뻘

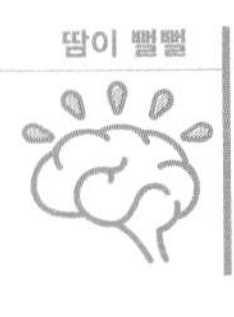

2 주어진 수 카드를 한 번씩 사용하여 다음과 같은 식을 만들려고 합니다. □ 안에 알맞은 수를 써넣어 계산 결과가 가장 클 때의 값과 가장 작을 때의 값을 차례로 구하시오. (단, 계산 결과는 자연수입니다.)

2 **4** **6** **8**

$(\square+\square)\times\square\div\square$

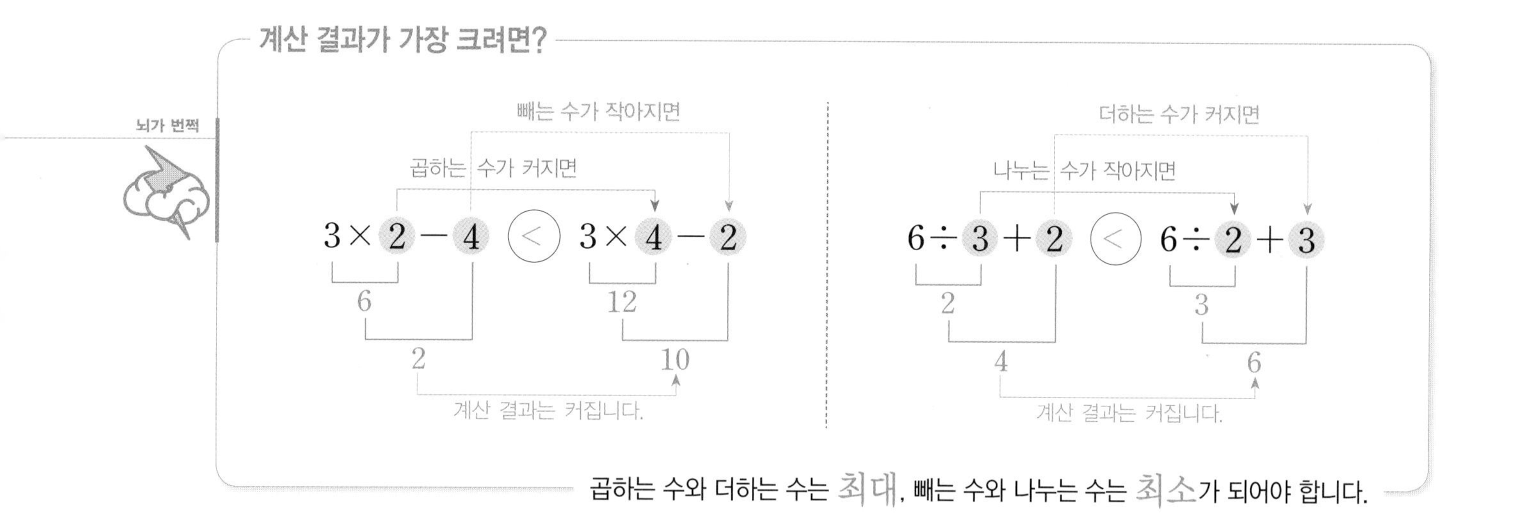

최상위 사고력

주어진 수 카드를 한 번씩 사용하여 다음과 같은 식을 만들려고 합니다. 계산 결과가 가장 클 때의 값과 가장 작을 때의 값을 차례로 구하시오. (단, 계산 결과는 자연수입니다.)

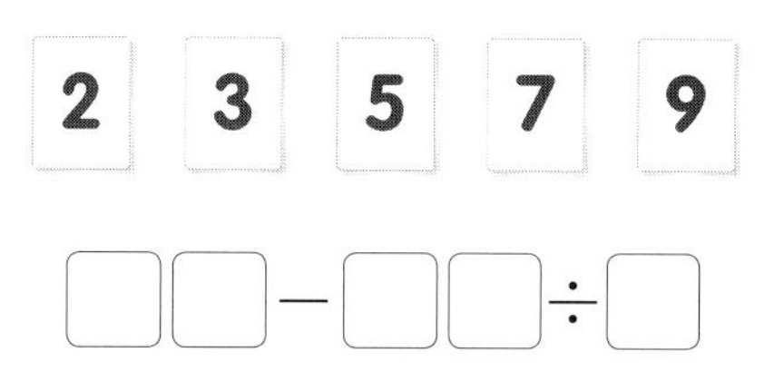

정답과 풀이 10쪽 ►

1-2. (　　)로 묶기

1 계산 결과가 다르게 되도록 세 가지 방법으로 (　　)로 묶고 계산 결과를 구하시오.

$55-10+3\times4$ ➡ 방법 1 $55-10+3\times4$

방법 2 $55-10+3\times4$

방법 3 $55-10+3\times4$

2 등식이 성립하도록 (　　)로 묶으시오.

(1) $4+5\times12-8\div2=30$

(2) $9+7\times9+12\div3-1=78$

(3) $38-3\times12\div4+6+2=25$

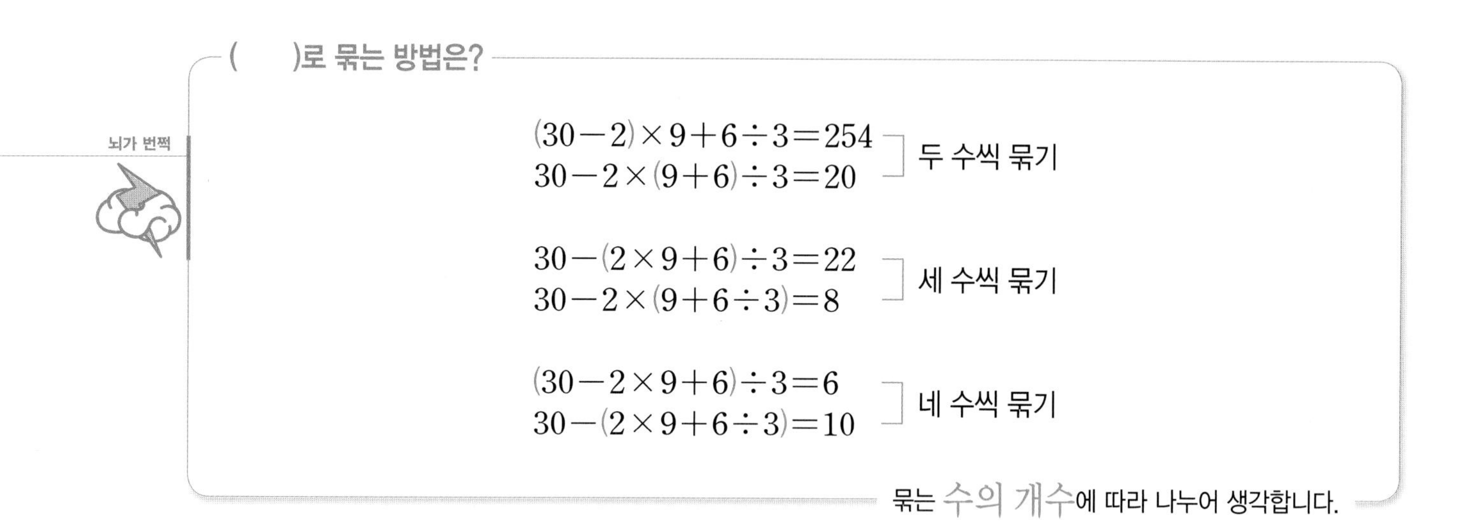

최상위 사고력

(　　)로 묶어 만든 식 중에서 계산 결과가 가장 클 때의 값과 가장 작을 때의 값을 차례로 구하시오. (단, (　　)를 여러 번 사용해도 됩니다.)

$$18+6\times4\div2-1$$

정답과 풀이 11쪽 ►

1-3. 간단하게 계산하기

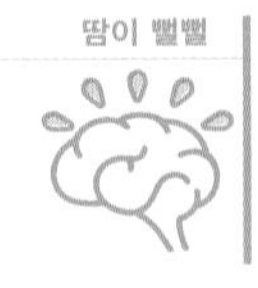

1 간단히 계산하시오.

(1) $54321+43215+32154+21543+15432$

(2) $1000-81-19-80-20-79-21-78-22-74-26$

(3) $(101+103+105+107+109)-(91+93+95+97+99)$

(4) $7\times25\times4-2\times9\times5+8\times3\times125$

(5) $140\times15\div3+54\times105\div27\div35$

(6) $1990\times1991-1989\times1990-221\times2$

간단히 계산할 수 없을까?

뇌가 번쩍

① 덧셈: 몇십이 되는 수끼리 묶어서 계산하기
$43+32+58=43+90=133$

② 뺄셈: 뺄셈끼리 한 번에 묶어서 계산하기
$81-23+8-5-2=81-30+8=59$

③ 곱셈: 10, 100, 1000……이 되는 계산부터 하기
$27\times4\times25=27\times100=2700$

④ 나눗셈: 나누어떨어지면 곱셈보다 먼저 계산하기
$13\times24\div6=13\times4=52$

⑤ 혼합 계산: 공통이 되는 수로 묶어서 계산하기
$15\times7+35\times7=50\times7=350$

최상위 사고력

간단히 계산하시오.

(1) $156+78\times1983+22\times1985$

(2) $100000\div25\div125\div8\div4$

(3) $9999\times2222+3333\times3334$

정답과 풀이 12쪽 ►

1 등식이 성립하도록 (　　)로 묶으시오. (단, (　　)를 여러 번 사용해도 됩니다.)

$$21-3\times4-12\div4+2=70$$

2 간단히 계산하시오.

(1) $8+98+998+9998+99998$

(2) $2772\div28+34965\div35$

TIP (㉠－㉡)÷㉢＝㉠÷㉢－㉡÷㉢

3

문제풀이

다음 식에서 계산 순서를 생각하지 않고 왼쪽에서부터 차례로 계산하였더니 계산한 값이 12가 되었습니다. 바르게 계산한 값을 구하시오.

$$9+6\times5-▲\div3$$

| 경시대회 기출 |

4

문제풀이

|보기|는 $8+6-4\times3$을 세 가지 방법으로 (　)로 묶어 계산한 것입니다. 주어진 식을 (　)로 묶어 계산할 때 서로 다른 계산 결과는 모두 몇 가지인지 구하시오. (단, (　)를 여러 번 사용해도 됩니다.)

|보기|

$(8+6-4)\times3=30,\quad 8+(6-4)\times3=14,\quad (8+6)-(4\times3)=2$

$$12\times9+6\div3-2$$

2-1. 수 넣기

1 주어진 수 카드를 한 번씩 사용하여 다음과 같은 식이 성립하도록 세 가지 방법으로 만들려고 합니다. □ 안에 알맞은 수를 써넣으시오.

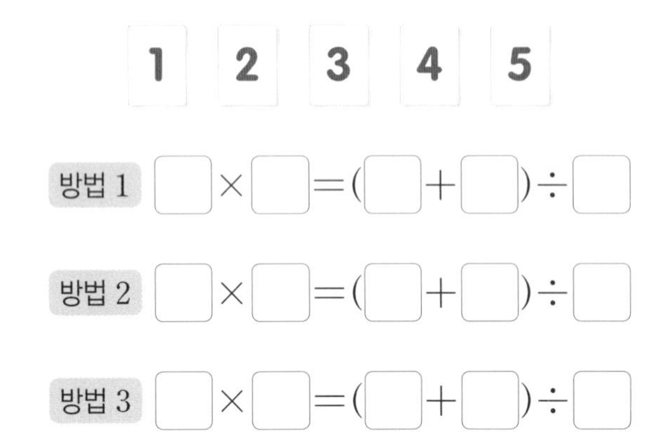

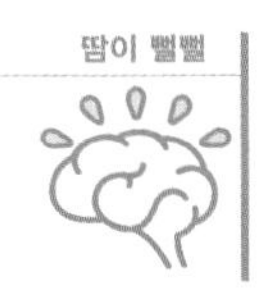

2 □ 안에 2부터 9까지의 수를 한 번씩 써넣어 식을 완성하시오.

□+□=□

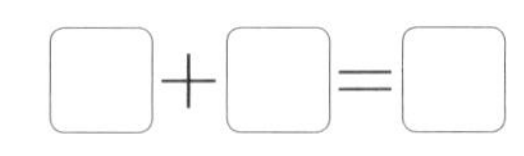

□×□=□

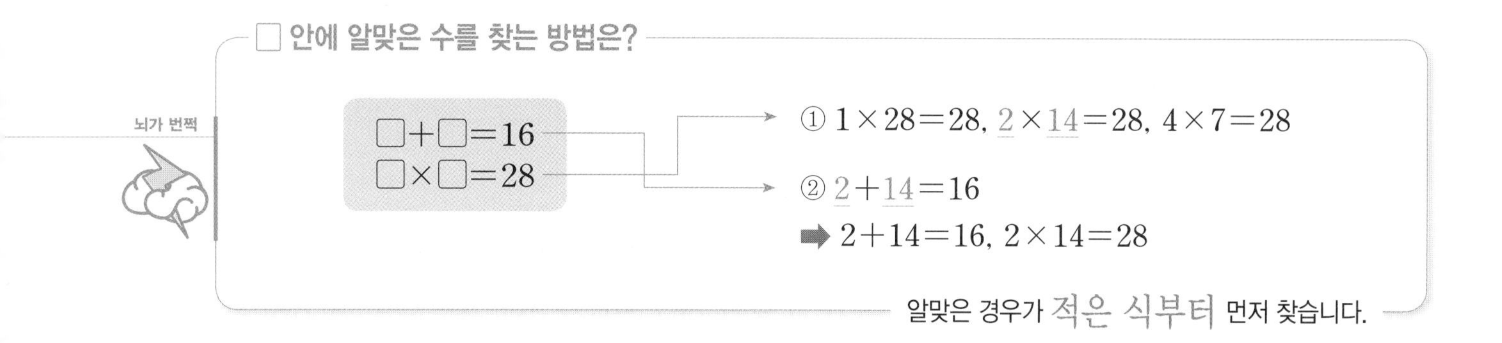

최상위 사고력

빈칸에 1부터 9까지의 수를 한 번씩 써넣어 수 퍼즐을 완성하시오.

	×		+		=	57
+		+		+		
	×		−		=	9
+		+		+		
	÷		−		=	1
‖		‖		‖		
24		12		9		

정답과 풀이 15쪽 ►

2-2. 포포즈(1)

1 네 개의 4와 $+$, $-$, $\times$, $\div$, (　)를 사용하여 0과 모든 자연수를 만드는 것을 포포즈(Four Fours)라고 합니다. |보기|와 같이 계산 결과가 8이 되는 식을 네 가지 만드시오.

|보기|

$44\div44=1$, $4-4+4\div4=1$, $(4\div4)\times(4\div4)=1$, $(4+4)\div(4+4)=1$

4　4　4　4

2 네 개의 4와 $+$, $-$, $\times$, $\div$, (　)를 사용하여 1부터 10까지의 자연수를 모두 만드시오.

4　4　4　4

뇌가 번쩍

네 개의 4로 목표수를 만드는 방법은?

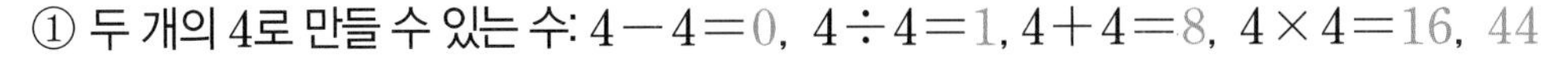

① 두 개의 4로 만들 수 있는 수: $4-4=0$, $4\div4=1$, $4+4=8$, $4\times4=16$, 44

② 세 개의 4로 만들 수 있는 수 (①의 계산 결과 이용)

0 ➡ $0+4=4$, $4-0=4$, $0\times4=0$, $0\div4=0$

1 ➡ $1+4=5$, $4-1=3$, $4\times1=4$, $4\div1=4$

8 ➡ $8+4=12$, $8-4=4$, $8\times4=32$, $8\div4=2$

16 ➡ $16+4=20$, $16-4=12$, $16\times4=64$, $16\div4=4$

44 ➡ 444, $44+4=48$, $44-4=40$, $44\times4=176$, $44\div4=11$

두 개, 세 개의 4로 만들 수 있는 수를 찾아 이용합니다.

최상위 사고력

네 개의 9와 $+$, $-$, $\times$, $\div$, ( )를 사용하여 7부터 12까지의 자연수를 모두 만드시오.

9 9 9 9

2-3. 포포즈 (2)

1 네 개의 4와 $+$, $-$, $\times$, $\div$, (　)를 사용하여 주어진 수를 모두 만드시오.

15	20	44	60	68	80

2 다섯 개의 3과 $+$, $-$, $\times$, $\div$, (　)를 사용하여 두 가지 방법으로 37을 만드시오.

방법 1　3　3　3　3　3　$=$　37

방법 2　3　3　3　3　3　$=$　37

수가 많을 때 목표수를 만드는 방법은?

$2\ \ 2\ \ 2\ \ 2\ \ 2 = 24$

- $26-2$ → $22+2+2-2=24$
- 6×4 → $(2+2+2)\times(2+2)=24$
- $48\div2$ → $(22+2)\times2\div2=24$

두 부분으로 나누어 생각합니다.

최상위 사고력

다섯 개의 9와 $+$, $-$, $\times$, $\div$, (　　)를 사용하여 알맞은 등식을 만드시오.

$9\ \ 9\ \ 9\ \ 9\ \ 9 = 17$　　　$9\ \ 9\ \ 9\ \ 9\ \ 9 = 18$

$9\ \ 9\ \ 9\ \ 9\ \ 9 = 19$　　　$9\ \ 9\ \ 9\ \ 9\ \ 9 = 20$

$9\ \ 9\ \ 9\ \ 9\ \ 9 = 63$　　　$9\ \ 9\ \ 9\ \ 9\ \ 9 = 90$

정답과 풀이 17쪽 ►

1 |보기|와 같이 자동차 번호판의 네 개의 숫자와 $+$, $-$, $\times$, $\div$, (　　)를 사용하여 10을 만드시오.

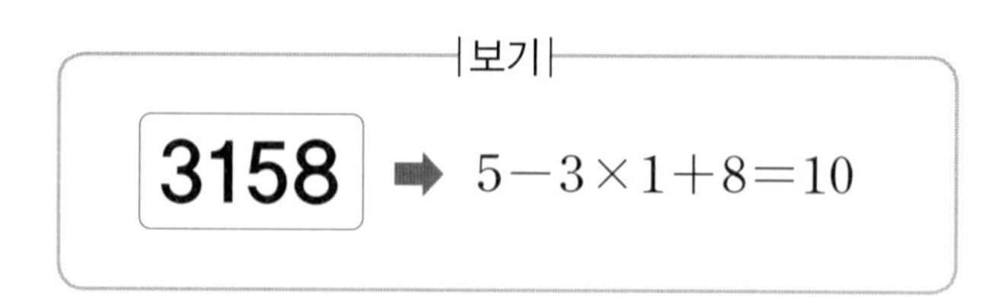

(1) 9295 ➡ ______________

(2) 3267 ➡ ______________

(3) 2178 ➡ ______________

2 네 개의 8과 $+$, $-$, $\times$, $\div$, (　　)를 사용하여 1부터 10까지의 수를 만들려고 합니다. 만들 수 없는 수를 1개 찾으시오.

8　8　8　8

3

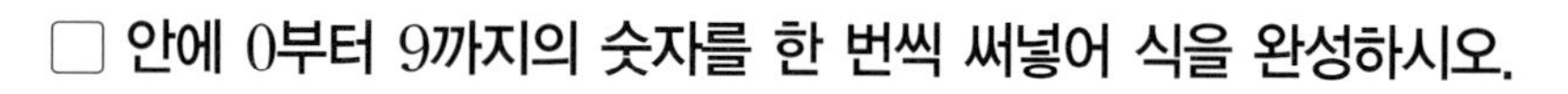

□ 안에 0부터 9까지의 숫자를 한 번씩 써넣어 식을 완성하시오.

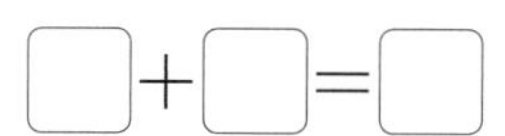

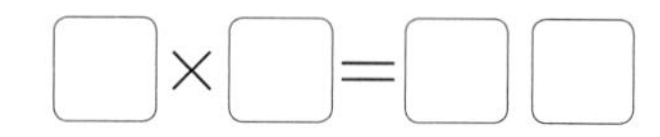

| 경시대회 기출 |

4

$+$, $-$, $\times$, $\div$, ( )를 사용하여 주어진 등식이 성립하도록 다섯 가지 방법으로 만드시오.

$$1 \quad 2 \quad 3 \quad 4 \quad 5 \quad = \quad 6$$

정답과 풀이 18쪽 ►

3-1. 자연수의 계산식 만들기

1 등식이 성립하도록 + 한 개를 지우려고 합니다. 지워야 하는 + 한 개를 찾아 ×표 하시오.

(1) $1+2+3+4+5+6+7+8+9=90$

(2) $1+2+3+4+5+6+7+8+9=72$

(3) $1+2+3+4+5+6+7+8+9=117$

땀이 뻘뻘

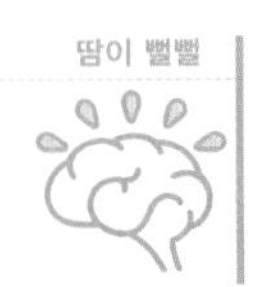

2 ○ 안에 +, −를 써넣어 등식이 성립하도록 두 가지 방법으로 만드시오.

방법 1 1 ○ 2 ○ 3 ○ 4 ○ 5 ○ 6 ○ 7=8

방법 2 1 ○ 2 ○ 3 ○ 4 ○ 5 ○ 6 ○ 7=8

뇌가 번쩍

기호를 없애거나 바꾸면 계산 결과가 어떻게 바뀔까?

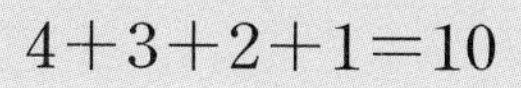

$4+3+2+1=10$

① 기호 없애기(한 자리 수 ➡ 두 자리 수)

(40−4)만큼 커짐

$43+2+1=46$

(30−3)만큼 커짐

$4+32+1=37$

(20−2)만큼 커짐

$4+3+21=28$

② 기호 바꾸기(+ ➡ −)

(3×2)만큼 작아짐

$4-3+2+1=4$

(2×2)만큼 작아짐

$4+3-2+1=6$

(1×2)만큼 작아짐

$4+3+2-1=8$

최상위 사고력 등식이 성립하도록 ○ 안에 +, −를 써넣는 방법은 모두 몇 가지인지 구하시오.

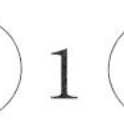

100 ○ 1 ○ 2 ○ 3 ○ 4 ○ 5 ○ 6 ○ 7 ○ 8=108

정답과 풀이 19쪽 ►

3-2. 홀수와 짝수를 이용하여 목표수 만들기

1 볼링공을 굴려서 볼링핀을 쓰러뜨리면 볼링핀에 적힌 수만큼 점수를 얻습니다. 민수가 볼링핀 6개 중에서 4개를 쓰러뜨렸다고 할 때 얻을 수 없는 점수를 모두 고르시오.

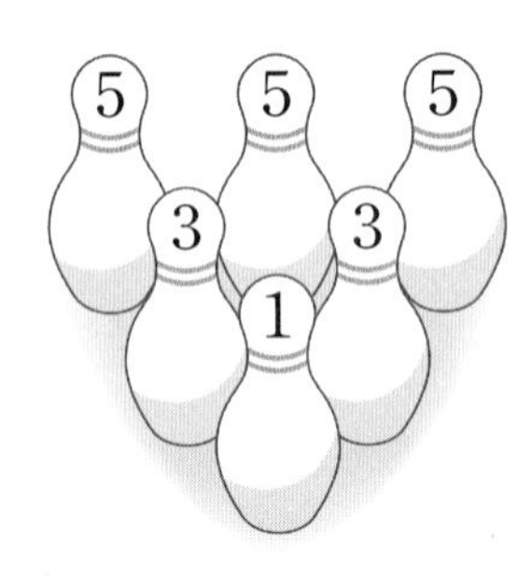

① 10점　　② 12점　　③ 14점　　④ 17점　　⑤ 18점

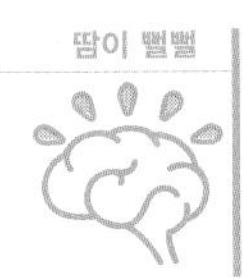

2 ○ 안에 ＋, －를 써넣을 때 나올 수 없는 수를 모두 구하시오.

① 33　　② 42　　③ 25　　④ 47　　⑤ 39

뇌가 번쩍

목표수를 만들 때 이용할 수 있는 성질이 있을까?

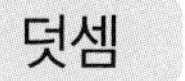

(홀수)+(홀수)=(짝수)
(홀수)+(짝수)=(홀수)
(짝수)+(짝수)=(짝수)

뺄셈

(홀수)×(홀수)=(홀수)
(홀수)×(짝수)=(짝수)
(짝수)×(짝수)=(짝수)

홀수와 짝수의 성질을 이용합니다.

최상위 사고력

□ 안에 3, 4, 5, 6을 한 번씩 써넣어 계산한 값 중에서 짝수인 것을 모두 구하시오.

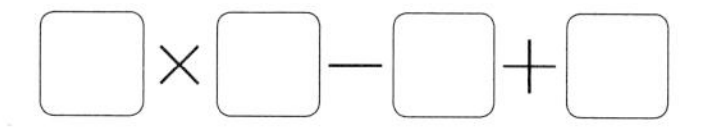

정답과 풀이 20쪽 ►

3-3. 100 만들기

1 ○ 안에 ＋, －를 써넣어 100을 만드시오.

(1) 98 ○ 7 ○ 6 ○ 5 ○ 4 ○ 3 ○ 2 ○ 1＝100

(2) 9 ○ 8 ○ 76 ○ 5 ○ 4 ○ 3 ○ 21＝100

(3) 9 ○ 8 ○ 7 ○ 65 ○ 4 ○ 32 ○ 1＝100

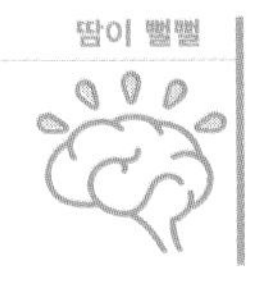

2 1부터 9까지의 자연수 사이에 ＋, －, (　　)를 사용하여 100을 두 가지 방법으로 만드시오.

방법 1　1　2　3　4　5　6　7　8　9　＝　100

방법 2　1　2　3　4　5　6　7　8　9　＝　100

목표수를 만들 때 시행착오를 줄이는 방법은?

뇌가 번쩍

2 3 4 5 6 7 8 = 100

① 100에 가까운 두 수의 합을 찾습니다.

2 3 4 5 6 7 8 = 100

(34 + 67 = 101)

② 나머지 수를 조절하여 100을 만듭니다.

$2 + 34 + 5 + 67 - 8 = 100$

먼저 목표수에 가까운 수를 만들고 나머지 수를 조절합니다.

최상위 사고력

주어진 수 사이에 +, −, ×, ÷, (　　)를 사용하여 100을 세 가지 방법으로 만드시오.

방법 1　1　2　3　3　3　3　5　9　=　100

방법 2　1　2　3　3　3　3　5　9　=　100

방법 3　1　2　3　3　3　3　5　9　=　100

정답과 풀이 21쪽 ►

1 ○ 안에 $+$, $-$를 써넣어 1부터 9까지의 자연수를 만들려고 합니다. 만들 수 없는 수는 모두 몇 개인지 구하시오.

2 |보기|와 같이 1, 2, 3, 4, 5 다섯 개의 수와 $+$, $-$, $\times$, $\div$, $=$, (　)를 사용하여 세 가지 방법으로 알맞은 등식을 만드시오. (단, $=$는 1개만 사용하고 숫자를 붙여서 두 자리 수로 만들 수 있습니다.)

|보기|

$1\times 2=3+4-5$

방법 1　1　2　3　4　5

방법 2　1　2　3　4　5

방법 3　1　2　3　4　5

| 경시대회 기출 |

3 홀수의 합이 10인 식은 모두 몇 가지인지 구하시오. (단, 순서만 바꾼 식 $1+9=10$, $9+1=10$은 한 가지로 생각합니다.)

| 경시대회 기출 |

4 □ 안에 모두 같은 수를 써넣어 100을 만드시오.

$$(\square+\square)+(\square-\square)+(\square\times\square)+(\square\div\square)=100$$

정답과 풀이 23쪽 ►

1 등식이 성립하도록 (   )로 묶으시오.

(1) $60-40+4\div3\times2=16$

(2) $20-40-4\div6+3\times2=20$

2 간단히 계산하시오.

(1) $799998+79997+7996+797+18$

(2) $3333\times4444+3334\times2222$

3

네 개의 6과 $+$, $-$, $\times$, $\div$, (   )를 사용하여 1부터 8까지의 자연수를 모두 만드시오.

$$6 \quad 6 \quad 6 \quad 6$$

4

○ 안에 $+$, $-$, $\times$, $\div$ 중에서 서로 다른 기호를 써넣어 계산할 때 나올 수 있는 수를 모두 구하시오. (단, 계산 결과는 자연수입니다.)

$$4 \bigcirc 3 \bigcirc 2$$

$4+3+2$와 같이 같은 기호만 사용하면 안 됩니다.

정답과 풀이 24쪽 ►

5

1부터 9까지의 자연수 중에서 4개의 수와 $+$, $\times$, $\div$, (　　)를 한 번씩만 모두 사용하여 계산 결과가 가장 큰 식을 만드시오.

6

등식이 성립하도록 $+$를 바꾸는 방법을 설명하시오.

$$1+2+3+4+5+\cdots\cdots+16+17+18+19+20=200$$

정답과 풀이 24쪽 ►

수(1)

4 배수 판정법

4-1 배수 판정법(1)
4-2 배수 판정법(2)
4-3 배수 판정법의 활용

5 소수와 약수

5-1 에라토스테네스의 체
5-2 소인수분해
5-3 약수의 개수

6 소인수분해의 활용

6-1 제곱수
6-2 사물함 열고 닫기
6-3 0의 개수

7 최대공약수와 최소공배수

7-1 유클리드 호제법
7-2 최대공약수와 최소공배수의 관계
7-3 최대공약수와 최소공배수의 활용

4-1. 배수 판정법(1)

1 왼쪽 수는 어떤 수의 배수가 되는지 오른쪽에서 모두 찾아 색칠하시오.

(1)

	□의 배수						
372	2	3	4	5	6	8	9

(2)

	□의 배수						
6525	2	3	4	5	6	8	9

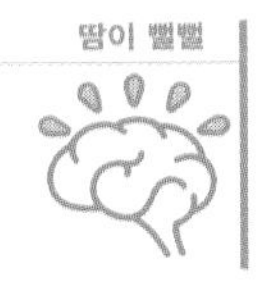

2 다음 여섯 자리 수를 8의 배수도 되고, 9의 배수도 되게 만들려고 합니다. 만들 수 있는 수를 모두 구하시오.

263●▲6

뇌가 번쩍

주어진 수가 어떤 수의 배수인지 알 수 있는 방법은?

2의 배수	일의 자리 숫자가 0이거나 짝수	끝 자리의 수로 판정
4의 배수	끝의 두 자리 수가 00이거나 4의 배수	
5의 배수	일의 자리 숫자가 0이거나 5	
8의 배수	끝의 세 자리 수가 000이거나 8의 배수	
3의 배수	각 자리 숫자의 합이 3의 배수	각 자리 숫자의 합으로 판정
9의 배수	각 자리 숫자의 합이 9의 배수	
6의 배수	2의 배수이면서 3의 배수	공배수로 판정

끝 자리의 수, 각 자리 숫자의 합, 공배수를 이용하는 배수 판정법으로 알아봅니다.

최상위 사고력

주어진 수 카드를 사용하여 조건에 맞는 수를 만들려고 합니다. 물음에 답하시오.

(1) 만들 수 있는 네 자리 수 중에서 가장 큰 4의 배수를 구하시오.

(2) 만들 수 있는 세 자리 수 중에서 9의 배수는 모두 몇 개인지 구하시오.

정답과 풀이 27쪽 ►

4-2. 배수 판정법(2)

1 11의 배수 판정법을 이용하여 11의 배수를 모두 찾으시오.

> 11의 배수 판정법
> ① 오른쪽에서 홀수 자리 숫자를 모두 더합니다.
> ② 오른쪽에서 짝수 자리 숫자를 모두 더합니다.
> ③ ①과 ②에서 구한 두 수의 차를 구합니다.
> ④ ③에서 구한 차가 0 또는 11의 배수이면 그 수는 11의 배수입니다.

① 5283　② 40964　③ 176234　④ 649325　⑤ 86629574592

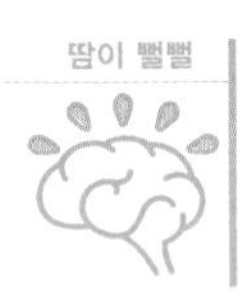

2 각 자리 숫자의 합이 43이고, 11로 나누어떨어지는 다섯 자리 수를 모두 구하시오.

11의 배수 판정법에는 어떤 원리가 숨어 있을까?

$$\begin{aligned}\text{ABCDE} &= 10000\times\text{A}+1000\times\text{B}+100\times\text{C}+10\times\text{D}+\text{E}\\ &= (9999+1)\times\text{A}+(1001-1)\times\text{B}+(99+1)\times\text{C}+(11-1)\times\text{D}+\text{E}\\ &= \underbrace{(9999\times\text{A}+1001\times\text{B}+99\times\text{C}+11\times\text{D})}_{11\text{의 배수}}+\underbrace{(\text{A}-\text{B}+\text{C}-\text{D}+\text{E})}_{\text{이 부분만 확인하면 됩니다.}}\end{aligned}$$

11, 99, 1001, 9999……가 모두 11의 배수임을 이용한 것입니다.

최상위 사고력 A

다음은 스펜스의 배수 판정법으로 다섯 자리 수 21728이 7의 배수인지 알아보는 과정입니다. 규칙을 찾아 주어진 수가 7의 배수인지 판정하시오.

① $2172-8\times2=2156$
② $215-6\times2=203$
③ $20-3\times2=14$ ➡ 14는 7의 배수이므로 21728은 7의 배수입니다.

(1) 36456

(2) 107723

최상위 사고력 B

주어진 수 카드를 한 번씩 모두 사용하여 네 자리 수를 만들 때 11로 나누어떨어지는 수를 모두 구하시오.

1 2 3 4

4-3. 배수 판정법의 활용

1 민우가 527의 뒤에 세 개의 숫자를 더 붙여서 썼더니 이 수는 3, 4, 5의 배수가 되었습니다. 이 수 중에서 가장 작은 수를 구하시오.

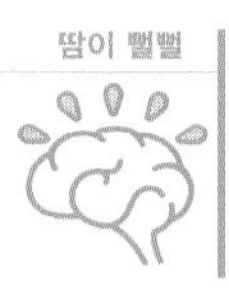

2 준서가 가격이 같은 사탕 72개를 사고 받은 영수증에서 숫자 2개가 지워져 보이지 않습니다. 준서가 산 사탕의 금액은 얼마인지 구하시오.

영 수 증

디딤돌25 홍대점 02-3142-9000
서울시 마포구 월드컵북로 122

2019/03/31

상품명	수량	금액
사 탕	72	□654□

뇌가 번쩍

나누어지는 수 중에서 모르는 숫자를 알 수 있는 방법은?

예 8314□개의 공이 12상자에 같은 개수씩 들어 있습니다. 한 상자에는 공이 몇 개 들어 있습니까?

8314□는 12의 배수이므로 3과 4의 배수입니다.
① 3의 배수: $8+3+1+4+\square$가 3의 배수이므로 $\square=2, 5, 8$입니다.
② 4의 배수: 4□가 4의 배수이므로 2, 5, 8 중 $\square=8$입니다.

나누는 수의 공배수이므로 배수 판정법을 이용합니다.

최상위 사고력

명주는 공책 3권, 볼펜 2자루, 연필 6자루, 지우개 7개를 사고 모두 29000원을 냈습니다. 볼펜 1자루의 값은 3900원이고, 지우개 1개의 값은 600원이라고 할 때 명주가 낸 돈은 정확합니까? 정확하지 않다면 그 이유를 설명하시오. (단, 거스름돈은 없습니다.)

정답과 풀이 30쪽 ►

1 |조건|에 맞는 수 중에서 가장 큰 수와 가장 작은 수를 차례로 구하시오.

|조건|
- 백의 자리 숫자가 4인 세 자리 수입니다.
- 5의 배수입니다.
- 3으로 나누어떨어집니다.

| 경시대회 기출 |

2 세 자리 수 중에서 4의 배수이지만 7의 배수는 아닌 수는 모두 몇 개인지 구하시오.

문제풀이

3 다음 수들의 최대공약수를 이용하여 모두 37의 배수인 이유를 설명하시오.

333, 888, 777777, 555999, 666666666

| 경시대회 기출 |

4 각 자리의 숫자가 짝수인 수 중에서 가장 작은 9의 배수를 구하시오.

문제풀이

5-1. 에라토스테네스의 체

1 1보다 큰 자연수 중에서 1과 자기 자신 이외에는 약수가 없는 수를 '소수'라고 합니다. 다음은 수학자 에라토스테네스가 1부터 100까지의 수 중에서 소수를 찾는 과정의 일부분입니다. 1부터 100까지의 수 중에서 소수의 개수를 구하시오.

~~1~~	②	③	~~4~~	⑤	~~6~~	⑦	~~8~~	~~9~~	~~10~~	⑪	~~12~~	⑬	~~14~~	~~15~~	~~16~~	⑰	~~18~~	⑲	~~20~~
~~21~~	~~22~~	㉓	~~24~~	~~25~~	~~26~~	~~27~~	~~28~~	㉙	~~30~~	㉛	~~32~~	~~33~~	~~34~~	~~35~~	36	37	38	39	40
41	42	43	44	45	46	47	48	49	50	51	52	53	54	55	56	57	58	59	60
61	62	63	64	65	66	67	68	69	70	71	72	73	74	75	76	77	78	79	80
81	82	83	84	85	86	87	88	89	90	91	92	93	94	95	96	97	98	99	100

2 다음 중에서 소수 한 개를 찾아 쓰시오.

294	175	519	311	143

뇌가 번쩍

어떤 수가 소수인지 아닌지 쉽게 알 수 있는 방법은?

117 ➡ 방법1 배수 판정법으로 알아보기
각 자리 숫자의 합이 9로 3의 배수이므로 소수가 아닙니다.

방법2 소수로 직접 나누어 보기
$121(=11\times11)$보다 작으므로
11보다 작은 소수 2, 3, 5, 7로 나누어 봅니다.
$117\div3=39$로 나누어 떨어지므로 소수가 아닙니다.

최상위 사고력 A

주어진 수 카드 중에서 3장을 뽑아 만들 수 있는 세 자리 수 중에서 가장 작은 소수와 가장 큰 소수를 차례로 구하시오.

1 3 5 7

최상위 사고력 B

어떤 두 소수를 더하였더니 99가 되었습니다. 두 소수를 구하시오.

정답과 풀이 32쪽 ►

5-2. 소인수분해

1 어떤 수를 소수만의 곱으로 나타내는 것을 '소인수분해'라고 합니다. 다음은 72를 두 가지 방법으로 소인수분해한 것입니다. 54를 두 가지 방법으로 소인수분해하시오.

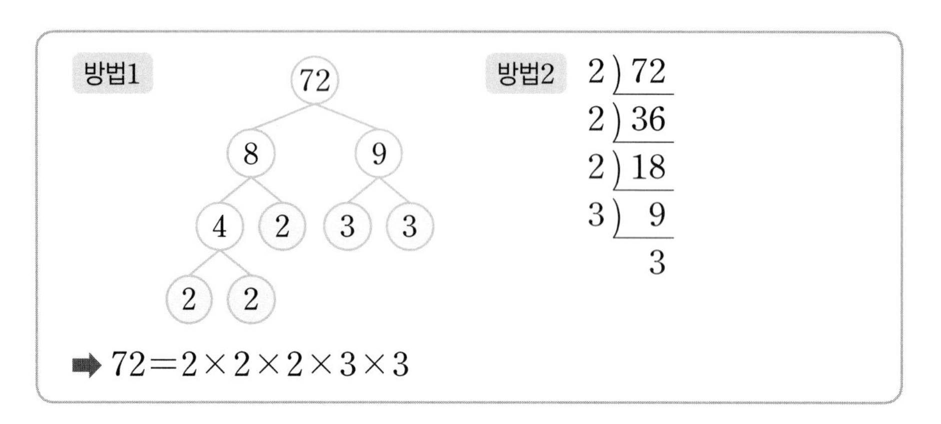

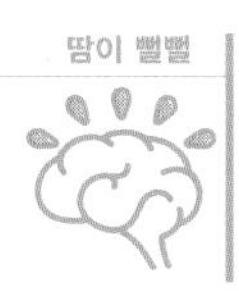

2 주어진 수를 소인수분해하여 |보기|와 같이 나타내시오.

|보기|

$720=2\times2\times2\times2\times3\times3\times5$

$=2^4\times3^2\times5$

(1) 360

(2) 1032

최상위 사고력 A

각 자리의 숫자를 모두 곱하면 720이 되는 네 자리 수 중에서 가장 큰 수를 구하시오.

최상위 사고력 B

연속된 세 수의 곱이 32736일 때 세 수를 구하시오.

정답과 풀이 33쪽 ►

5-3. 약수의 개수

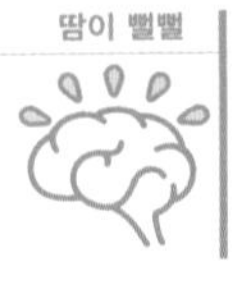

1 '하세 다이어그램'은 어떤 수의 약수와 약수의 개수를 한눈에 쉽게 알 수 있는 그림입니다. 빈 곳에 알맞은 수를 써넣어 하세 다이어그램을 완성하고, 약수의 개수를 구하시오.

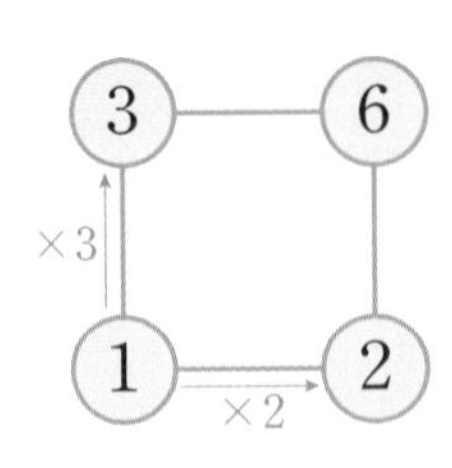

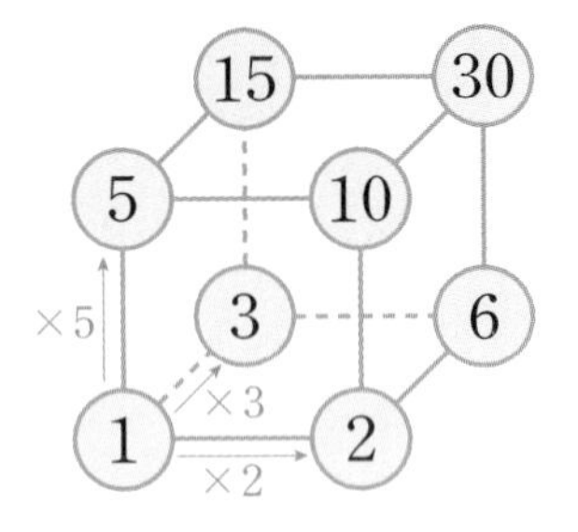

(1) 36

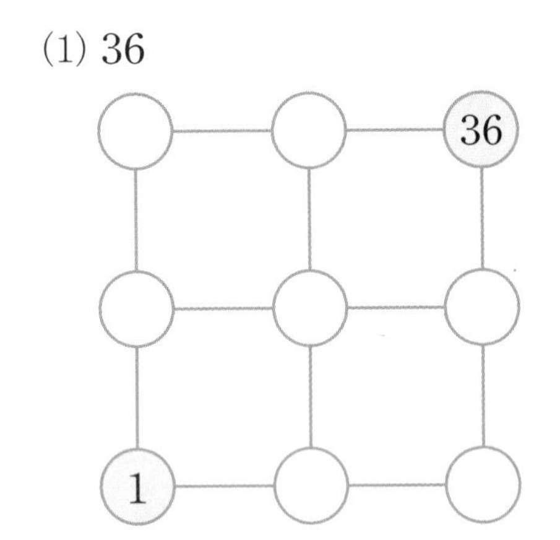

(2) 150

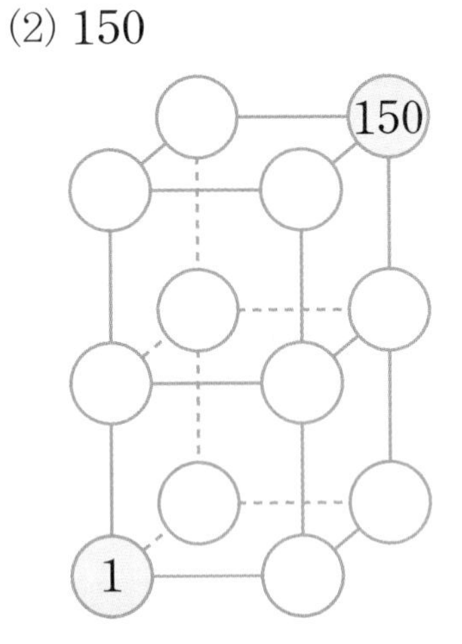

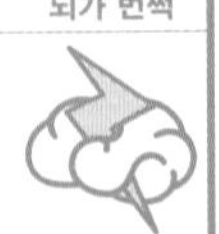

약수의 개수를 간단히 구하는 방법은?

$12 = 2 \times 2 \times 3 = 2^2 \times 3^1$

×	1	2	4(=2^2)
1	1	2	4
3	3	6	12

→ 2^2의 약수

3^1의 약수　12의 약수

12의 약수의 개수는 (2^2의 약수의 개수)×(3^1의 약수의 개수)$=3 \times 2 = 6$(개)

➡ $12 = 2^2 \times 3^1$의 약수의 개수는 $(2+1) \times (1+1)$

어떤 수를 소인수분해하여 거듭제곱으로 나타낸 뒤 구합니다.

최상위 사고력 A

다음 중에서 약수의 개수가 가장 많은 수와 가장 적은 수를 차례로 찾아 쓰시오.

105	200	216	320

최상위 사고력 B

약수가 4개인 수 중에서 네 번째로 작은 수를 구하시오.

TIP 약수가 4개인 수는 거듭제곱꼴로 어떻게 표현되는지 알아봅니다.

정답과 풀이 34쪽 ►

1

고대 그리스 사람들은 6과 같이 자신을 제외한 약수의 합이 자신이 되는 수를 '완전수'라고 불렀습니다. 30보다 작은 두 자리 수 중에서 완전수는 한 개입니다. 이 완전수를 구하시오.

자신을 제외한 6의 약수: 1, 2, 3 ➡ $1+2+3=6$ (완전수)

2

314를 어떤 두 자리 수로 나눈 나머지가 41입니다. 이 두 자리 수를 구하시오.

3 675의 약수는 모두 몇 개인지 구하시오.

| 경시대회 기출 |

4 1부터 100까지의 수 중에서 약수가 8개인 수는 모두 몇 개인지 구하시오.

6-1. 제곱수

1 |보기|와 같이 같은 수를 두 번 곱하여 만들어진 수를 '제곱수'라고 합니다. 제곱수를 모두 고르시오.

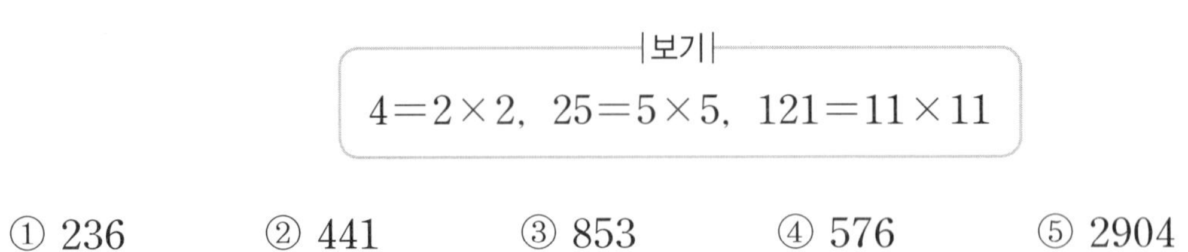
|보기|
$4=2\times2$, $25=5\times5$, $121=11\times11$

① 236　② 441　③ 853　④ 576　⑤ 2904

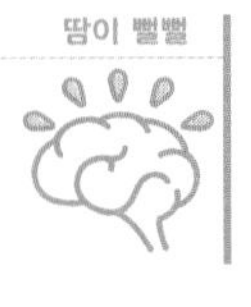

2 150에 어떤 수를 곱하여 제곱수가 되게 만들려고 합니다. 어떤 수 중에서 가장 작은 수를 구하시오.

어떤 수가 제곱수인지 간단히 알 수 있는 방법은?

뇌가 번쩍

$$324 \xrightarrow{\text{소인수분해}} 2^2 \times 3^4 = (2 \times 3^2) \times (2 \times 3^2) = 18 \times 18$$

$$441 \xrightarrow{\text{소인수분해}} 3^2 \times 7^2 = (3 \times 7) \times (3 \times 7) = 21 \times 21$$

소인수분해했을 때 소수가 모두 짝수 번 곱해져 있는 수는 제곱수입니다.

최상위 사고력

등식이 성립하도록 하는 ●, ▲, ■ 중에서 가장 작은 수를 각각 차례로 구하시오.

12 × ● = 54 × ▲ = ■ × ■

6-2. 사물함 열고 닫기

1 복도 한쪽에 1번부터 10번까지 번호가 붙어 있는 사물함이 놓여 있습니다. 10명의 학생들이 다음과 같은 방법으로 사물함의 문을 열고 닫을 때 마지막에 열려 있는 사물함은 몇 번인지 구하시오.

- 첫번 째 학생은 모든 사물함 문을 열어 놓았습니다.
- 두번 째 학생은 2의 배수인 사물함 문을 닫았습니다.
- 세번 째 학생은 3의 배수인 사물함 문을 열린 것은 닫고, 닫힌 것은 열었습니다.
- 네번 째 학생은 4의 배수인 사물함 문을 열린 것은 닫고, 닫힌 것은 열었습니다.

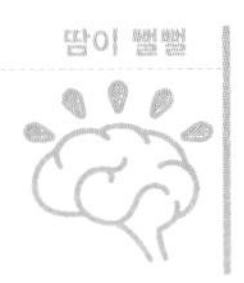

2 앞, 뒤로 같은 수가 적힌 방석이 있습니다. 방석의 앞면은 파란색이고 뒷면은 빨간색입니다. 번호가 1번부터 50번까지의 50명의 학생이 자기 번호 배수의 방석을 앞에서부터 차례로 뒤집었습니다. 파란색이 보이는 방석은 모두 몇 개인지 구하시오.

1 2 3 …… 48 49 50

약수의 개수가 홀수 개인 수는 어떤 수일까?

뇌가 번쩍

제곱수를 두 수의 곱으로 나타내어 약수의 개수를 살펴보기

$16=1\times16=2\times8=4\times4$ ➡ 5개

$36=1\times36=2\times18=3\times12=4\times9=6\times6$ ➡ 9개

제곱수는 약수의 개수가 홀수 개입니다.

최상위 사고력 A

다음이 설명하는 수를 모두 구하시오.

- 이 수는 200보다 작습니다.
- 이 수의 약수는 홀수 개입니다.
- 이 수는 약수가 홀수 개인 서로 다른 두 수의 합으로 나타낼 수 있습니다.

최상위 사고력 B

100보다 작은 수 중에서 약수의 개수가 3개인 수는 모두 몇 개인지 구하시오.

정답과 풀이 38쪽 ►

6-3. 0의 개수

1 238000은 일의 자리부터 연속된 0의 개수가 3개입니다. 계산했을 때 일의 자리부터 연속된 0의 개수를 구하시오.

(1) $8\times12\times125$　　(2) $16\times25\times35$　　(3) $4\times36\times750$

2 다음 곱을 계산했을 때 일의 자리부터 연속된 0의 개수가 6개가 되게 하려고 합니다. □ 안에 알맞은 가장 작은 수를 구하시오.

$$175\times72\times225\times\square$$

일의 자리부터 연속된 0의 개수를 쉽게 알 수 없을까?

뇌가 번쩍

곱	소인수분해	(2×5)의 개수	연속된 0의 개수
24×25	$2^3\times3\times5^2$	2개	2개
112×15	$2^4\times3\times5^1\times7$	1개	1개

(2×5)의 개수와 같습니다.

최상위 사고력

다음 곱을 계산했을 때 일의 자리부터 연속된 0의 개수를 구하시오.

$$1\times2\times3\times4\times\cdots\cdots\times97\times98\times99\times100$$

1 다음 계산 결과를 10으로 나눈 나머지를 구하시오.

$$1+1\times2+1\times2\times3+\cdots\cdots+1\times2\times3\times\cdots\cdots\times98\times99\times100$$

| 경시대회 기출 |

2 다음 계산 결과의 일의 자리 숫자를 구하시오.

$$7+7^2+7^3+\cdots\cdots+7^{98}+7^{99}+7^{100}$$

3

다음 네 자리 수 중에서 □ 안에 알맞은 수를 써넣어 제곱수가 되는 수를 찾아 쓰시오.

35□2　　3□57　　3□36

| 경시대회 기출 |

4

약수가 3개인 가장 큰 세 자리 수를 구하시오.

정답과 풀이 39쪽 ►

7-1. 유클리드 호제법

1 최대공약수를 구하는 두 가지 방법입니다. 주어진 두 수의 최대공약수를 두 가지 방법으로 구하시오.

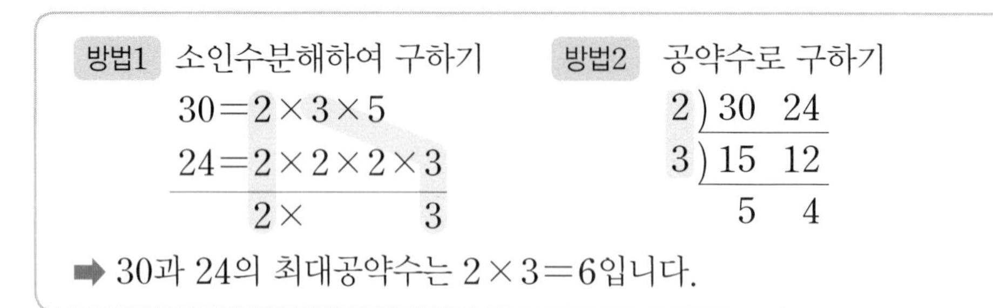

(1) 72, 34

(2) 36, 54

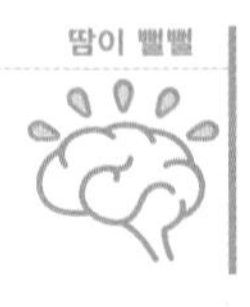

2 다음 두 수의 최대공약수를 구하시오.

1872　　455

뇌가 번쩍

큰 수의 최대공약수를 간단히 구할 수 없을까?

㉮ 2275와 936의 최대공약수

$2275 \div 936 = 2 \cdots 403$ 큰 수 2275를 작은 수 936으로 나누어 몫과 나머지를 구합니다.

$936 \div 403 = 2 \cdots 130$ 나누는 수 936을 나머지 403으로 나누어 몫과 나머지를 구합니다.

$403 \div 130 = 3 \cdots 13$ 나누는 수 403을 나머지 130으로 나누어 몫과 나머지를 구합니다.

$130 \div 13 = 10$ 나누는 수 130을 나머지 13으로 나누면 나누어떨어지므로 나누는 수 13이 최대공약수가 됩니다.

유클리드 호제법을 이용합니다.

최상위 사고력

어느 한 회사에서 공책 779권과 연필 1927자루를 될 수 있는 대로 많은 학생들에게 남김없이 똑같이 나누어 주려고 합니다. 한 사람이 받게 되는 공책과 연필의 수를 차례로 구하시오.

7-2. 최대공약수와 최소공배수의 관계

1 주어진 조건을 이용하여 알맞은 수를 구하시오.

(1) 두 수의 곱: 216, 최소공배수: 72 ➡ 최대공약수: ☐

(2) 두 수의 곱: 63, 최대공약수: 3 ➡ 최소공배수: ☐

(3) 최대공약수: 60, 최소공배수: 240 ➡ 두 수의 곱: ☐

2 최대공약수가 12이고, 최소공배수가 1440인 두 수가 있습니다. 두 수가 될 수 있는 경우는 모두 몇 가지인지 구하시오.

최대공약수와 최소공배수가 조건으로 주어진 문제를 푸는 방법은?

뇌가 번쩍

두 수 A, B의 최대공약수를 구하면

$$G\,\underline{)\;A\quad B}$$
$$\quad a\quad b$$

→ a와 b의 공약수는 1입니다.

최대공약수를 G라고도 씁니다. G는 the Greatest commom denominator의 약자입니다.

➡ $A=a\times G$, $B=b\times G$라 하면 두 수의 곱, 두수의 합 또는 차에 오른쪽과 같은 성질이 있습니다.

두 수의 곱

$A\times B=(a\times G)\times(b\times G)$
$\quad=G\times(a\times b\times G)$

➡ (두 수의 곱)=(최대공약수)×(최소공배수)

두 수의 합 또는 차

$A+B=(a\times G)+(b\times G)=G\times(a+b)$
$A-B=(a\times G)-(b\times G)=G\times(a-b)$

➡ (두 수의 합 또는 차)=(최대공약수의 배수)

최상위 사고력 A

합이 27인 두 수가 있습니다. 두 수의 최소공배수가 60일 때 두 수를 구하시오.

최상위 사고력 B

최대공약수가 12이고, 합이 360인 두 수가 있습니다. 두 수가 될 수 있는 경우는 모두 몇 가지인지 구하시오.

정답과 풀이 41쪽 ►

7-3. 최대공약수와 최소공배수의 활용

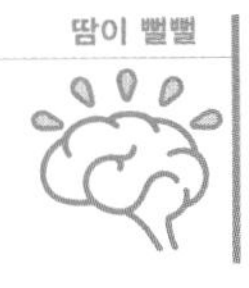

1 **두 가지 방법으로 직사각형 타일을 놓으려고 합니다. 물음에 답하시오.**

(1) 다음과 같은 모양의 직사각형 모양의 바닥을 가장 큰 정사각형으로 빈틈없이 채울 때 가장 큰 정사각형의 한 변의 길이는 몇 cm인지 구하시오.

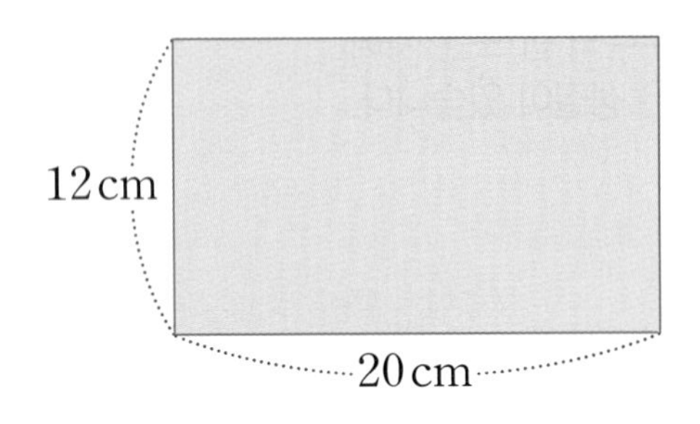

(2) 다음과 같은 모양의 직사각형 타일을 이어 붙여 가장 작은 정사각형을 만들 때 정사각형의 한 변의 길이는 몇 cm인지 구하시오.

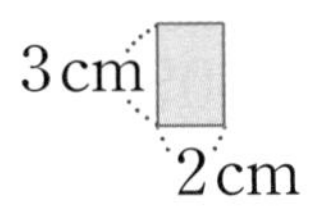

뇌가 번쩍

최대공약수와 최소공배수는 어떤 상황에 사용될까?

최대공약수를 이용하는 문제

• 어떤 물건을 똑같이 나누어 주는 경우

예 사과 21개와 귤 24개를 **되도록 많은 사람에게 똑같이 나누어 주려고** 합니다. 몇 명에게 나누어 줄 수 있습니까?

• 큰 것을 작게 나누는 경우

예 가로 6 cm, 세로 4 cm인 직사각형 바닥을 정사각형 타일로 **빈틈없이 채우려 할 때 가장 큰 정사각형** 타일의 한 변의 길이는 몇 cm입니까?

최소공배수를 이용하는 문제

• 이어 붙여서 크기가 늘어나는 경우

예 가로 3 cm, 세로 2 cm인 직사각형 타일을 **이어 붙여서 만들 수 있는 가장 작은 정사각형**의 한 변의 길이는 몇 cm입니까?

• 시간이 지나며 시각이 규칙적으로 나오는 경우

예 어느 역에서 10분마다 출발하는 기차와 8분마다 출발하는 기차가 있습니다. 두 기차가 7시 30분에 **동시에 출발하였다면 다음 번에 동시에 출발하는 시각은** 몇 시 몇 분입니까?

최상위 사고력

그림과 같이 울타리를 치려고 합니다. 같은 간격으로 기둥을 세우고 울타리 꼭짓점 부분은 기둥을 반드시 세울 때 기둥은 최소 몇 개가 필요한지 구하시오. (단, 벽과 붙어있는 곳에는 기둥을 세울 필요 없습니다.)

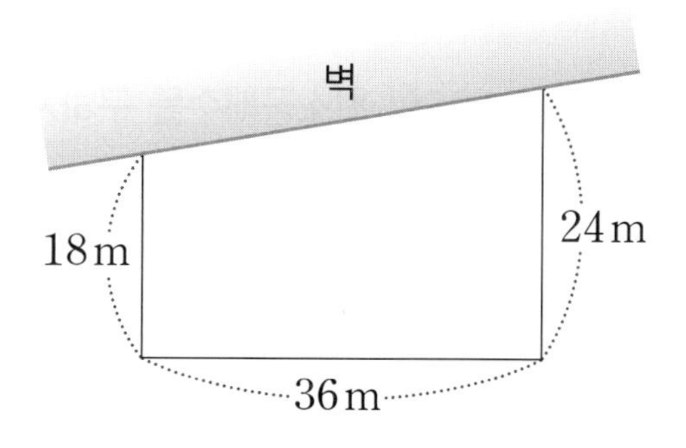

최상위 사고력

1 두 수 가와 나의 최대공약수를 (가*나), 최소공배수를 (가◎나)로 나타내기로 약속하였습니다. ☆의 값을 구하시오.

$(☆◎4)=28$, $(☆*8)=2$

2 다음을 이용하여 1411과 136의 최소공배수를 구하시오.

$1411\times136=191896$

| 경시대회 기출 |

3

다음과 같이 월과 일의 공약수가 1개 뿐인 날을 '서로소의 날'이라고 합니다. 서로소의 날이 가장 적은 달은 몇 월인지 구하고, 그 달의 서로소인 날수를 구하시오.

3월 10일, 5월 2일, 8월 13일

4

크기가 다른 포켓볼대가 있습니다. 공은 직사각형의 4개의 꼭짓점으로만 들어가도록 해야 하고, 공은 포켓볼대를 만나면 90°로 꺾여 굴러갑니다. 물음에 답하시오.

(1) 공이 지나가는 작은 정사각형 격자의 개수를 구하려고 합니다. □ 안에 알맞은 수를 써넣으시오.

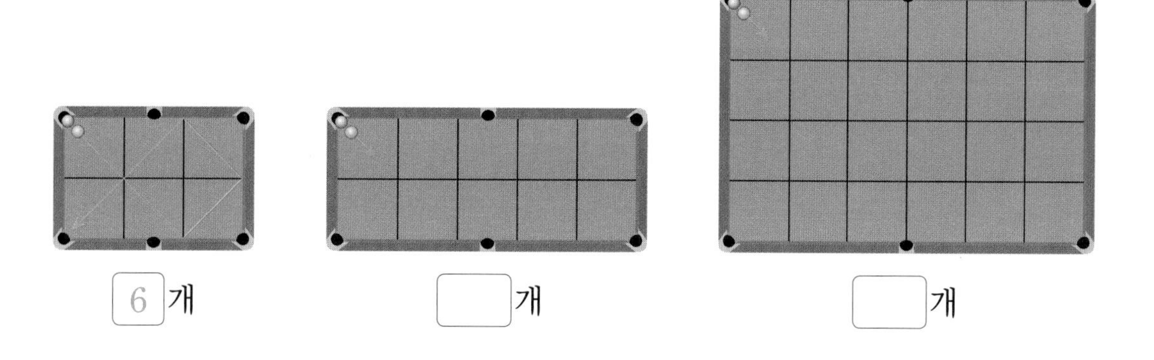

(2) (1)에서 규칙을 찾아 가로 12칸, 세로 16칸인 직사각형 당구대에서 공을 굴릴 때 공이 지나가는 작은 정사각형 격자는 몇 개인지 구하시오.

1 약수의 개수가 3개인 수 중에서 가장 작은 두 자리 수와 가장 큰 두 자리 수를 차례로 구하시오.

2 최대공약수가 8이고 최소공배수가 96인 10보다 큰 두 수를 구하시오.

3 다음은 골드바흐와 오일러가 주고 받은 편지 내용 중의 일부분입니다. 이 주장은 아직 증명되지 못하여 '골드바흐의 추측'이라고 합니다. 이 추측을 10부터 30까지의 수에 적용해 보려고 합니다. □ 안에 알맞은 수를 써넣으시오.

> 2보다 큰 모든 짝수는 두 소수의 합으로 나타낼 수 있습니다.

$10=\boxed{3}+\boxed{7}$ $12=\square+\square$ $14=\square+\square$

$16=\square+\square$ $18=\square+\square$ $20=\square+\square$

$22=\square+\square$ $24=\square+\square$ $26=\square+\square$

$28=\square+\square$ $30=\square+\square$

4 각 자리의 숫자가 모두 7이고, 63으로 나누어떨어지는 가장 작은 수를 구하시오.

정답과 풀이 44쪽 ►

5 360의 약수 중에서 5의 배수는 모두 몇 개인지 구하시오.

6 다음 곱을 계산했을 때 일의 자리부터 연속된 0의 개수를 구하시오.

$$1 \times 2 \times 3 \times \cdots\cdots \times 148 \times 149 \times 150$$

정답과 풀이 44쪽 ►

규칙

8-1. 도형의 개수

1 다음과 같은 규칙으로 성냥개비를 놓아 삼각형 21개를 만들려고 합니다. 필요한 성냥개비의 수를 구하는 3가지 식을 보고 그 방법을 쓰시오.

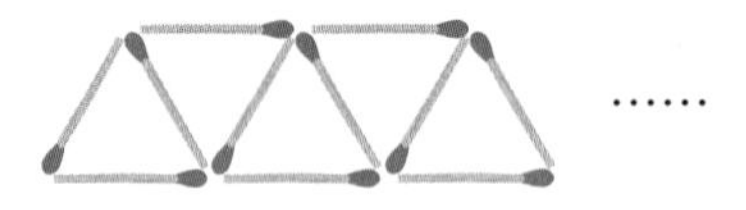

① 식: $1+2\times21=43$(개)

방법: ______________________

② 식: $3+2\times20=43$(개)

방법: ______________________

③ 식: $3\times11+10=43$(개)

방법: ______________________

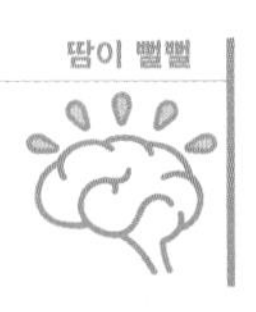

2 바둑돌을 일정한 규칙으로 배열한 것입니다. 10번째 모양에 사용된 바둑돌은 모두 몇 개인지 구하시오.

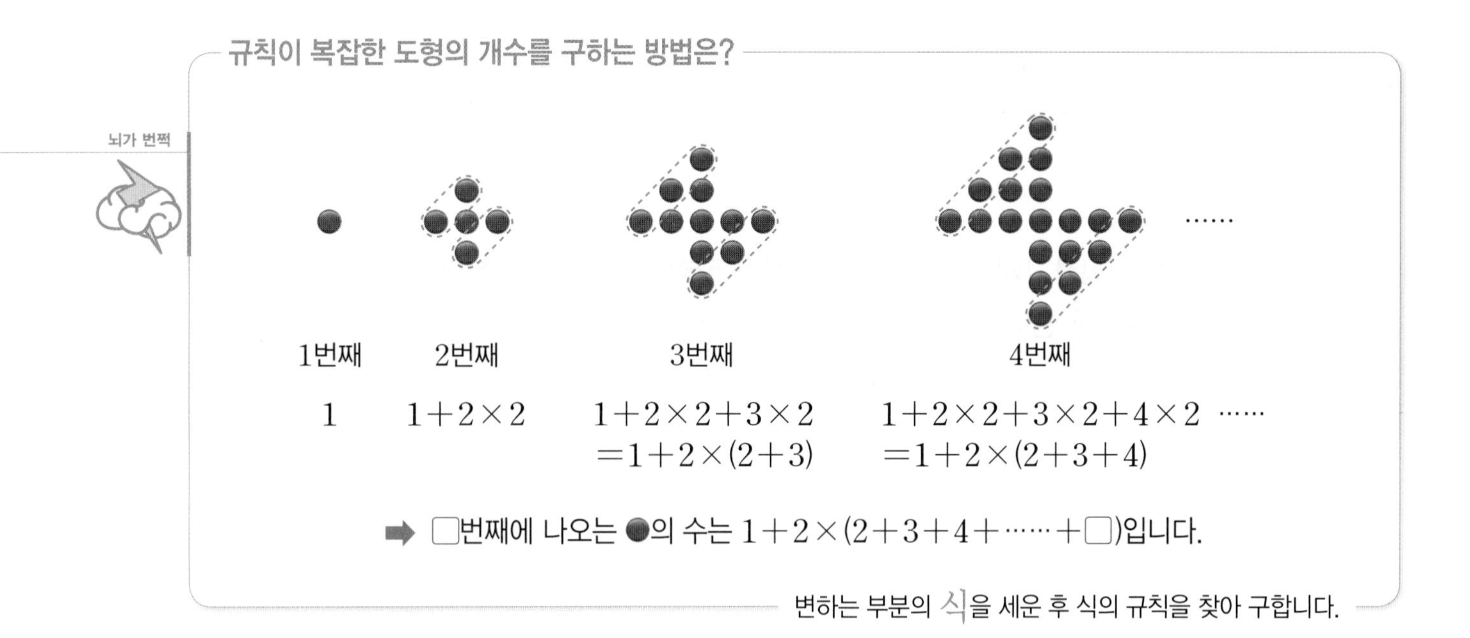

최상위 사고력

규칙에 따라 칸을 색칠한 것입니다. 6번째 모양에서 색칠하고 남은 칸은 모두 몇 칸인지 구하시오.

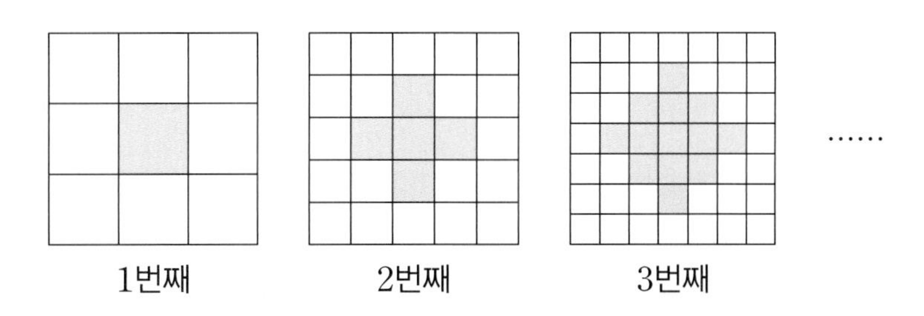

8-2. 교점과 영역

1 원 안에 직선 4개를 그으면 원이 최소 5부분, 최대 11부분으로 나누어집니다. 주어진 부분의 수만큼 원이 나누어지도록 원 안에 직선을 그으시오.

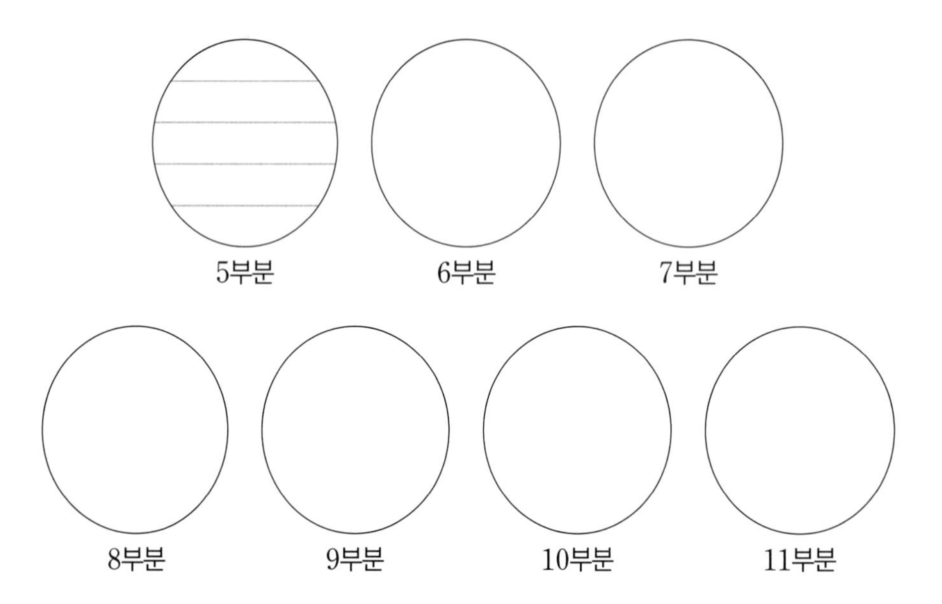

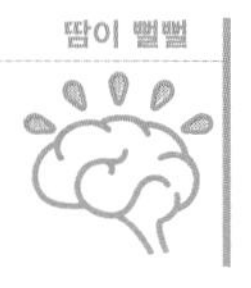

2 다음은 사각형에 직선 2개를 그었을 때 만나는 점이 가장 많은 경우입니다. 사각형에 직선 7개를 그으면 교점이 최대 몇 개 생기는지 구하시오.

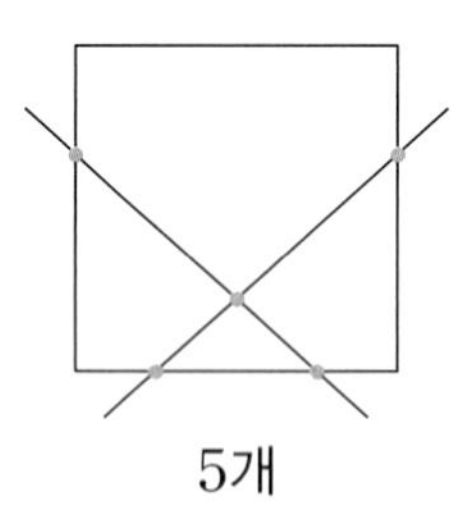

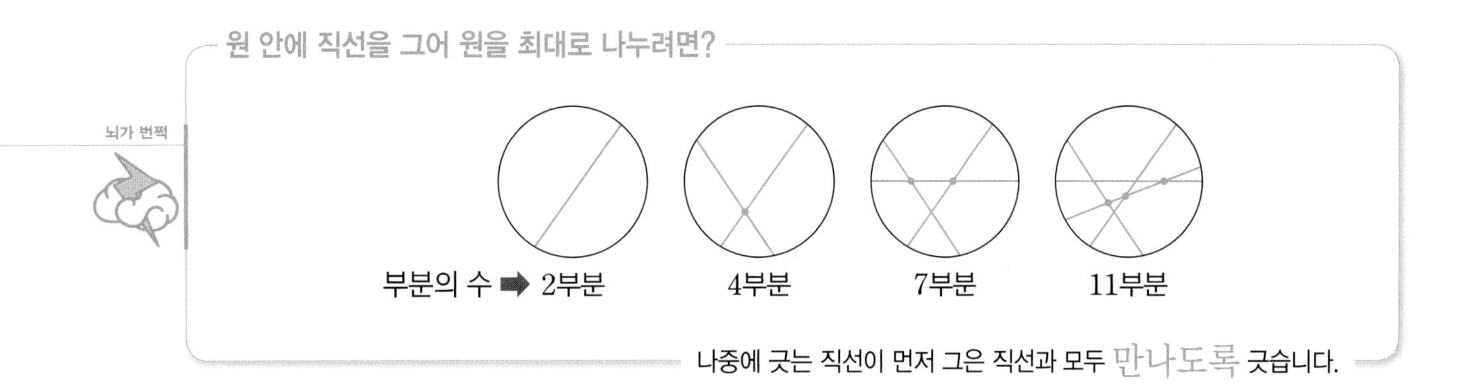

최상위
사고력

원 안에 직선 7개를 그어 원을 자르려고 합니다. 자르는 선들의 교점의 개수와 원이 나누어진 조각의 개수의 합이 최대가 될 때의 값을 구하시오.

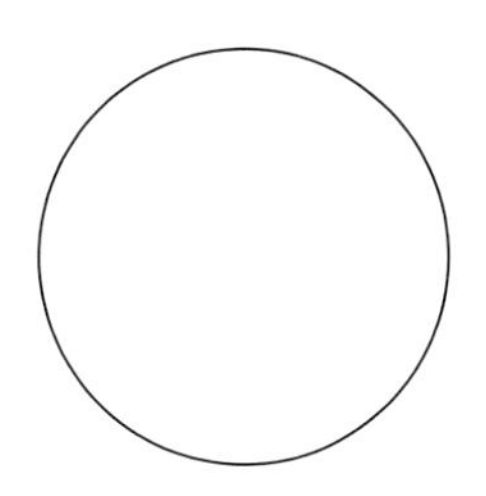

8-3. 규칙 찾아 문제 해결하기

1 학생 22명이 1번부터 22번까지 등 번호를 달고 같은 간격으로 순서대로 둥글게 둘러앉아 있습니다. 등 번호 8번과 마주 보고 있는 학생의 등 번호는 몇 번인지 구하시오.

2 다음 |조건|에 따라 64명 중에서 배에 탈 사람 한 명을 뽑을 때 뽑히게 되는 사람은 몇 번인지 구하시오.

|조건|

① 1번부터 64번까지 번호를 정하고 순서대로 시계 방향으로 둥글게 둘러앉습니다.
② 1번을 포함하여 1번부터 시계 방향으로 1명씩 건너 세어 걸리는 사람을 뺍니다.
③ 남은 사람들 중에서 같은 방법으로 사람을 뺍니다.
④ 마지막으로 남은 한 사람이 배를 탑니다.

복잡한 규칙의 문제를 해결하는 방법은?

예 1번을 포함하여 시계 방향으로 1번부터 1명씩 건너뛰어 수를 지우는 경우 마지막에 남는 수는?

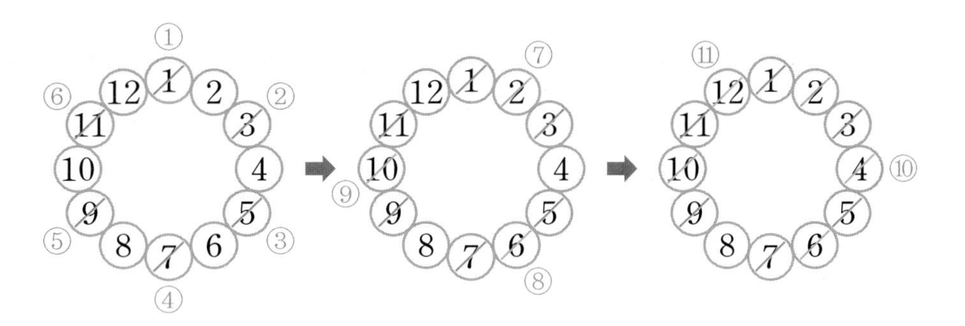

직접 규칙에 따라 몇 번 해 보며 규칙을 찾습니다.

최상위 사고력

일정한 규칙으로 200개의 수를 쓴 것입니다. 홀수 번째 수를 모두 지운 다음 다시 홀수 번째 수를 모두 지우는 방법을 반복할 때, 마지막에 남는 수를 구하시오.

1 2 3 4 5 6 7 8 9 0 1 2 3 4 5 6 7 8 9 0 1 2 3 4 5 6 7 8 9 0 1……

정답과 풀이 49쪽 ►

| 경시대회 기출 |

1 1번부터 25번까지의 학생 25명이 같은 간격으로 한 줄로 서 있습니다. 1번 학생부터 7번 학생까지의 거리가 10 m일 때, 1번 학생부터 25번 학생까지의 거리는 몇 m인지 구하시오.

2 원 안에 직선 몇 개를 그어 원을 79개의 조각으로 나누려고 합니다. 원 안에 그을 수 있는 직선의 최소 개수와 최대 개수를 차례로 구하시오.

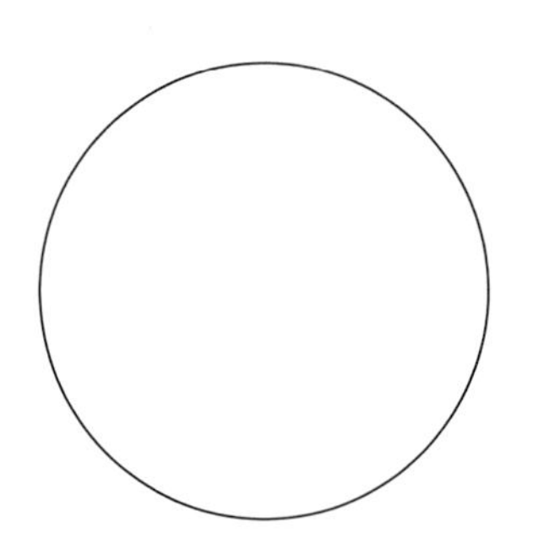

3

흰 바둑돌과 검은 바둑돌을 규칙에 따라 배열하려고 합니다. 흰 바둑돌을 324개 사용한 모양에서 검은 바둑돌은 몇 개인지 구하시오.

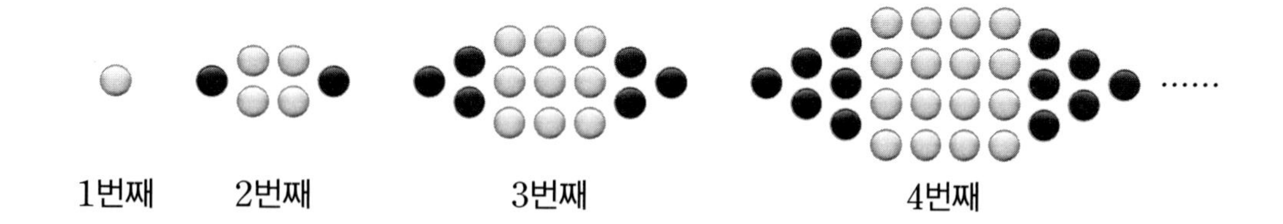

4

1부터 64까지의 수가 순서대로 앞, 뒤에 똑같이 적힌 종이 띠가 있습니다. 2가지 규칙을 번갈아가며 반복하여 접을 때, 가장 위에 오는 수와 가장 아래에 놓이는 수는 무엇인지 차례로 쓰시오.

> 규칙1 오른쪽 끝이 왼쪽 끝 위에 오도록 접습니다.
> 규칙2 왼쪽 끝이 오른쪽 끝 위로 오도록 접습니다.

1	2	3	4	5	……	62	63	64

9-1. 관계 규칙

1 수지가 어떤 수를 부르면 민호는 어떤 규칙에 따라 수로 대답합니다. 빈칸에 알맞은 수를 써넣으시오.

수지	민호
1	1
5	13
2	4
6	16
8	22
7	

2 ♣의 규칙을 찾아 알맞게 계산하시오.

2♣1=3　　3♣2=8　　5♣2=12　　2♣3=9　　1♣4=8

(1) 3♣4　　　　(2) 7♣5

뇌가 번쩍

새로운 연산 기호의 규칙을 찾는 방법은?

방법1 한 가지 연산 규칙을 적용하기

㉠+㉡
㉠−㉡
㉠×㉡
㉠÷㉡

방법2 여러 가지 연산 규칙을 적용하기

㉠+㉡+(어떤 수)
㉠×(어떤 수)+㉡
㉠×㉡+(어떤 수)
(㉠+㉡)×(㉠−㉡)
⋮

한 가지 연산부터 여러 가지 연산까지 생각합니다.

최상위 사고력 A

● 의 규칙을 찾아 □ 안에 알맞은 수를 구하시오.

3●2=4 2●4=4 6●2=10 3●5=10 4●□=21

최상위 사고력 B

규칙을 찾아 □ 안에 알맞은 수를 써넣으시오.

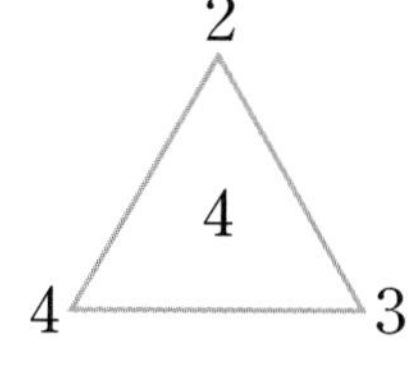

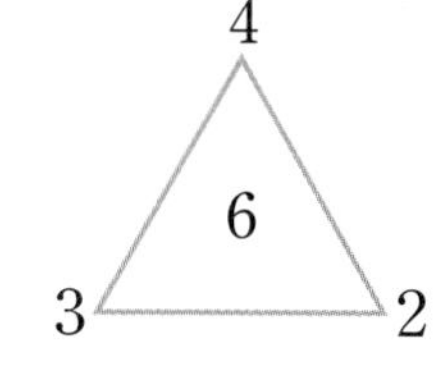

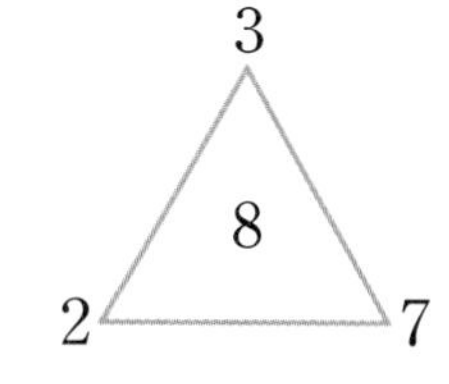

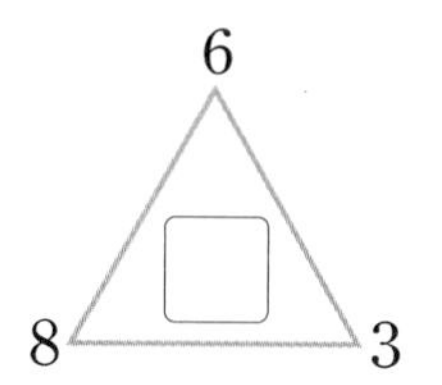

정답과 풀이 52쪽 ►

9-2. 혼합 계산 규칙

1 다음과 같은 |규칙|으로 ●, ▲를 약속할 때 5▲(3●(6▲4))를 계산하시오.

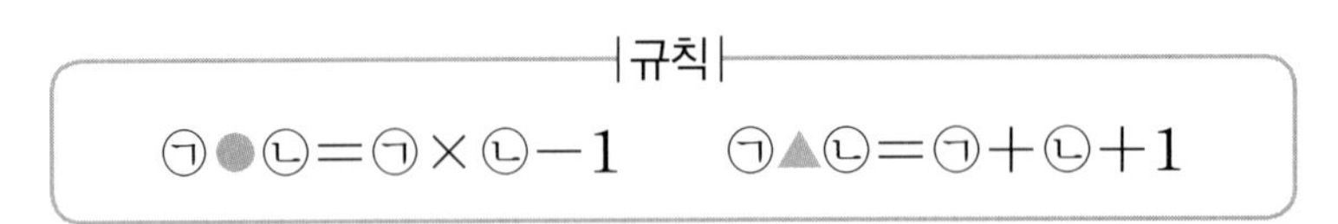
|규칙|

㉠●㉡=㉠×㉡−1　　㉠▲㉡=㉠+㉡+1

땀이 뻘뻘

2 ◆, ▼, ◎의 규칙을 찾아 다음을 계산하시오.

4◆8=6	1▼3=5	7◎6=1
2◆2=2	4▼2=8	9◎5=4
7◆3=5	4▼5=13	6◎3=0
8◆6=7	5▼7=17	14◎4=2

(1) (3▼2)◆(7▼4)

(2) 23◎(3▼(8◆4))

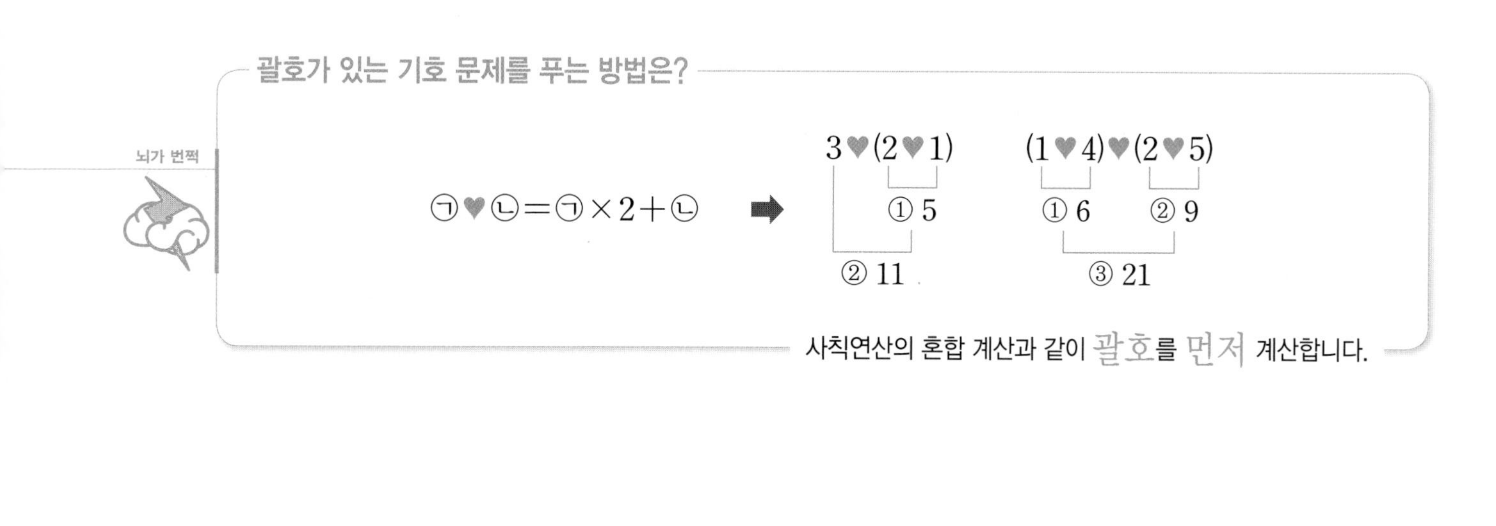

최상위 사고력

일정한 규칙에 따라 □로 수를 나타낸 것입니다. 물음에 답하시오.

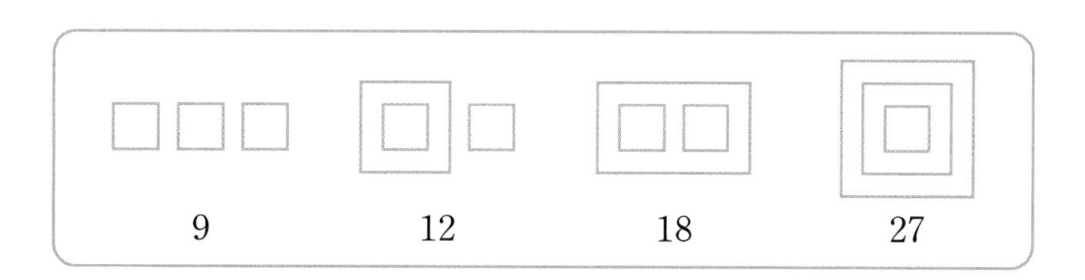

(1) 다음이 나타내는 수를 구하시오.

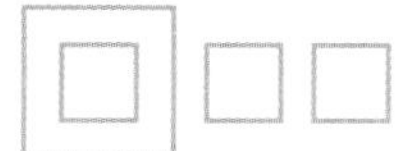

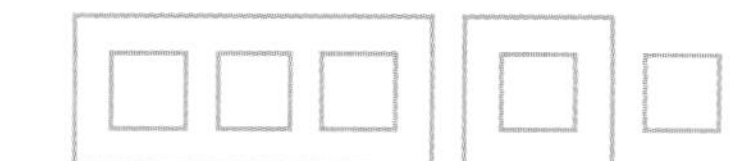

(2) 다음 수를 □를 최소로 그려 나타내시오.

36

60

정답과 풀이 53쪽 ►

9-3. 처음 수 구하기

1 16부터 시작하여 |규칙|에 따라 수를 나열할 때 100번째 수를 구하시오.

|규칙|
- 앞의 수가 한 자리 수이면 그 수를 2배 합니다.
- 앞의 수가 두 자리 수이면 각 자리 숫자를 더합니다.

2 일정한 규칙에 따라 수를 넣으면 새로운 수가 나오는 규칙 상자가 있습니다. 어떤 수를 규칙 상자에 넣고, 나온 수를 다시 넣는 방법을 4번 반복했더니 1이 나왔습니다. 어떤 수로 가능한 수를 모두 구하시오.

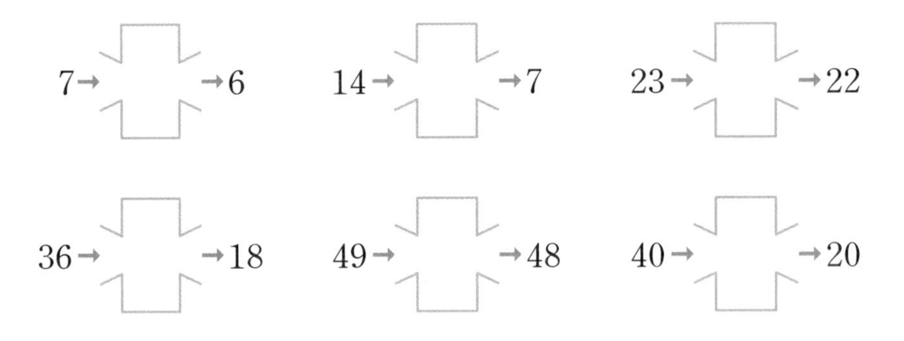

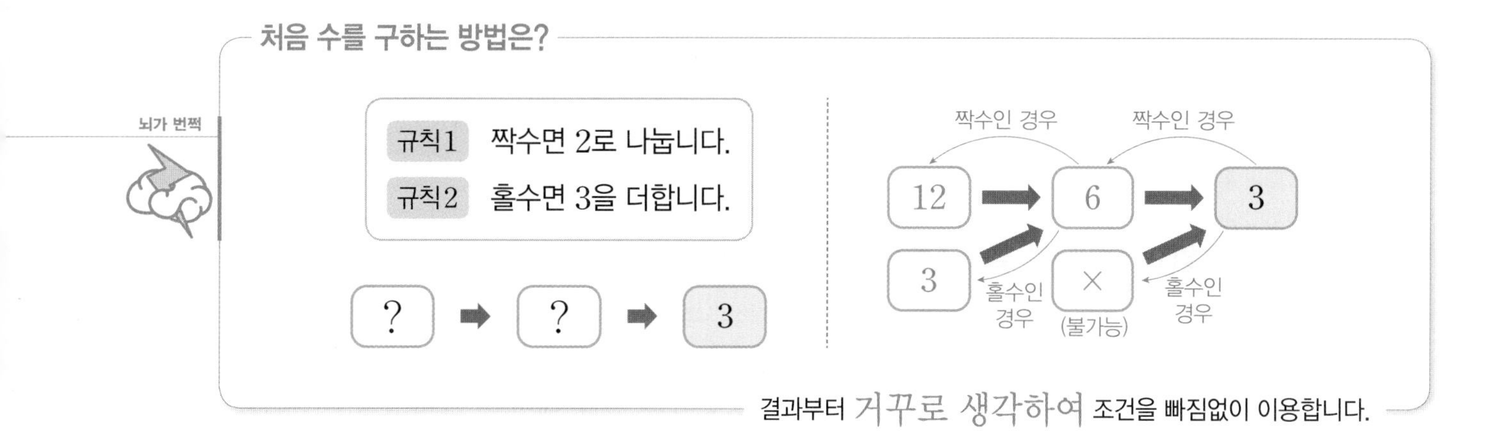

최상위 사고력

어떤 계산기에 수를 입력한 뒤 = 버튼을 누르면 다음과 같이 일정한 규칙에 따라 수가 바뀝니다. 바뀐 수가 5가 되는 세 자리 수 중 200보다 작은 세 자리 수를 모두 구하시오. (단, = 버튼은 여러 번 누를 수 있습니다.)

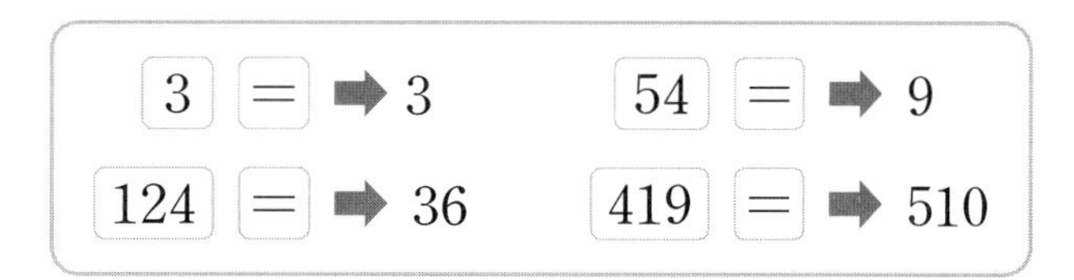

1 다음을 읽고 할머니가 팔고 남은 떡은 모두 몇 개였는지 구하시오.

> 떡장수 할머니가 시장에서 팔고 남은 떡을 가지고 집으로 가는 도중 호랑이를 3번 만났습니다. 할머니는 호랑이를 만날 때마다 가지고 있는 떡의 절반과 3개씩을 더 주었습니다. 할머니가 집에 돌아와서 보니 남은 떡은 1개였습니다.

2 앞의 두 수의 합이 그 다음 수가 되도록 왼쪽에서부터 수를 써놓은 종이의 일부분이 지워졌습니다. 빈칸에 알맞은 수를 써넣으시오.

			4			18

| 경시대회 기출 |

3

문제풀이

〈㉠〉은 ㉠$\times 3$을 7로 나눈 나머지를 나타낼 때 다음 식을 계산하시오. (단, ㉠은 자연수입니다.)

$$\langle 51\rangle+\langle 52\rangle+\langle 53\rangle+\cdots\cdots+\langle 78\rangle+\langle 79\rangle+\langle 80\rangle$$

| 경시대회 기출 |

4

문제풀이

|보기|는 십의 자리 숫자의 3배와 일의 자리 숫자의 합을 구하는 과정을 한 자리 수가 나올 때까지 반복한 것입니다. 이와 같은 방법으로 마지막에 한 자리 수가 6이 되는 두 자리 수는 모두 몇 개인지 구하시오.

|보기|

52 ➡ 17 ➡ 10 ➡ 3

정답과 풀이 55쪽 ►

Review III 규칙

1 다음과 같은 |규칙|에 따라 계산하시오.

|규칙|

$\dot{4}=4+3+2+1$ $\dot{5}=5+4+3+2+1$

(1) $\dot{5}+\dot{6}$

(2) $\dot{20}-\dot{17}$

2 0부터 23까지의 수를 원 둘레에 일정한 간격으로 순서대로 놓으려고 합니다. 이때 6과 마주 보고 있는 수를 구하시오.

3

규칙을 찾아 □ 안에 알맞은 수를 써넣으시오.

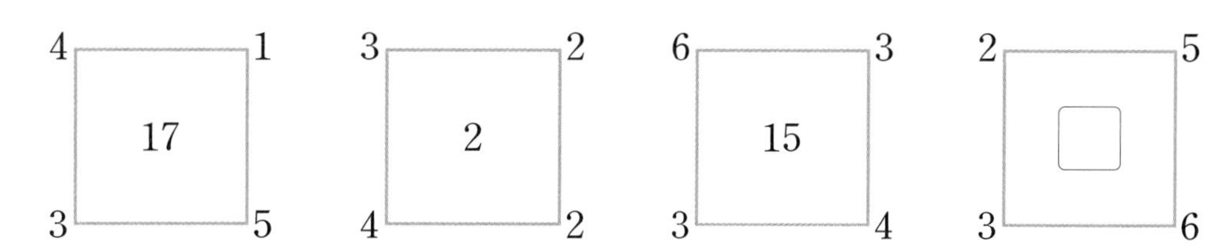

4

|보기|는 각 자리 숫자의 곱을 한 자리 수가 나올 때까지 반복한 것입니다. 이와 같은 방법으로 3단계를 거쳐 8이 나오는 두 자리 수를 모두 구하시오.

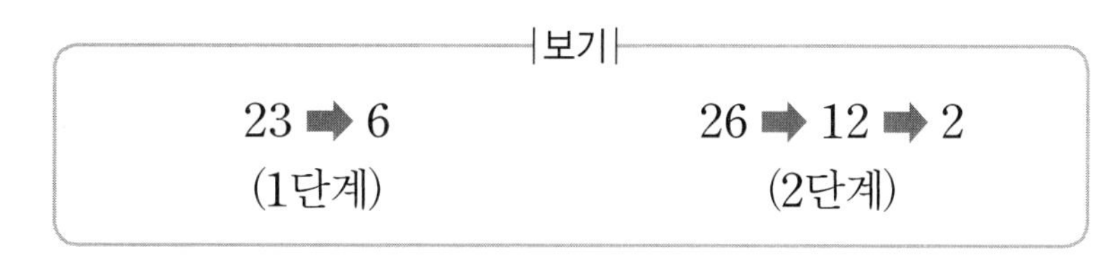

정답과 풀이 56쪽 ►

5 규칙을 찾아 7번째 모양을 만드는 데 필요한 점의 개수를 구하시오.

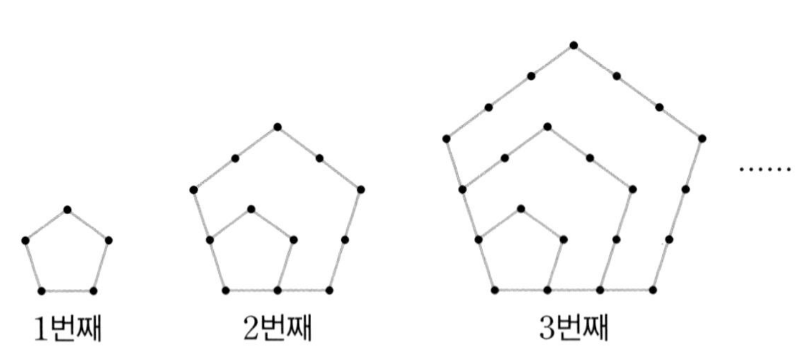

6 ㉠◆㉡=㉠×(㉡−3)라고 약속할 때 □ 안에 알맞은 수를 써넣으시오.

$$8◆(4◆\square)=72$$

정답과 풀이 56쪽 ►

수(2)

10-1. 이집트의 분배 방식

땀이 뻘뻘

1 고대 이집트인들은 물건을 크기와 모양이 같도록 최대한 크게 잘라 나누고, 남은 것을 다시 똑같이 나누는 것을 공평하다고 생각했습니다. 민아, 정우, 수영, 경호가 빵 3개를 고대 이집트 분배 방식으로 공평하게 나누어 먹으려고 합니다. 빵 위에 선을 그어 공평하게 나누시오.

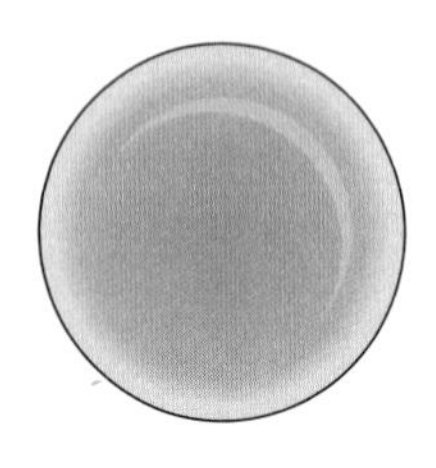
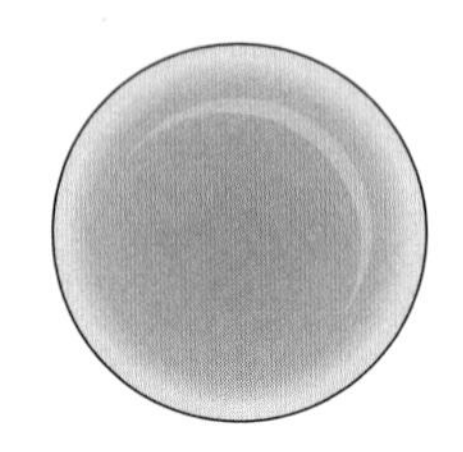
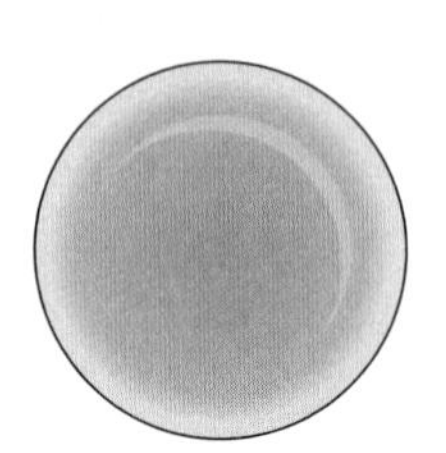

뇌가 번쩍

고대 이집트인들은 물건을 어떻게 나누었을까?

예 빵 2개를 세 사람이 공평하게 나누어 가지는 경우

① 먼저 큰 조각으로 똑같이 나누기

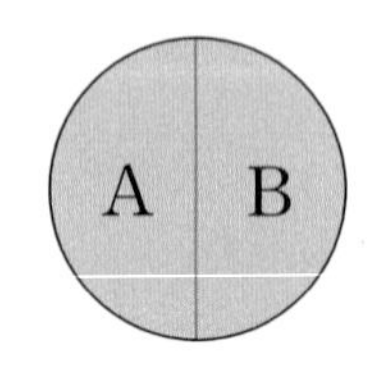

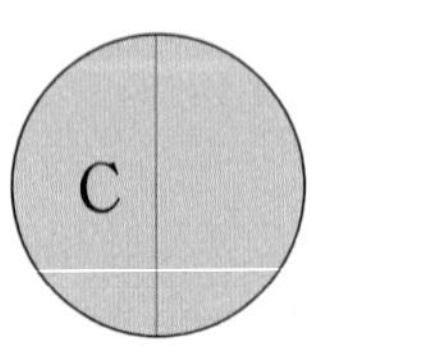

➡

② 남은 조각을 작은 조각으로 똑같이 나누기

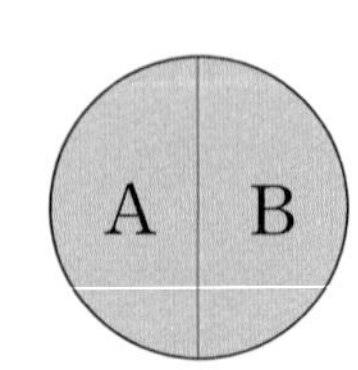

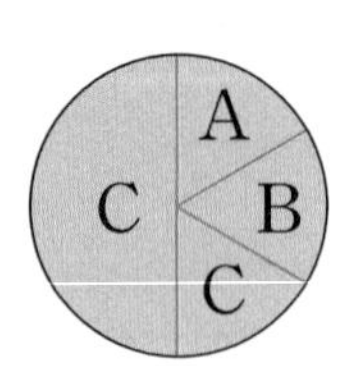

크기 뿐만 아니라 모양까지도 공평하게 나누었습니다.

최상위 사고력 A

고대 이집트 분배 방식으로 빵을 공평하게 나누어 보고, 한 사람이 먹게 되는 빵의 양을 서로 다른 단위분수의 합으로 나타내시오.

(1) 빵 2개를 5명이 나누어 먹기

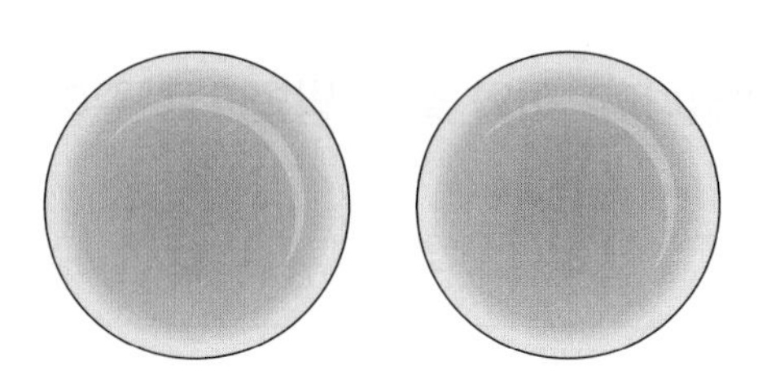

한 사람이 가지는 빵의 양: $\frac{1}{\square}+\frac{1}{\square}$

(2) 빵 4개를 7명이 나누어 먹기

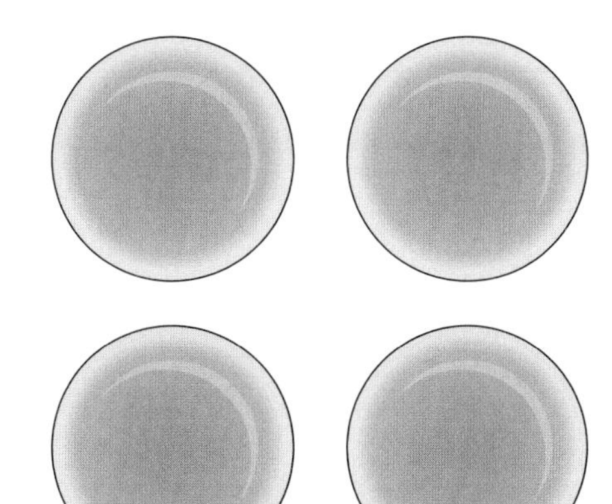

한 사람이 가지는 빵의 양: $\frac{1}{\square}+\frac{1}{\square}$

최상위 사고력 B

분자가 1인 분수를 '단위분수'라고 합니다. 주어진 분수를 두 개의 단위분수의 합으로 나타내시오.

(1) $\frac{3}{5}$

(2) $\frac{5}{8}$

정답과 풀이 59쪽 ►

10-2. 약수로 단위분수 나타내기

1 다음은 $\frac{7}{16}$을 단위분수로 나타내는 방법입니다. 이와 같은 방법으로 주어진 분수를 서로 다른 단위분수의 합으로 나타내시오.

① 분모 16의 약수를 구합니다.
➡ 1, 2, 4, 8, 16
② ①에서 구한 수 중에서 합이 분자인 7이 되는 수를 구합니다.
➡ $1+2+4=7$
③ ②에서 구한 수로 식을 나타냅니다.
➡ $\frac{7}{16}=\frac{1+2+4}{16}=\frac{1}{16}+\frac{2}{16}+\frac{4}{16}=\frac{1}{4}+\frac{1}{8}+\frac{1}{16}$

(1) $\frac{3}{8}$

(2) $\frac{8}{12}$

단위분수의 합으로 나타내는 방법은 여러 가지입니다.

2 $\frac{4}{7}$를 단위분수의 합으로 나타내시오.

분모의 약수의 합으로 분자를 나타낼 수 없으면 어떻게 해야 할까?

뇌가 번쩍

$\frac{3}{5}$

① 크기가 같은 분수로 바꾸기

$$\frac{3}{5}=\frac{6}{10}$$

➡

② 바꾼 분수를 단위분수로 나타내기

$$\frac{6}{10}=\frac{1}{10}+\frac{5}{10}=\frac{1}{2}+\frac{1}{10}$$

└ 약수: ①, 2, ⑤, 10

크기가 같은 분수를 이용합니다.

최상위 사고력

□ 안에 알맞은 수를 써넣으시오.

(1) $\frac{1}{\square}+\frac{1}{\square}+\frac{1}{28}=\frac{6}{14}$

(2) $\frac{1}{\square}+\frac{1}{\square}+\frac{1}{\square}+\frac{1}{18}=1$

10-3. 여러 가지 방법으로 단위분수 나타내기

1 **다음은 중세 이탈리아의 수학자 피보나치가 $\frac{3}{7}$을 단위분수의 합으로 나타낸 방법입니다. 이와 같은 방법으로 주어진 분수를 단위분수의 합으로 나타내시오.**

> ① 주어진 분수보다 작은 단위분수 중 가장 큰 단위분수를 구합니다.
> $\frac{1}{3}<\frac{3}{7}<\frac{1}{2}$ ➡ 구하는 단위분수: $\frac{1}{3}$
>
> ② 주어진 분수에서 ①에서 구한 단위분수를 뺍니다.
> $\frac{3}{7}-\frac{1}{3}=\frac{2}{21}$
>
> ③ ②에서 구한 $\frac{2}{21}$가 단위분수가 아니므로 ①에 다시 적용합니다.
> $\frac{1}{11}<\frac{2}{21}<\frac{1}{10}$ ➡ 구하는 단위분수: $\frac{1}{11}$
>
> ④ ③에서 구한 $\frac{1}{11}$을 ②에 다시 적용합니다.
> $\frac{2}{21}-\frac{1}{11}=\frac{1}{231}$
>
> 따라서 $\frac{3}{7}=\frac{1}{3}+\frac{1}{11}+\frac{1}{231}$입니다.

(1) $\frac{4}{9}$

(2) $\frac{23}{36}$

최상위 사고력 A

다음과 같은 방법으로 주어진 분수를 서로 다른 단위분수의 합으로 나타내시오.

$$\frac{1}{6}=\frac{1}{2\times3}=\frac{2+3}{2\times3\times(2+3)}=\frac{2}{2\times3\times5}+\frac{3}{2\times3\times5}=\frac{1}{15}+\frac{1}{10}$$

(1) $\frac{1}{14}=\frac{1}{\square}+\frac{1}{\square}$

(2) $\frac{1}{30}=\frac{1}{\square}+\frac{1}{\square}+\frac{1}{\square}$

최상위 사고력 B

고대 이집트의 수학지식을 적어놓은 두루마리

다음은 '린드 파피루스'에 기록된 $\frac{2}{n}$ 꼴의 분수를 단위분수의 합으로 나타내는 방법입니다. 규칙을 찾아 주어진 분수를 단위분수의 합으로 나타내시오.

- $\frac{2}{15}=\frac{1}{3\times4}+\frac{1}{4\times5}=\frac{1}{12}+\frac{1}{20}$
- $\frac{2}{21}=\frac{1}{3\times5}+\frac{1}{5\times7}=\frac{1}{15}+\frac{1}{35}$

(1) $\frac{2}{35}$

(2) $\frac{2}{7}$

정답과 풀이 62쪽 ►

1 약수를 이용하는 방법으로 $\frac{18}{24}$을 서로 다른 2개, 3개, 4개, 5개의 단위분수의 합으로 각각 나타내시오.

2개의 단위분수의 합	3개의 단위분수의 합
$\frac{18}{24}=$	$\frac{18}{24}=$
4개의 단위분수의 합	**5개의 단위분수의 합**
$\frac{18}{24}=$	$\frac{18}{24}=$

| 경시대회 기출 |

2 다음과 같은 방법으로 $\frac{1}{7}$을 서로 다른 단위분수의 합으로 나타내시오. (단, 분모는 한 자리 수 또는 두 자리 수입니다.)

- $\frac{1}{3}=\frac{1\times4}{3\times4}=\frac{4}{12}=\frac{1}{12}+\frac{3}{12}=\frac{1}{12}+\frac{1}{4}$
- $\frac{1}{4}=\frac{1\times5}{4\times5}=\frac{5}{20}=\frac{1}{20}+\frac{4}{20}=\frac{1}{20}+\frac{1}{5}$
- $\frac{1}{5}=\frac{1\times6}{5\times6}=\frac{6}{30}=\frac{1}{30}+\frac{5}{30}=\frac{1}{30}+\frac{1}{6}$

$$\frac{1}{7}=\frac{1}{\square}+\frac{1}{\square}+\frac{1}{\square}$$

3

고대 이집트에서는 분자가 1인 단위분수를 수 위에 ⬭를 그려 나타냈고, 분자가 1이 아닌 분수는 단위분수의 합으로 나타냈습니다. 다음 물음에 답하시오. (단, $\frac{1}{2}$과 $\frac{2}{3}$만은 색다르게 나타냈습니다.)

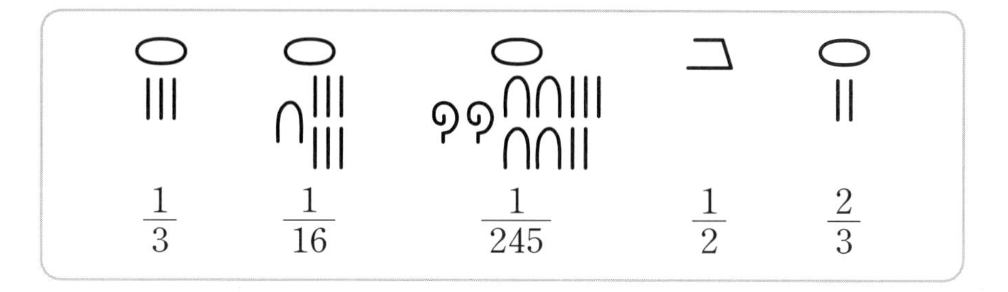

(1) 이집트 분수를 현재의 분수로 나타내시오.

$\left(=\frac{1}{3}+\frac{1}{5}\right)$ ➡ $\frac{8}{15}$

➡

➡

(2) 단위분수가 아닌 분수를 단위분수를 사용한 이집트 분수로 나타내시오.

$\frac{3}{5}\left(=\frac{1}{2}+\frac{1}{10}\right)$ ➡

$\frac{5}{6}$ ➡

$\frac{8}{12}$ ➡

11-1. 분수의 크기 비교하기

1 두 분수의 크기를 비교하여 더 큰 분수를 위의 빈칸에 써넣으시오.

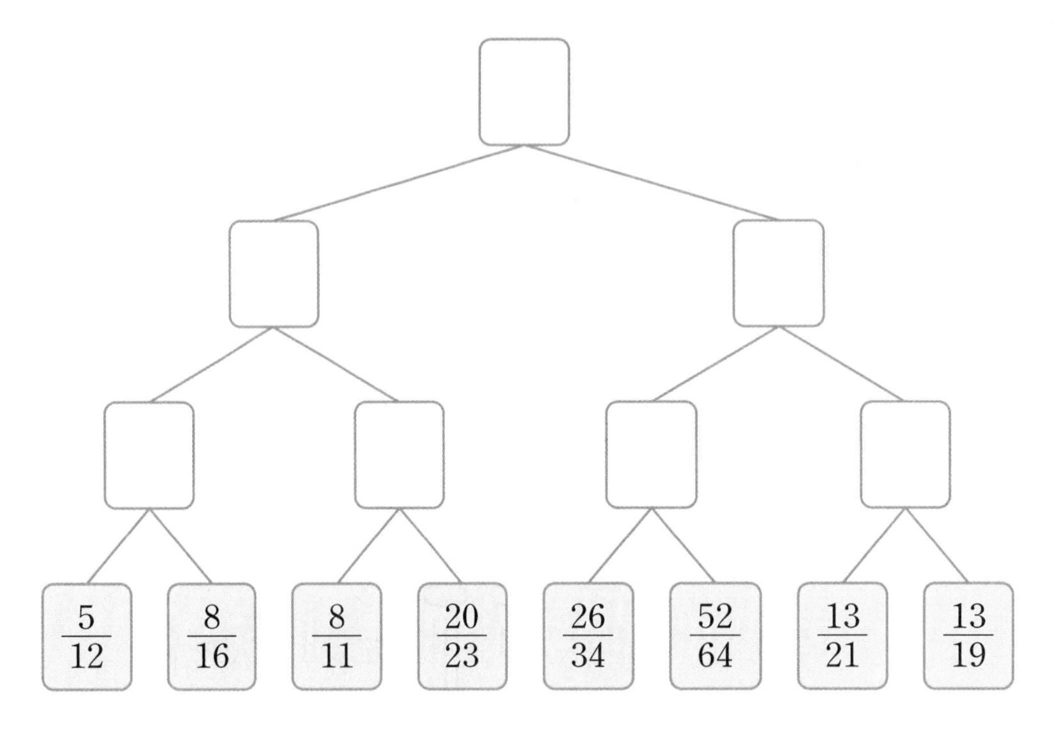

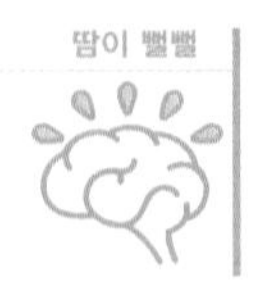

2 ○ 안에 >, <, =를 알맞게 써넣으시오.

$\frac{2357}{4716}$ ○ $\frac{3018}{6035}$

뇌가 번쩍

분수의 크기를 비교하는 방법은?

방법1 분모가 같은 분수로 만들기

$\frac{2}{3}\left(=\frac{6}{9}\right) < \frac{7}{9}$

➡ 분자가 클수록 큽니다.

방법2 분자가 같은 분수로 만들기

$\frac{3}{7} > \frac{1}{3}\left(=\frac{3}{9}\right)$

➡ 분모가 작을수록 큽니다.

방법3 분모와 분자의 차가 같은 분수로 만들기

$\frac{7}{9} > \frac{3}{4}\left(=\frac{6}{8}\right)$

➡ 분모와 분자가 클수록 큽니다.

방법4 $\frac{1}{2}$을 기준으로 비교하기

$\frac{3}{7} < \frac{1}{2} < \frac{5}{8}$

➡ 분모가 분자의 2배보다 작으면 $\frac{1}{2}$보다 큽니다.

최상위 사고력

가장 큰 분수부터 차례로 쓰시오.

$\frac{91}{197}$ $\frac{77}{152}$ $\frac{101}{207}$ $\frac{300}{983}$ $\frac{154}{303}$

정답과 풀이 64쪽 ►

11-2. 수 카드로 분수 만들기

1 주어진 수 카드를 한 번씩 모두 사용하여 (진분수)+(진분수)를 만들려고 합니다. 계산 결과가 가장 클 때와 가장 작을 때의 값을 차례로 구하시오.

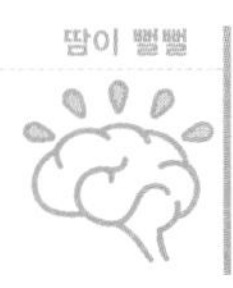

2 주어진 수 카드 중 3장을 한 번씩 사용하여 만들 수 있는 4에 가장 가까운 대분수를 모두 쓰시오.

두 수가 가깝다는 것은 어떤 의미일까?

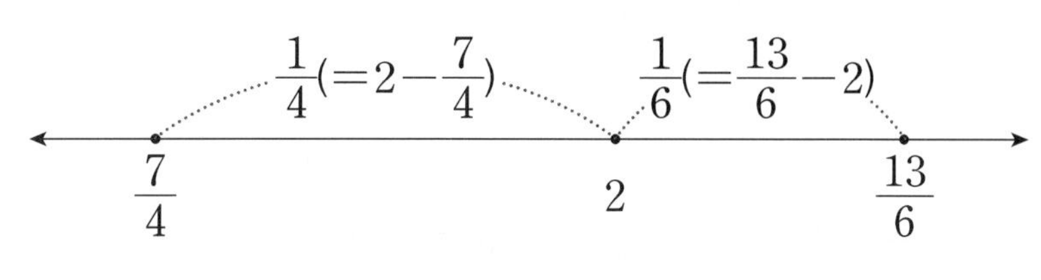

➡ $\frac{13}{6}$이 $\frac{7}{4}$보다 2에 더 가깝습니다.

두 수의 차가 작다는 것입니다.

최상위 사고력

주어진 수 카드를 한 번씩 사용하여 조건에 맞는 두 분수를 만드시오.

(1) 가장 가까운 두 진분수

(2) 가장 가까운 대분수와 진분수

1 2 3 4 6

정답과 풀이 66쪽 ►

11-3. 간단히 계산하기

1 다음 식을 정사각형 그림을 이용하여 구하시오.

$$\frac{1}{2}+\frac{1}{4}+\frac{1}{8}+\frac{1}{16}+\frac{1}{32}+\frac{1}{64}$$

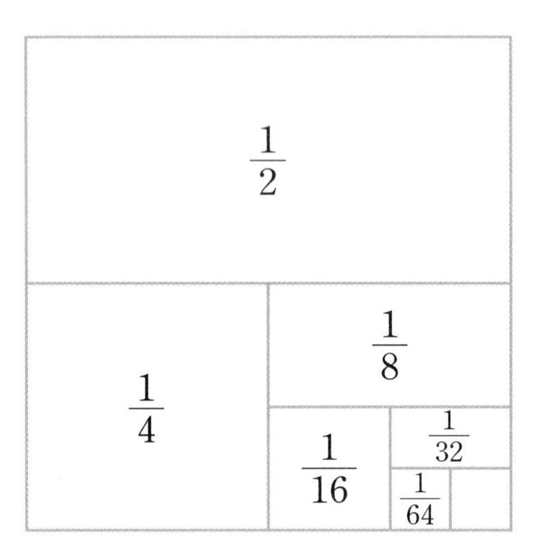

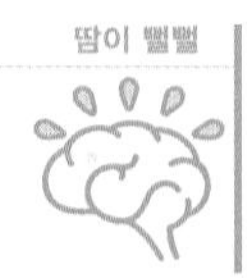

2 다음을 계산하시오.

$$\frac{1}{6}+\frac{1}{12}+\frac{1}{20}+\frac{1}{30}+\frac{1}{42}+\frac{1}{56}+\frac{1}{72}$$

복잡해 보이는 계산을 간단히 하는 방법은?

뇌가 번쩍

$$\frac{1}{2}+\frac{1}{4}+\frac{1}{8}+\frac{1}{16}+\frac{1}{32}$$
$$=\left(1-\frac{1}{2}\right)+\left(\frac{1}{2}-\frac{1}{4}\right)+\left(\frac{1}{4}-\frac{1}{8}\right)+\left(\frac{1}{8}-\frac{1}{16}\right)+\left(\frac{1}{16}-\frac{1}{32}\right)$$
$$=1-\frac{1}{32}$$
$$=\frac{31}{32}$$

수를 분해하거나 다른 수와 결합해 봅니다.

최상위 사고력

다음을 간단히 계산하시오.

(1) $\frac{1}{2}+\frac{3}{4}+\frac{7}{8}+\frac{15}{16}+\frac{31}{32}+\frac{63}{64}+\frac{127}{128}+\frac{255}{256}$

(2) $\left(1+\frac{1}{2}+\frac{1}{3}+\frac{1}{4}+\cdots\cdots+\frac{1}{8}+\frac{1}{9}\right)+\left(\frac{1}{2}+\frac{1}{3}+\frac{1}{4}+\cdots\cdots+\frac{1}{8}+\frac{1}{9}\right)$
$+\left(\frac{1}{3}+\frac{1}{4}+\frac{1}{5}+\cdots\cdots+\frac{1}{8}+\frac{1}{9}\right)+\cdots\cdots+\left(\frac{1}{8}+\frac{1}{9}\right)$

(3) $\frac{1}{3}+\frac{1}{15}+\frac{1}{35}+\frac{1}{63}+\cdots\cdots+\frac{1}{483}$

정답과 풀이 67쪽 ►

최상위 사고력

1 **다음 수 카드를 보고 물음에 답하시오.**

5 2 3 9 6 8

(1) 주어진 수 카드를 한 번씩 사용하여 조건에 알맞은 식을 완성하고, 계산 결과를 구하시오.

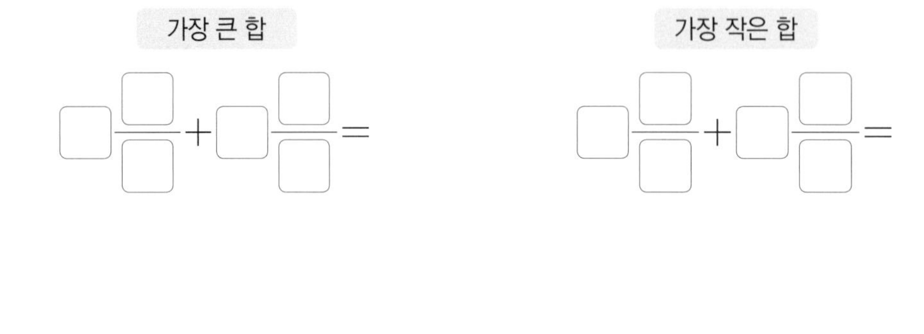

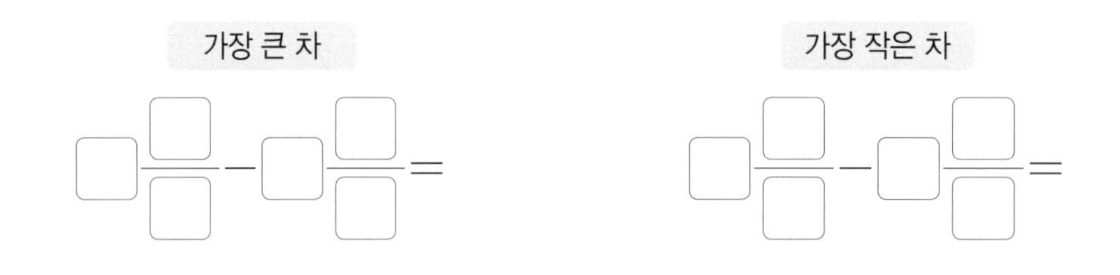

(2) 주어진 수 카드 중 3장을 한 번씩 사용하여 6에 가장 가까운 분수를 모두 만드시오.

| 경시대회 기출 |

2

문제풀이

□ 안에 알맞은 수를 모두 구하시오.

$$\frac{4}{8}<\frac{8}{\square}<\frac{10}{13}$$

3

문제풀이

다음을 계산하시오.

(1) $1-\frac{5}{6}+\frac{7}{12}-\frac{9}{20}+\frac{11}{30}-\frac{13}{42}+\frac{15}{56}-\frac{17}{72}+\frac{19}{90}$

(2) $1\frac{2}{1\times2\times3}+3\frac{2}{2\times3\times4}+5\frac{2}{3\times4\times5}+\cdots\cdots+15\frac{2}{8\times9\times10}$

(3) $\frac{1}{2}+\frac{2}{2}+\frac{1}{2}+\frac{1}{3}+\frac{2}{3}+\frac{3}{3}+\frac{2}{3}+\frac{1}{3}+\frac{1}{4}+\frac{2}{4}+\frac{3}{4}+\cdots\cdots+\frac{2}{10}+\frac{1}{10}$

1 ○ 안에 >, =, <를 알맞게 써넣으시오.

$$\frac{21}{215} \bigcirc \frac{17}{188}$$

2 주어진 수 카드를 한 번씩 사용하여 조건에 알맞은 식을 완성하고, 계산 결과를 구하시오. (단, 분모에 1 은 사용할 수 없습니다.)

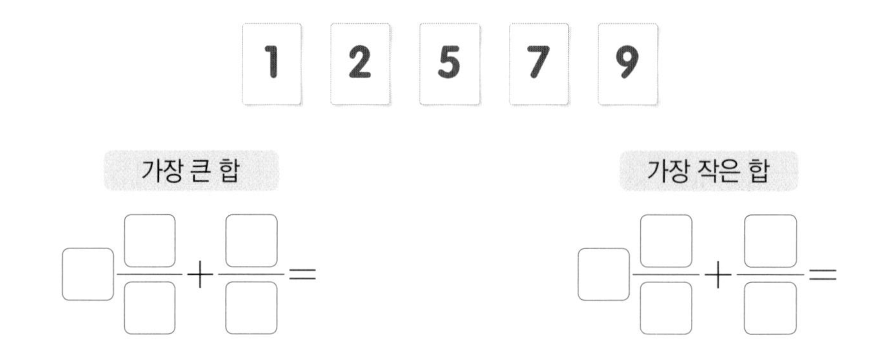

3

고대 이집트 분배 방식으로 남아 있는 피자를 6명이 공평하게 나누어 먹으려고 합니다. 선을 그어 피자를 나누어 보고, 한 사람이 먹게 되는 피자의 양을 서로 다른 단위분수의 합으로 나타내시오. (단, 한 사람당 세 조각 이상은 먹지 않습니다.)

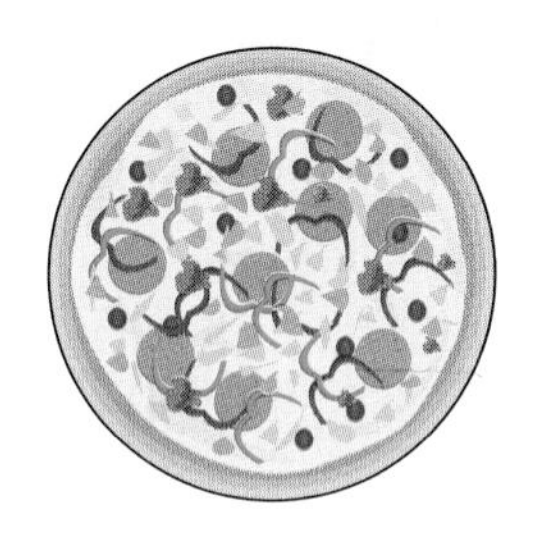
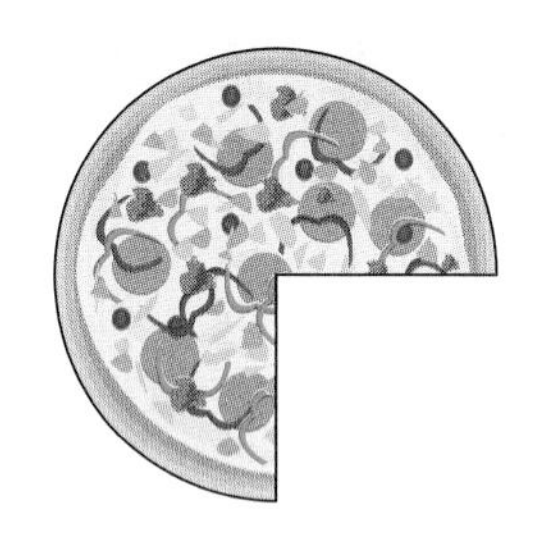

한 사람이 먹는 피자의 양: $\frac{1}{\square}+\frac{1}{\square}$

4

다음을 계산하시오.

(1) $1+\frac{1}{2}+\frac{1}{4}+\frac{1}{8}+\frac{1}{16}+\frac{1}{32}+\frac{1}{64}$

(2) $1+\frac{1}{3}-\frac{7}{12}+\frac{9}{20}-\frac{11}{30}+\frac{13}{42}-\frac{15}{56}+\frac{17}{72}$

정답과 풀이 71쪽 ►

5 다음 물음에 답하시오.

(1) 규칙을 찾아 단위분수를 또다른 단위분수의 차로 나타내시오.

$\frac{1}{2}-\frac{1}{3}=\frac{1}{6}$, $\frac{1}{3}-\frac{1}{4}=\frac{1}{12}$, $\frac{1}{4}-\frac{1}{5}=\frac{1}{20}$, $\frac{1}{5}-\frac{1}{6}=\frac{1}{30}$ ……

$\frac{1}{42}=$

$\frac{1}{90}=$

(2) 규칙을 찾아 진분수를 단위분수의 합으로 나타내시오.

$\frac{5}{6}$에서 분모 6의 약수는 1, 2, 3, 6이므로 $\frac{5}{6}=\frac{2}{6}+\frac{3}{6}=\frac{1}{2}+\frac{1}{3}$입니다.

$\frac{7}{8}=$

$\frac{5}{9}=$

(3) (2)와 같은 규칙으로 1을 분모가 20인 분수로 바꾼 다음 단위분수 4개의 합으로 나타내시오.

측정

12-1. 꺾인 도형의 둘레

1 한 변이 $1\,\text{cm}$인 정사각형 6개를 이어 붙여 만들 수 있는 도형 중에서 둘레가 $12\,\text{cm}$인 도형을 모두 그리시오. (단, 돌리거나 뒤집어서 같은 것은 한 가지로 생각합니다.)

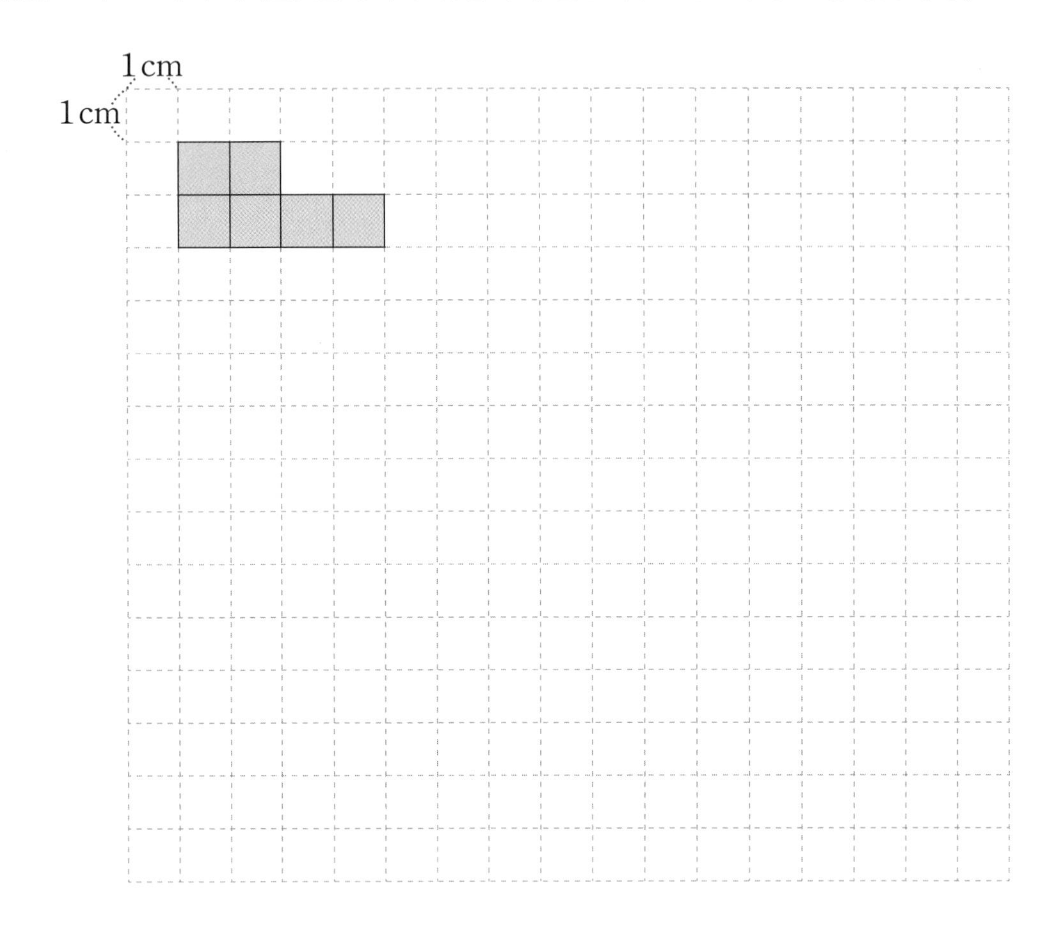

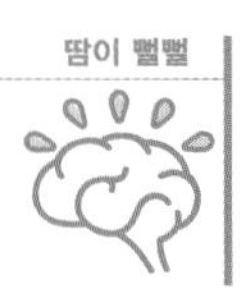

2 작은 직사각형 16개로 이루어진 도형의 일부분을 색칠한 것입니다. 색칠한 직사각형의 둘레의 합은 몇 cm인지 구하시오.

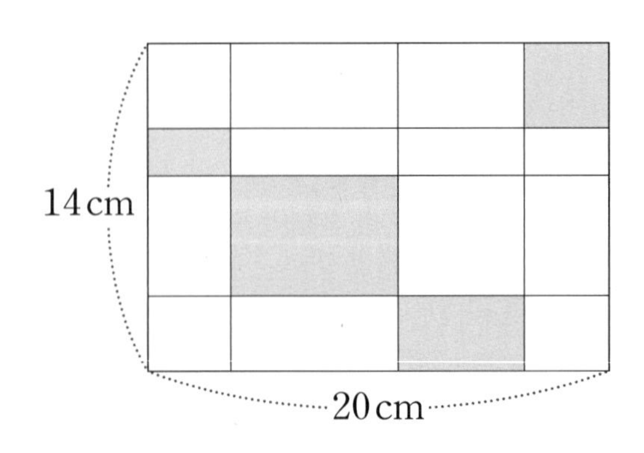

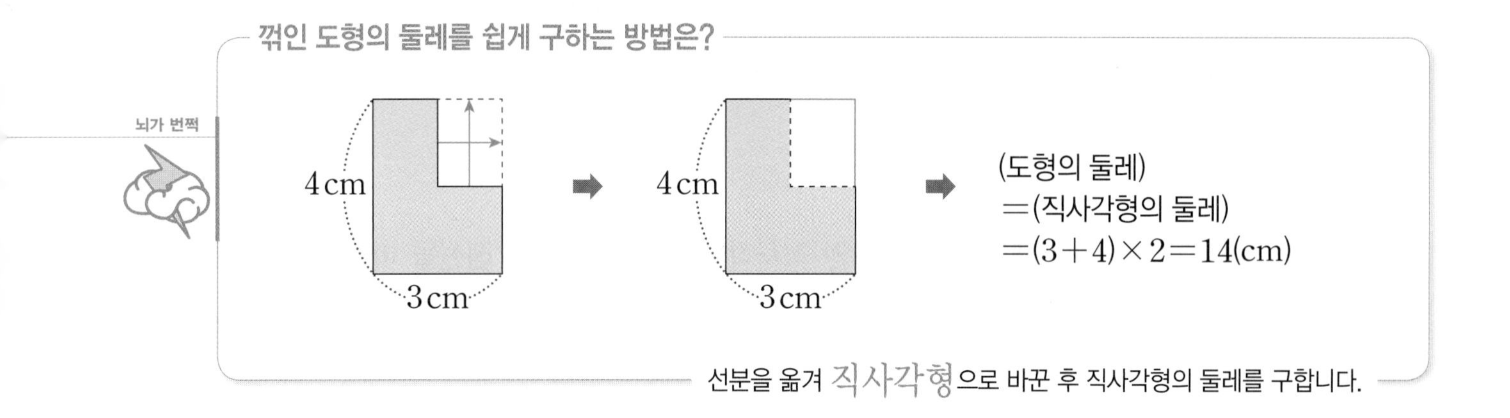

최상위 사고력

가로가 10 cm, 세로가 2 cm인 직사각형을 3층까지 놓은 것입니다. 같은 방법으로 50층까지 놓아 만든 도형의 둘레는 몇 cm인지 구하시오.

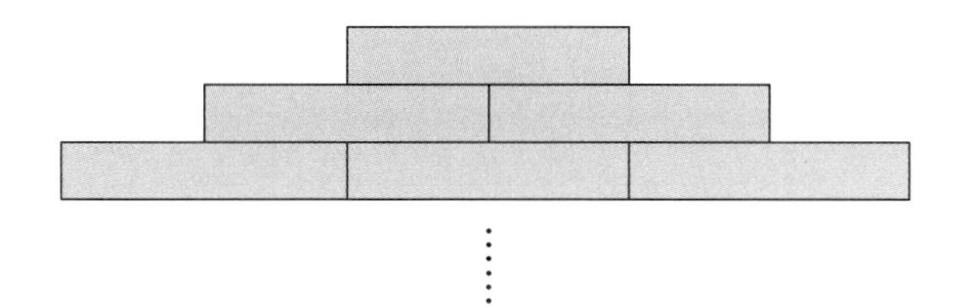

12-2. 붙여 만든 도형의 둘레

1 가로가 $20\,\mathrm{cm}$, 세로가 $12\,\mathrm{cm}$인 직사각형 모양의 종이를 점선을 따라 잘라 8개의 직사각형을 만들었습니다. 만들어진 직사각형 8개의 둘레의 합은 몇 cm인지 구하시오.

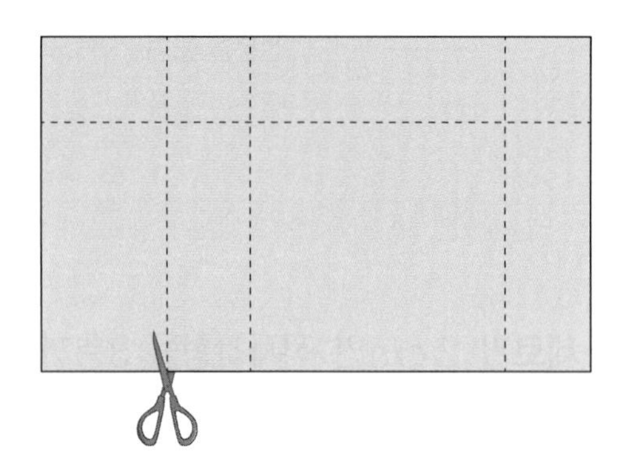

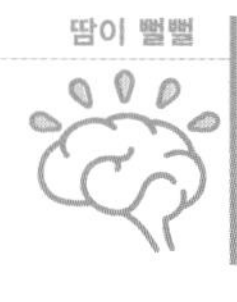

2 모양과 크기가 같은 작은 직사각형 8개를 이어 붙여 큰 직사각형을 만들었습니다. 작은 직사각형의 둘레가 $32\,\mathrm{cm}$일 때 큰 직사각형의 둘레는 몇 cm인지 구하시오.

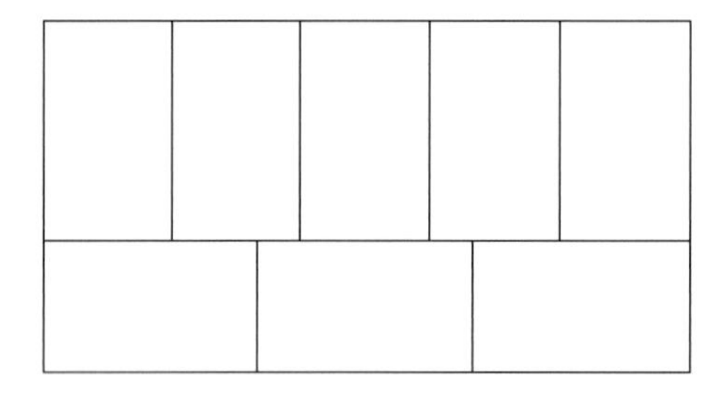

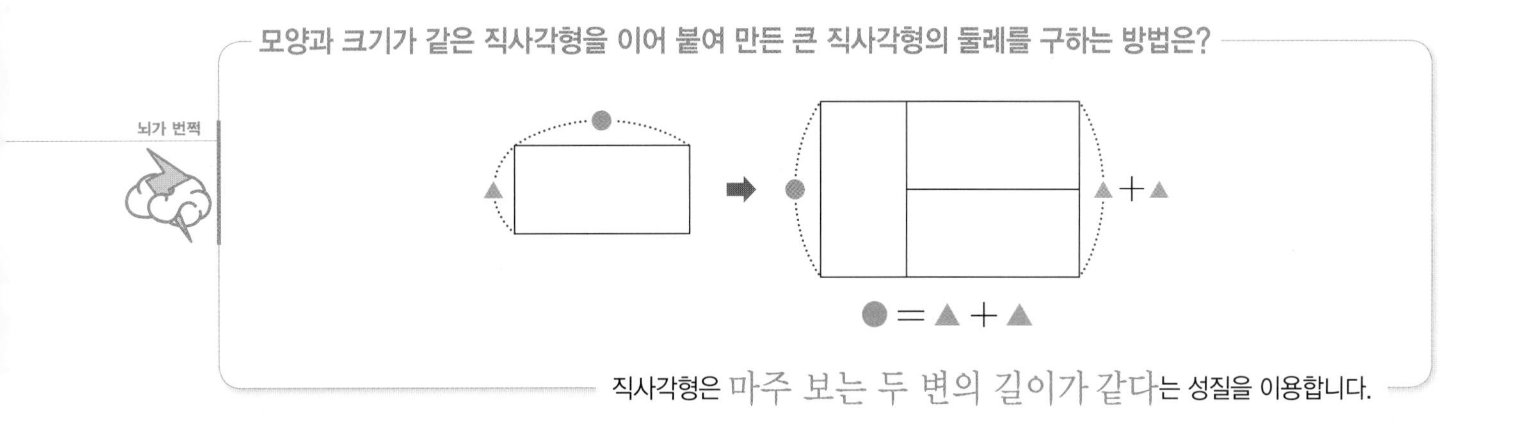

최상위 사고력

정사각형 12개를 이어 붙여 직사각형을 만들었습니다. ㉠의 넓이가 $36\,\mathrm{cm}^2$, ㉡의 넓이가 $25\,\mathrm{cm}^2$일 때 만든 직사각형의 둘레는 몇 cm인지 구하시오.

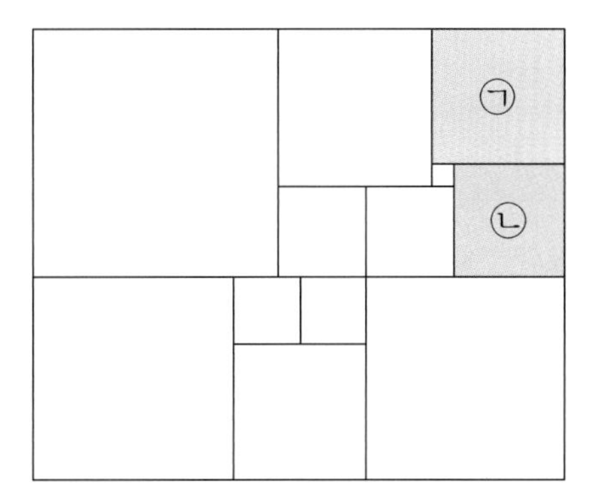

정답과 풀이 75쪽 ►

12-3. 둘레와 넓이의 관계

1 정사각형의 가로와 세로를 각각 $4\,\mathrm{cm}$, $2\,\mathrm{cm}$씩 늘여서 새로운 직사각형을 만들었습니다. 만든 직사각형의 넓이는 처음 정사각형의 넓이보다 $50\,\mathrm{cm}^2$만큼 더 넓을 때 처음 정사각형의 넓이는 몇 cm^2인지 구하시오.

2 색종이 한 장에 가로와 세로로 평행하게 선을 그었습니다. ㉠의 넓이가 $24\,\mathrm{cm}^2$일 때 ㉡의 넓이는 최대 몇 cm^2인지 구하시오. (단, ㉠의 가로와 세로는 단위가 cm일 때 모두 자연수입니다.)

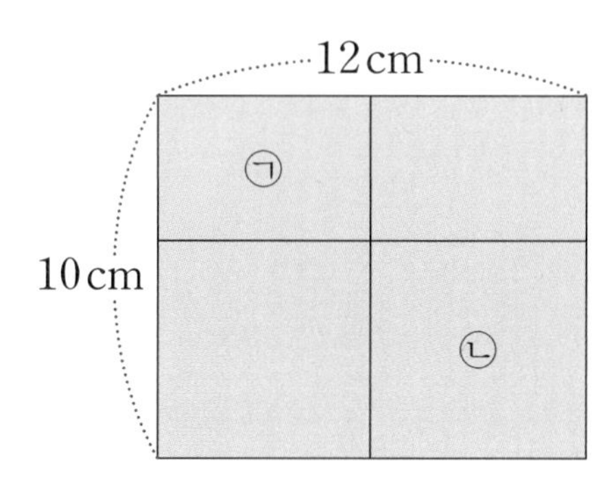

뇌가 번쩍

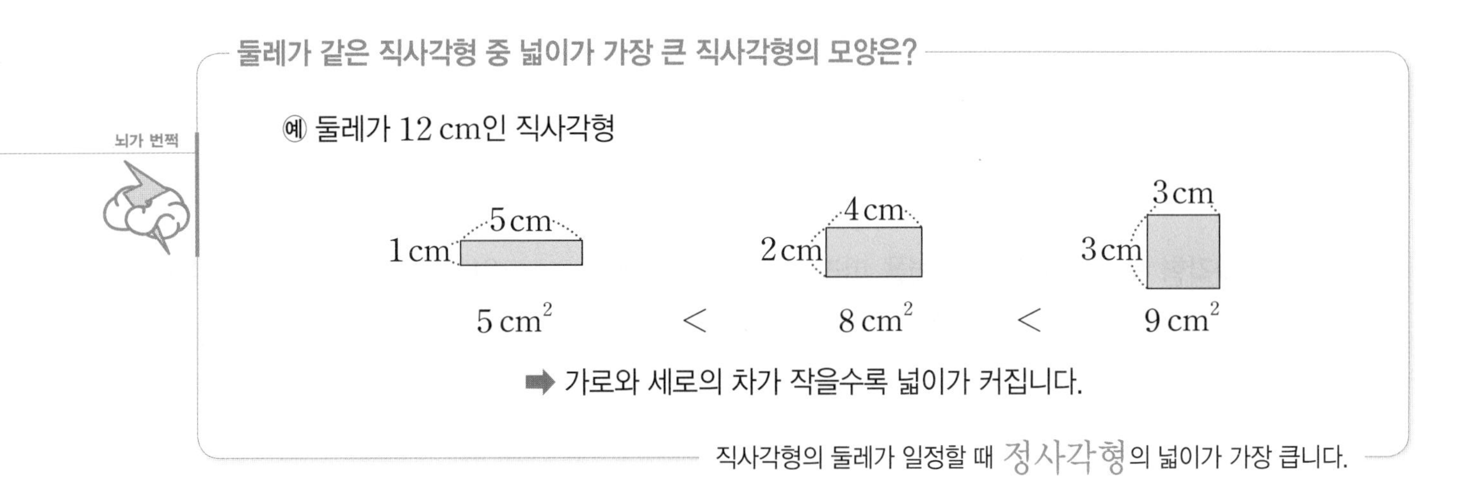

최상위 사고력

다음 그림과 같이 한 변이 12 cm인 정사각형 2개를 겹쳐서 만든 도형의 둘레가 74 cm일 때 겹쳐진 직사각형의 넓이는 최대 몇 cm^2인지 구하시오. (단, 겹쳐진 직사각형의 가로와 세로는 단위가 cm일 때 모두 자연수입니다.)

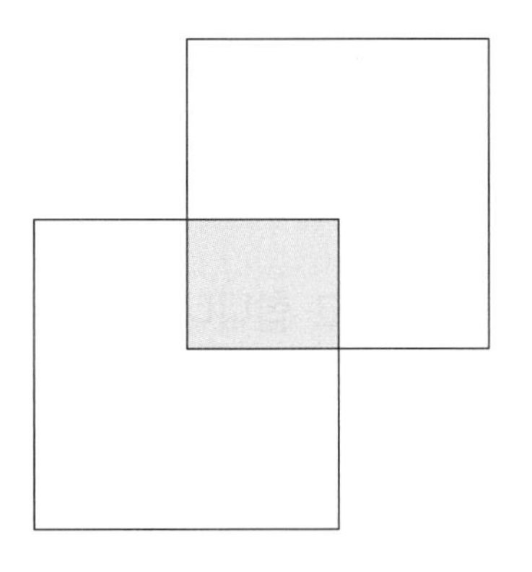

정답과 풀이 76쪽 ►

1 직사각형 모양의 종이에서 변을 따라 가로 3 cm, 세로 2 cm인 직사각형 한 조각을 잘라내려고 합니다. 자르고 남은 부분의 둘레가 될 수 있는 길이를 모두 구하시오.

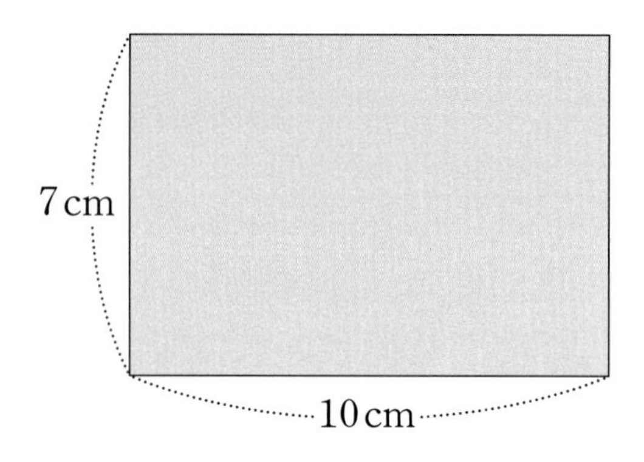

2 막대 9개로 직사각형을 만들려고 합니다. 만들 수 있는 직사각형 중 넓이가 가장 큰 직사각형의 넓이는 몇 cm^2인지 구하시오. (단, 막대를 모두 사용할 필요는 없고, 막대의 두께는 생각하지 않습니다.)

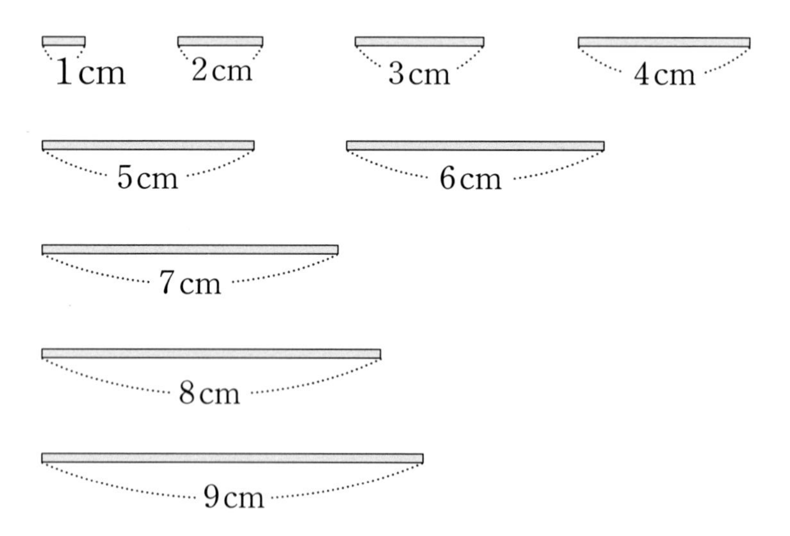

| 경시대회 기출 |

3

문제풀이

다음은 한 변이 $10\,\mathrm{cm}$인 정사각형 3개를 겹쳐 놓은 그림입니다. 정사각형 3개가 모두 겹쳐진 부분은 가로가 $4\,\mathrm{cm}$이고 세로가 $2\,\mathrm{cm}$인 직사각형일 때 이 그림의 둘레는 몇 cm인지 구하시오.

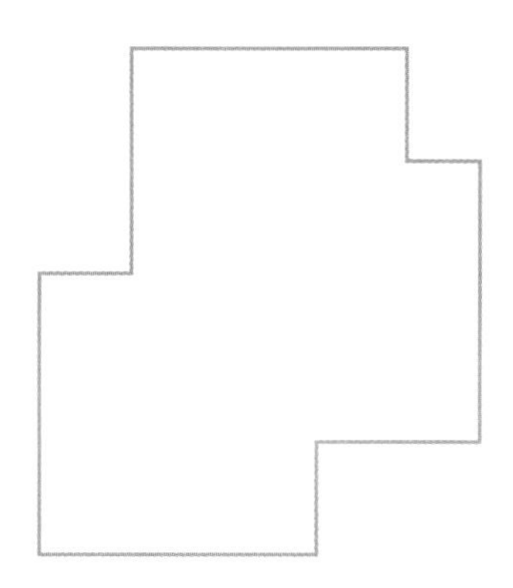

4

문제풀이

정사각형 6개를 이어 붙여 직사각형을 만들었습니다. 가장 작은 정사각형의 넓이가 $1\,\mathrm{cm}^2$일 때 전체 직사각형의 넓이는 몇 cm^2인지 구하시오.

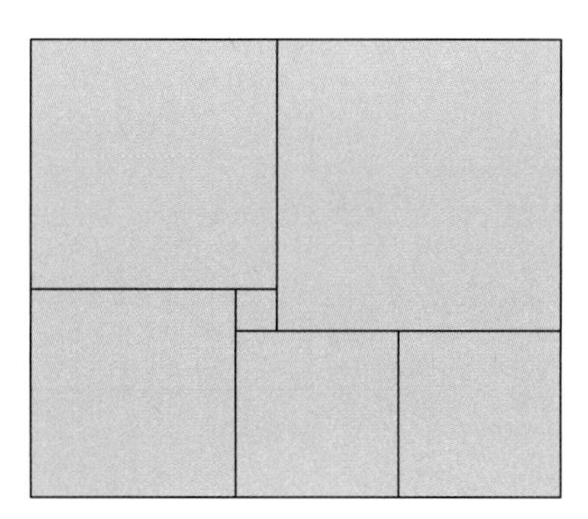

정답과 풀이 77쪽 ►

13-1. 복잡한 도형의 넓이

1 도형의 넓이는 몇 cm^2인지 구하시오.

(1)

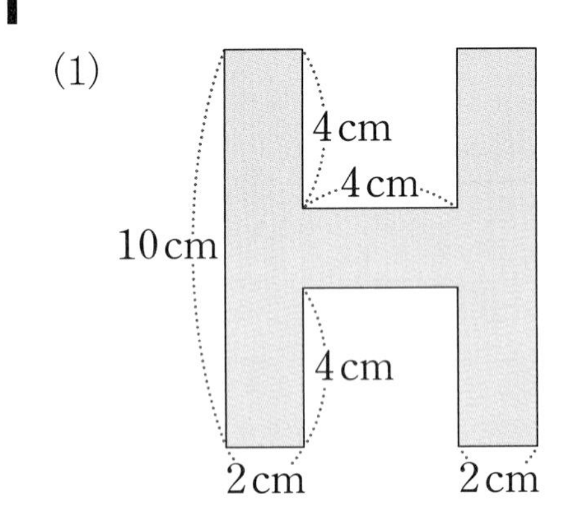

(2)

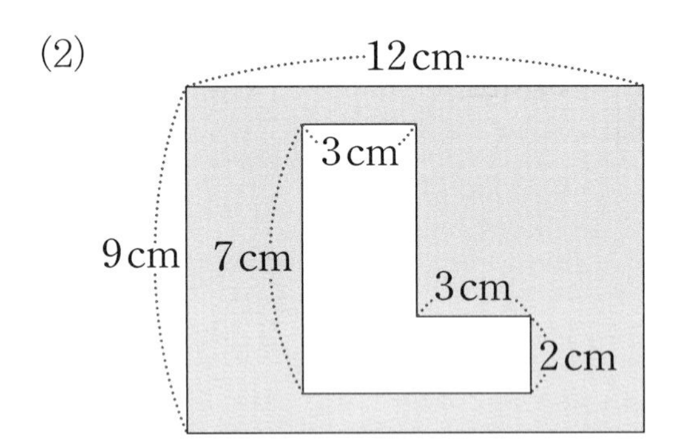

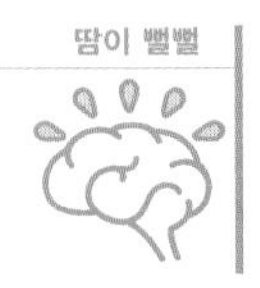

2 색칠한 삼각형의 넓이는 몇 cm^2인지 구하시오.

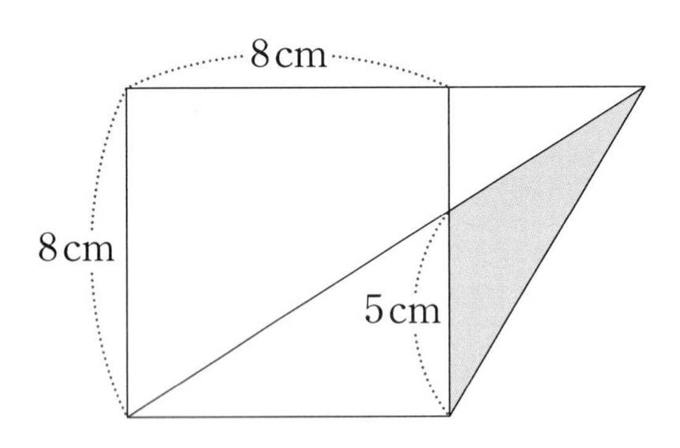

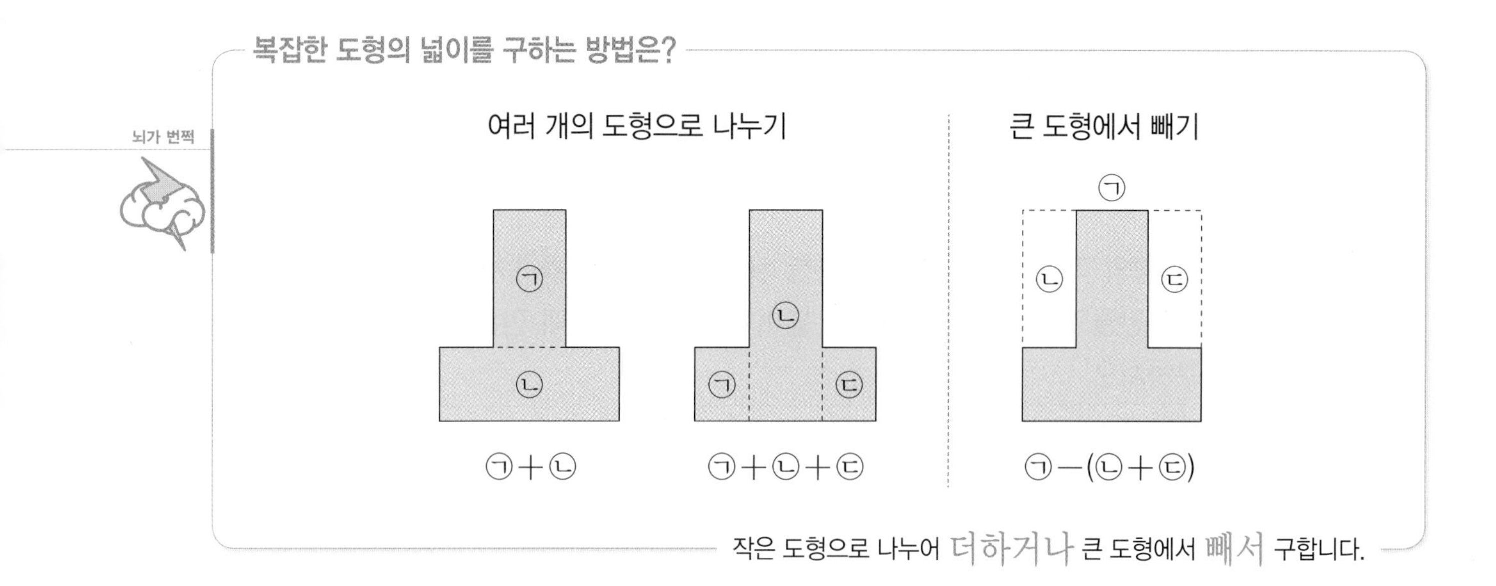

최상위 사고력

정사각형 3개를 이어 붙인 다음 정사각형의 세 꼭짓점을 이어 삼각형 ㄱㄴㄷ을 만들었습니다. 삼각형 ㄱㄴㄷ의 넓이는 몇 cm^2인지 구하시오.

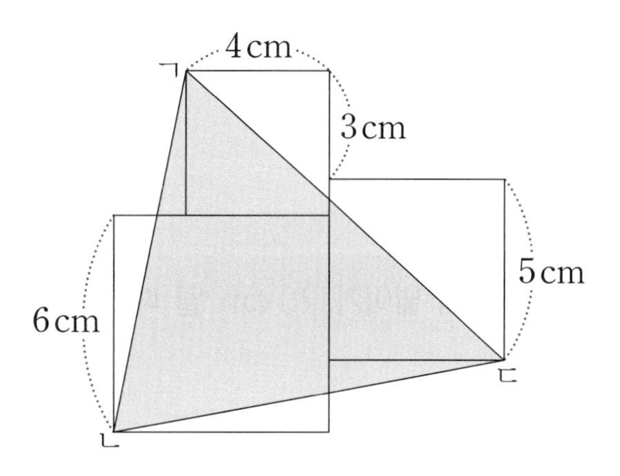

13-2. 직사각형을 나눈 도형의 넓이

1 정사각형의 각 변을 똑같이 4등분한 뒤 각 변마다 점을 1개씩 선택하고 그 점을 이어 사각형을 만들었습니다. 정사각형의 넓이가 $64\,\text{cm}^2$일 때 만든 사각형의 넓이는 몇 cm^2인지 구하시오.

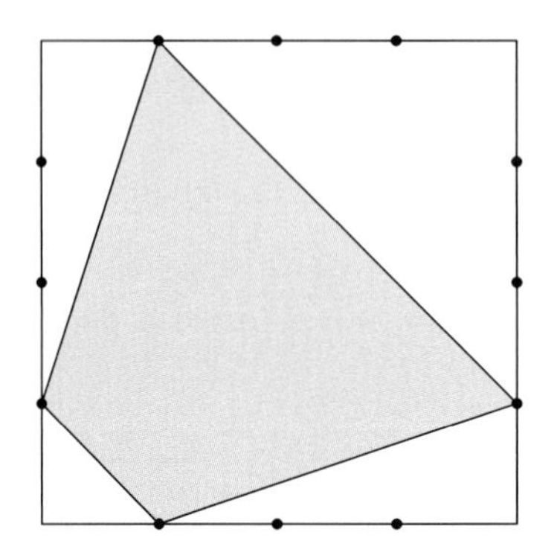

2 직사각형 ㄱㄴㄷㄹ의 넓이가 $20\,\text{cm}^2$일 때 직사각형 ㄴㅁㅂㄹ의 넓이는 몇 cm^2인지 구하시오.

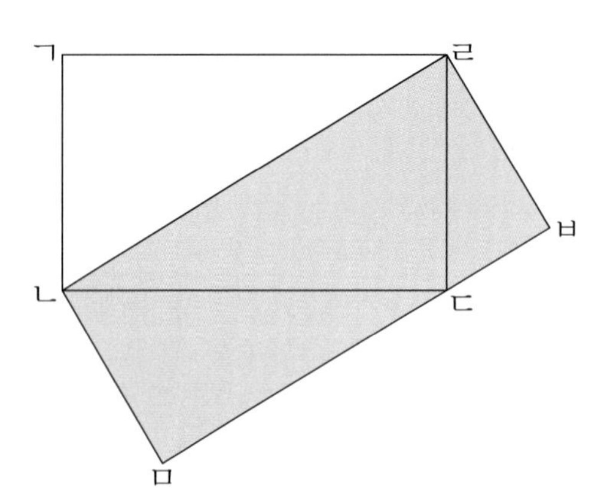

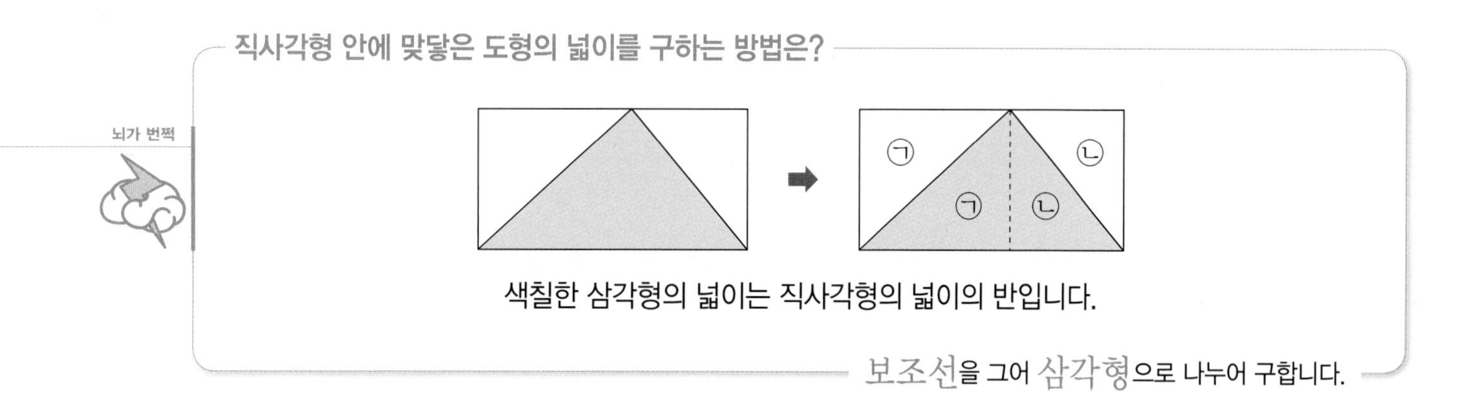

최상위 사고력

직사각형에서 ㉠, ㉡, ㉢의 넓이가 각각 $12\,\text{cm}^2$, $24\,\text{cm}^2$, $28\,\text{cm}^2$일 때 ㉣의 넓이는 몇 cm^2인지 구하시오.

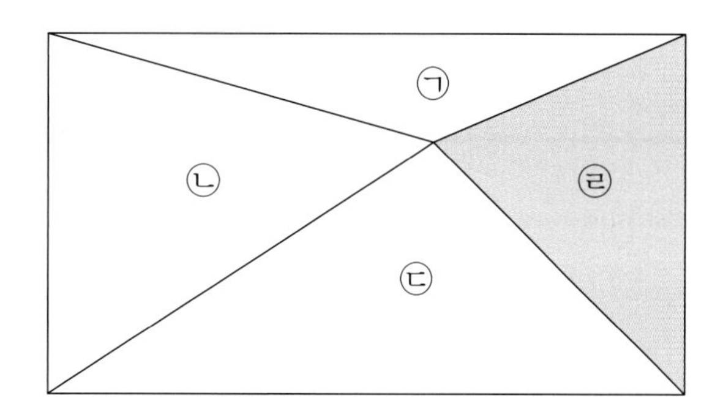

정답과 풀이 80쪽 ►

13-3. 겹쳐진 도형의 넓이

1 정사각형 2개를 겹쳐 놓았습니다. 겹쳐지지 않은 두 부분의 넓이의 차는 몇 cm^2인지 구하시오.

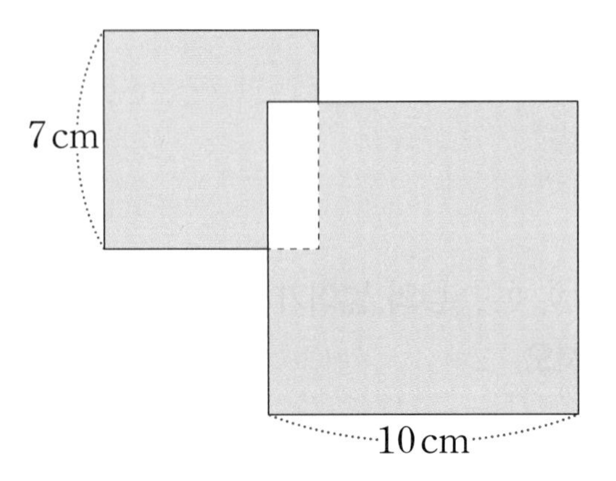

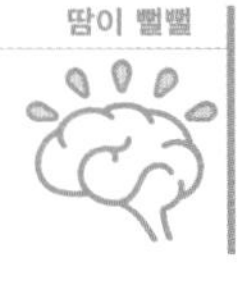

2 삼각형 모양의 색종이를 점 ㄱ을 중심으로 시계 반대 방향으로 돌렸습니다. 색칠한 부분의 넓이는 몇 cm^2인지 구하시오.

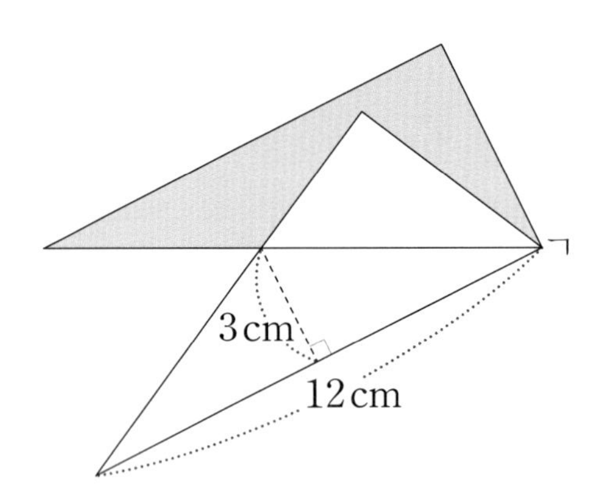

겹쳐진 도형에서 알 수 있는 넓이의 관계는?

• (도형의 넓이)=(원의 넓이)+(사각형의 넓이)−(겹쳐진 부분의 넓이)

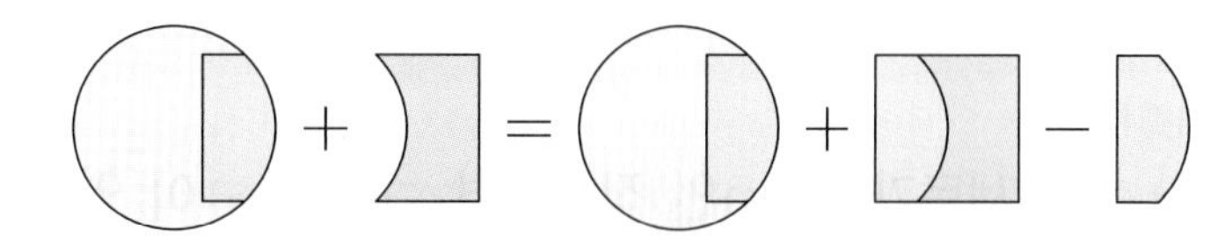

• (겹쳐지지 않은 부분의 넓이의 차)
=(원의 넓이)−(사각형의 넓이)

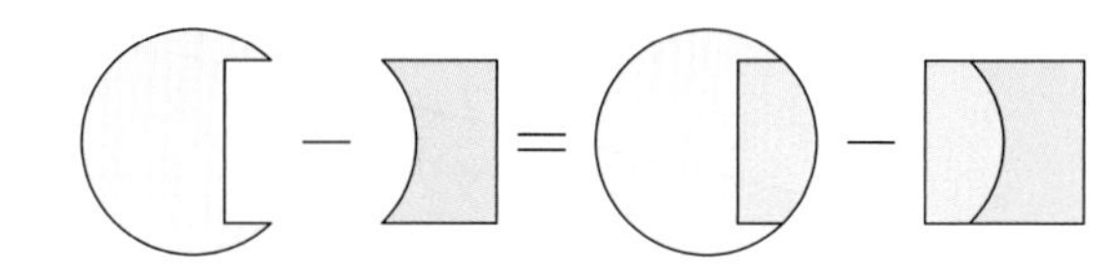

겹쳐진 부분을 생각합니다.

최상위 사고력

직사각형 ㄱㄴㄷㄹ과 직각삼각형 ㅁㄴㄷ을 겹쳐 놓았습니다. 삼각형 ㄱㄴㅂ의 넓이가 삼각형 ㅁㅂㄹ의 넓이보다 $30\,cm^2$ 만큼 더 넓을 때, 선분 ㅁㄹ의 길이는 몇 cm인지 구하시오.

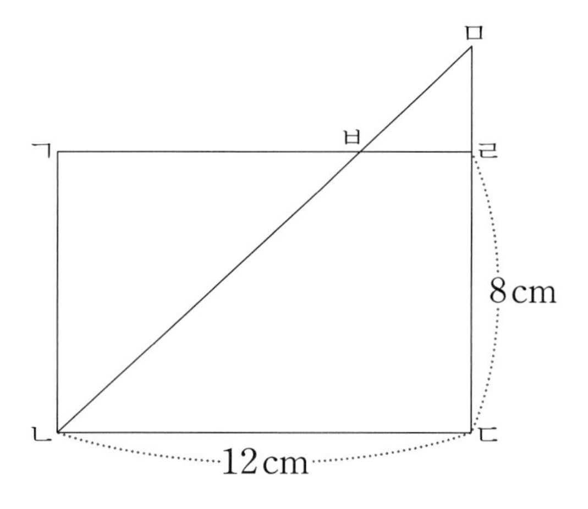

| 경시대회 기출 |

1 가로가 $20\,\text{cm}$, 세로가 $8\,\text{cm}$인 직사각형 ㄱㄴㄷㄹ이 있습니다. 점 ㅁ과 점 ㅅ은 각각 변 ㄱㄴ과 변 ㄹㄷ의 중점일 때 사각형 ㅁㅂㅅㅇ의 넓이는 몇 cm^2인지 구하시오.

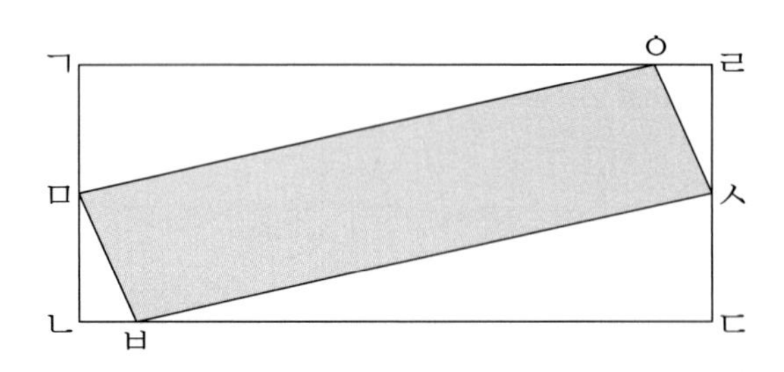

2 직사각형을 4개의 삼각형으로 나누었습니다. 삼각형 ㉠의 넓이는 $12\,\text{cm}^2$이고, 삼각형 ㉡의 넓이는 직사각형 넓이의 $\frac{1}{8}$이라고 할 때 직사각형의 넓이는 몇 cm^2인지 구하시오.

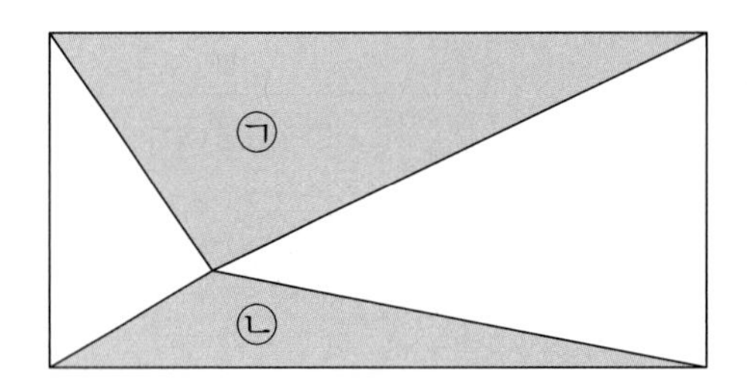

3 직사각형의 꼭짓점 ㄴ과 ㄹ이 맞닿도록 접었습니다. 색칠한 부분의 넓이는 몇 cm^2인지 구하시오.

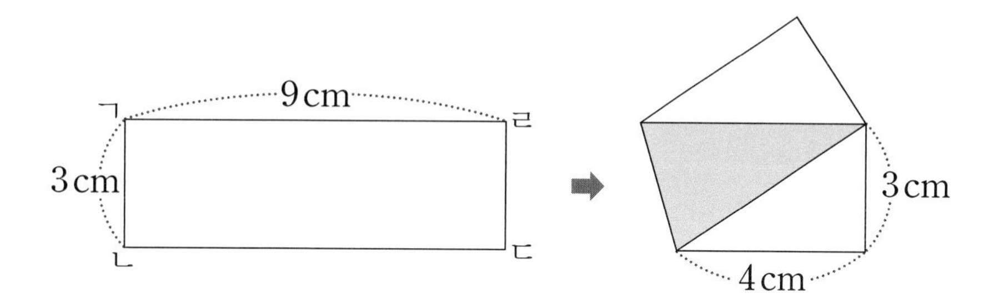

4 한 변이 12 cm인 정사각형에서 색칠한 부분의 넓이는 몇 cm^2인지 구하시오.

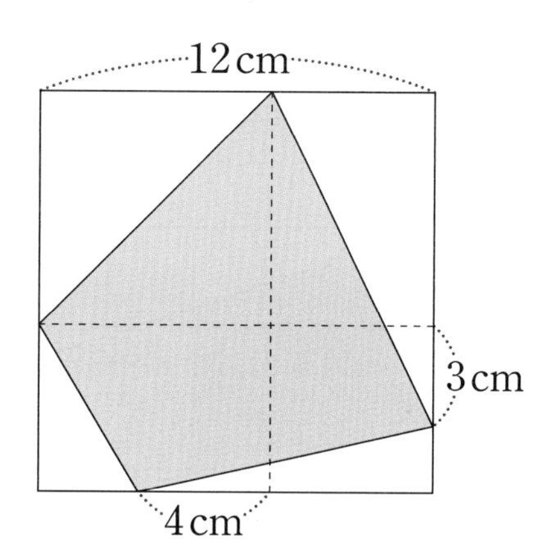

14-1. 단위넓이 이용하기

1 정사각형을 7조각으로 나누어 만든 칠교 조각입니다. 가장 작은 삼각형의 넓이가 $1\ \mathrm{cm}^2$일 때 나머지 조각의 넓이를 빈 곳에 각각 써넣으시오.

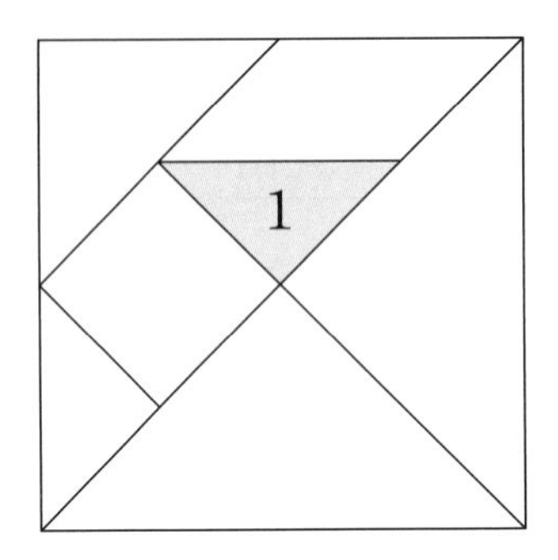

2 똑같은 정사각형 3개를 변끼리 이어 붙인 후 선분 ㄱㄴ을 그었습니다. 나의 넓이는 가의 넓이의 몇 배인지 구하시오.

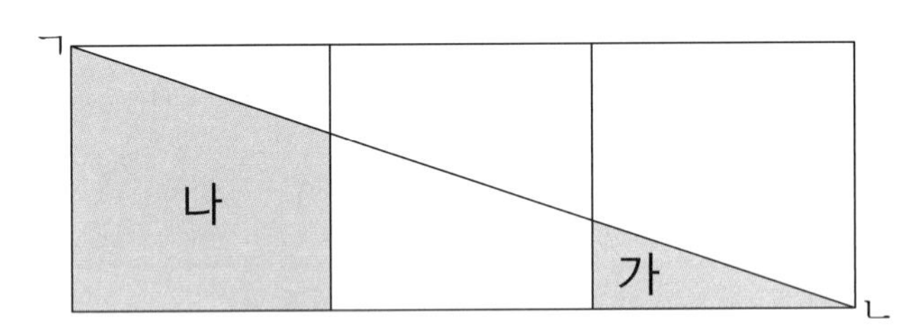

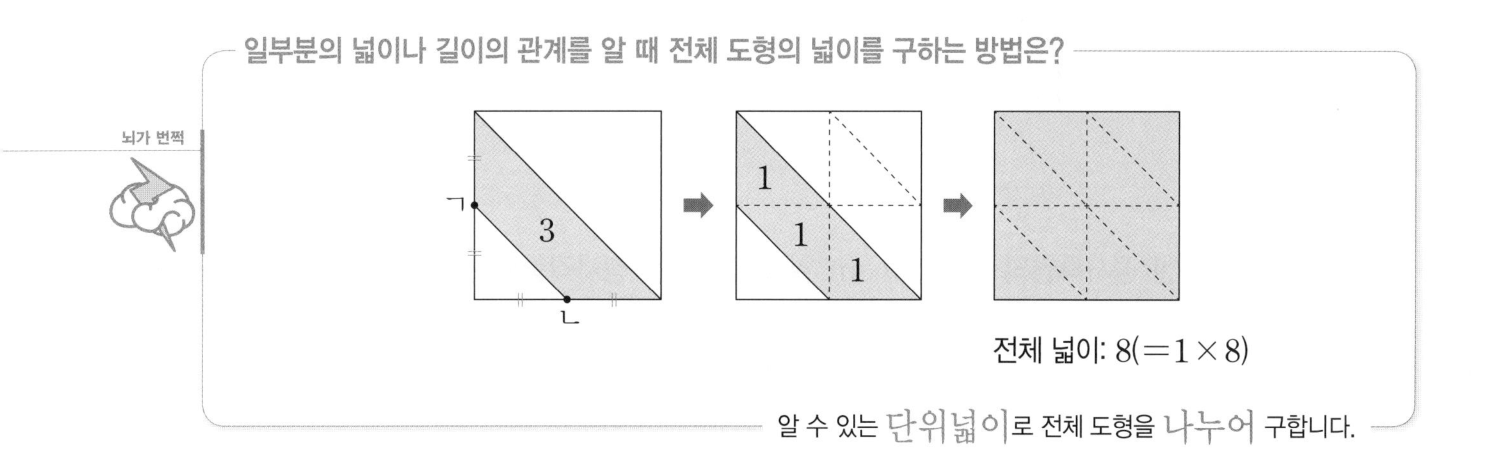

최상위 사고력

모양과 크기가 같은 직각이등변삼각형 2개가 있습니다. 정사각형 ㉠의 넓이가 $32\,\mathrm{cm}^2$일 때 정사각형 ㉡의 넓이는 몇 cm^2인지 구하시오.

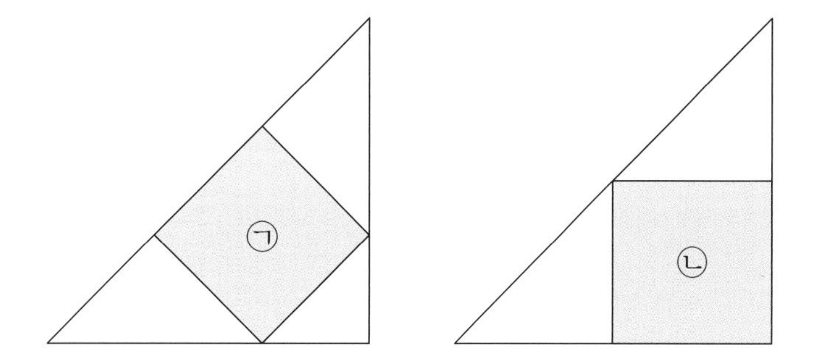

14-2. 변형하기

1 색칠한 정사각형의 넓이가 $8\,\mathrm{cm}^2$일 때 가장 큰 정사각형의 넓이는 몇 cm^2인지 구하시오.

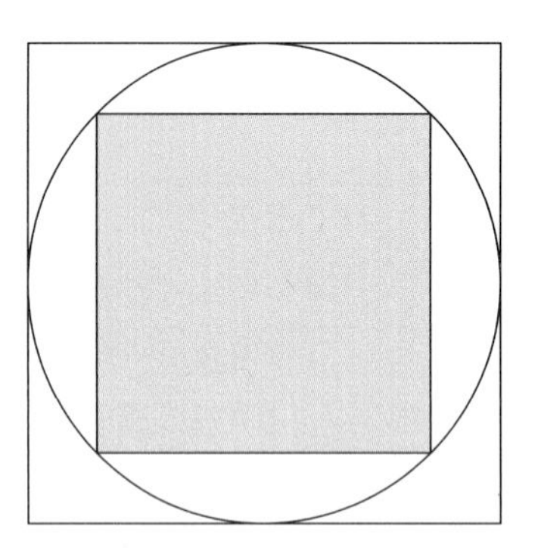

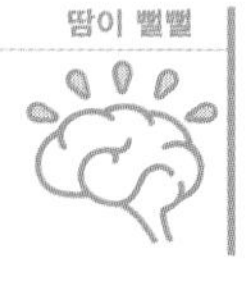

2 넓이가 $1\,\mathrm{cm}^2$인 정사각형 3개를 변끼리 이어 붙인 후 선분 ㄱㄴ을 그었습니다. 선분 ㄱㄴ을 한 변으로 하는 정사각형의 넓이는 몇 cm^2인지 구하시오.

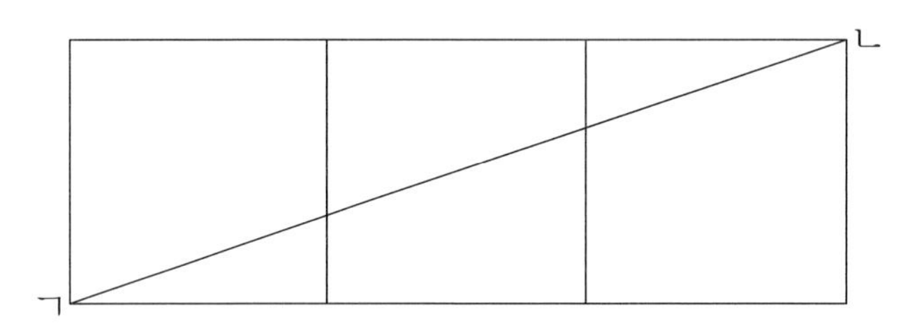

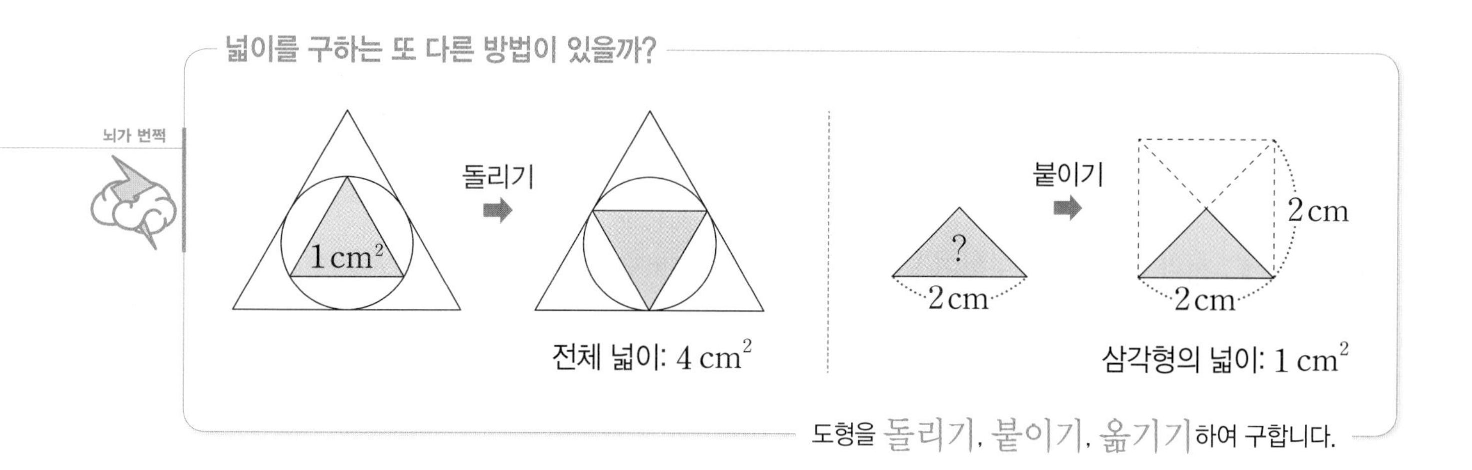

최상위 사고력

정사각형 ㄱㄴㄷㄹ의 꼭짓점과 각 변을 이등분하는 점을 선으로 이었습니다. 색칠한 사각형의 넓이가 $4\ \mathrm{cm}^2$일 때 정사각형 ㄱㄴㄷㄹ의 넓이는 몇 cm^2인지 구하시오.

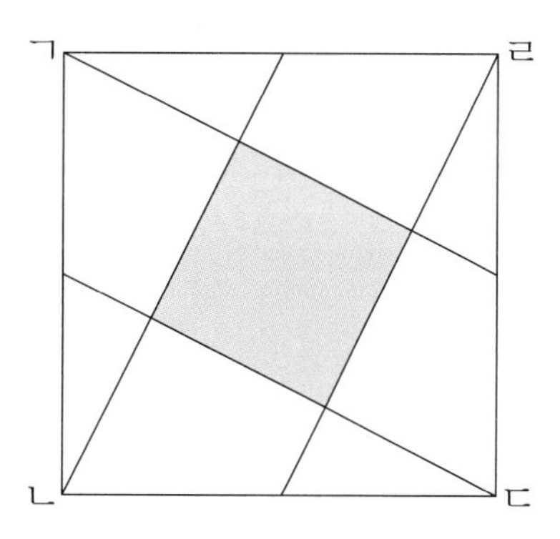

14-3. 픽의 정리

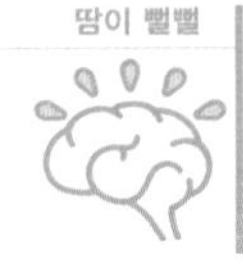

1 점판 위에 있는 도형의 넓이를 구하고 도형의 넓이를 구하는 식을 쓰시오.

(1) 도형 안에 점이 없는 경우

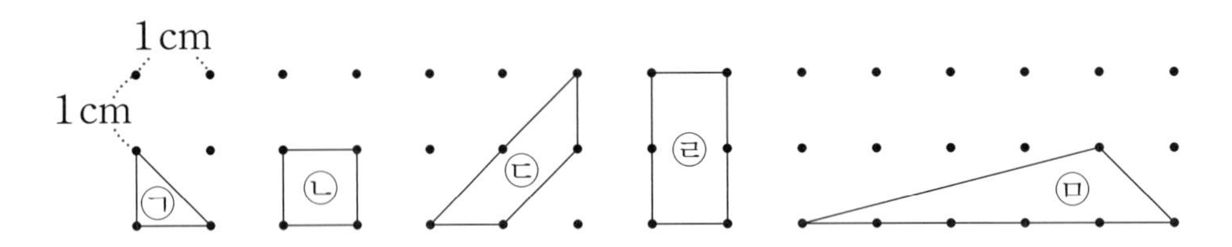

도형	㉠	㉡	㉢	㉣	㉤
둘레 위의 점의 개수(개)	3	4			
넓이(cm^2)	0.5	1			

(도형의 넓이)= ____________________

(2) 도형 안에 점이 있는 경우

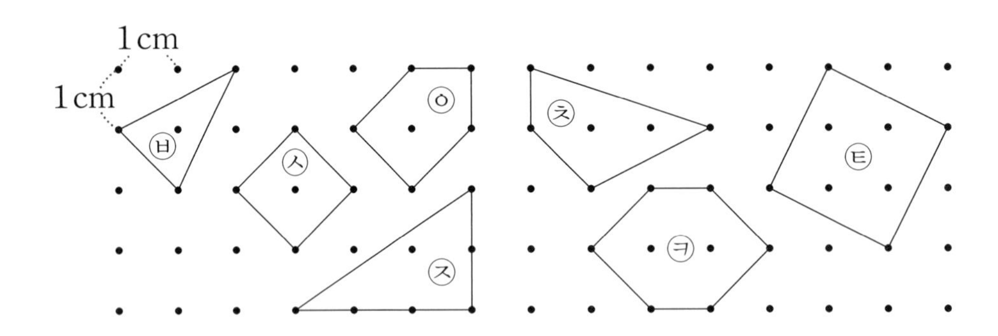

도형	㉥	㉦	㉧	㉨	㉩	㉪	㉫
둘레 위의 점의 개수(개)	3						
도형 안의 점의 개수(개)	1						
넓이(cm^2)	1.5						

(도형의 넓이)= ____________________

점판 위에 있는 도형의 넓이를 쉽게 구할 수 있는 방법은?

뇌가 번쩍

(도형의 넓이)=(둘레 위의 점의 개수)÷2+(도형 안의 점의 개수)−1

1 cm

1 cm

➡ 넓이: $4 \div 2 + 2 - 1 = 3(\text{cm}^2)$

점의 개수를 이용하여 넓이를 구하는 픽의 정리를 이용합니다.

최상위 사고력 A

픽의 정리를 이용하여 색칠한 도형 ㉠과 ㉡의 넓이를 차례로 구하시오.

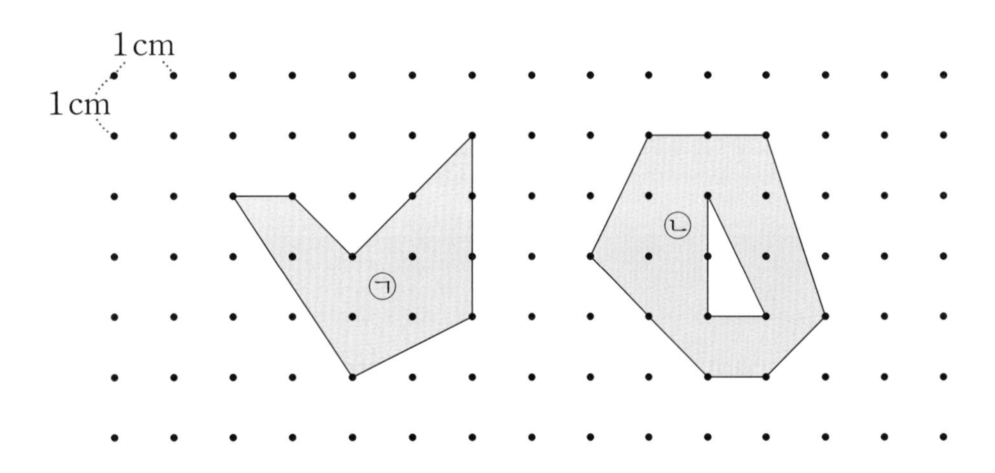

최상위 사고력 B

도형 안의 점의 개수가 1개이고, 넓이가 $2\ \text{cm}^2$인 서로 다른 도형을 3개 그리시오.

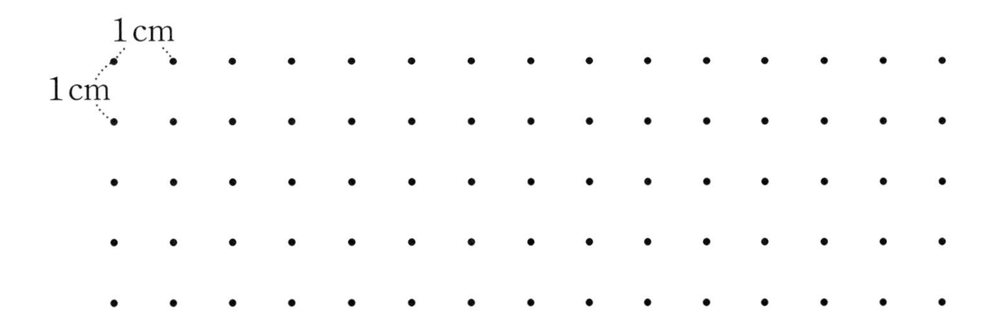

정답과 풀이 85쪽 ►

1 넓이가 $48\,\mathrm{cm}^2$인 정육각형입니다. 색칠한 삼각형의 넓이는 몇 cm^2인지 구하시오.

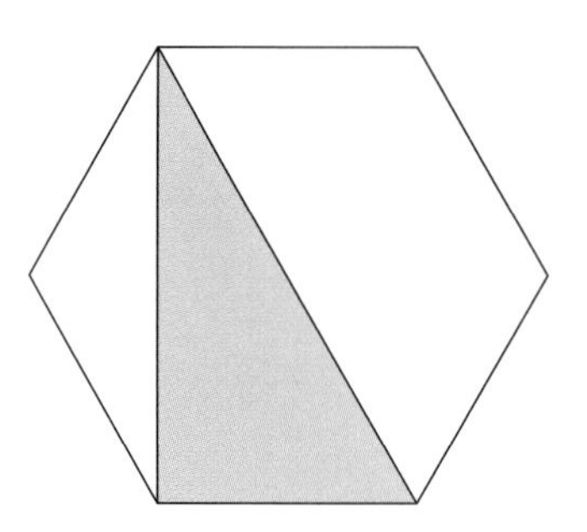

| 경시대회 기출 |

2 크기가 같은 2개의 정사각형 안에 크기와 모양이 같은 직각삼각형 8개가 4개씩 있습니다. 정사각형 ㉠의 한 변이 $6\,\mathrm{cm}$이고, 정사각형 ㉢의 넓이가 $100\,\mathrm{cm}^2$일 때 ㉡의 넓이는 몇 cm^2인지 구하시오.

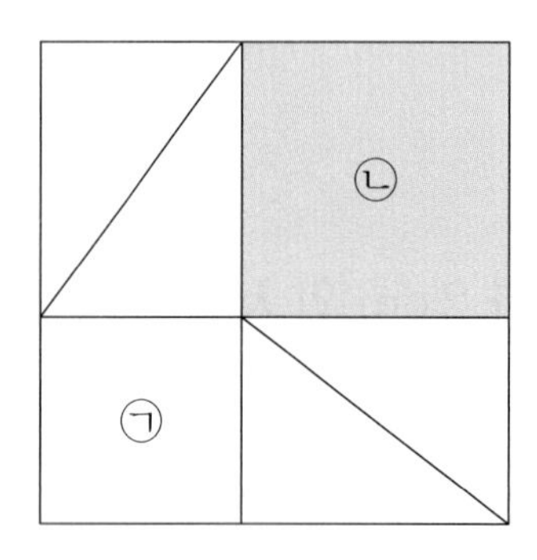

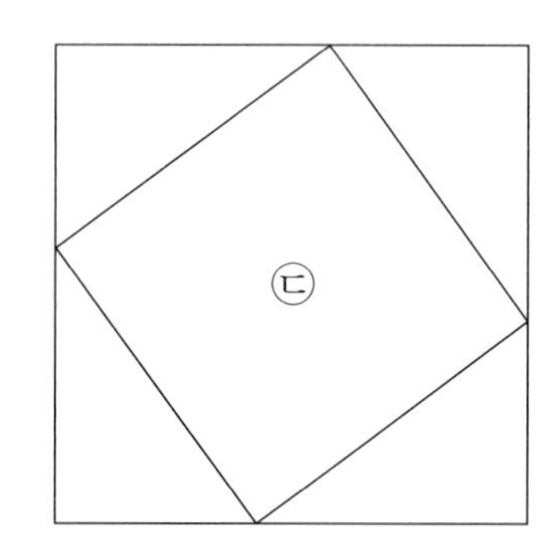

3

다음과 같은 점판에 주어진 선분을 한 변으로 하는 넓이가 $3\,\mathrm{cm}^2$인 서로 다른 삼각형을 모두 그리시오. (단, 돌리거나 뒤집어서 같은 것은 한 가지로 생각합니다.)

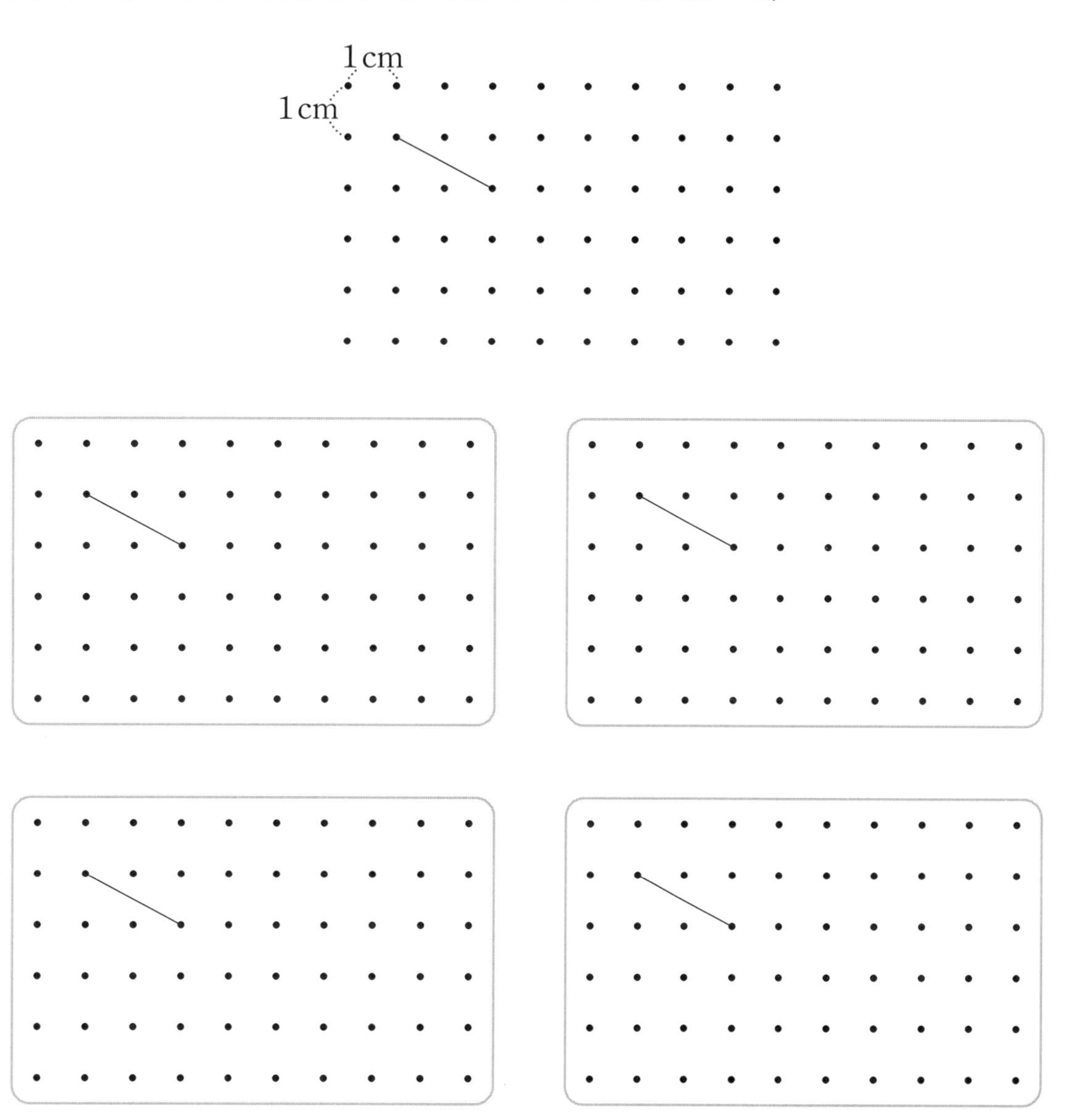

정답과 풀이 86쪽 ►

15-1. 사다리꼴의 넓이

1 사다리꼴의 넓이는 여러 가지 방법으로 구할 수 있습니다. 관계있는 것끼리 선으로 이으시오.

2개의 삼각형으로 나누기 •	• 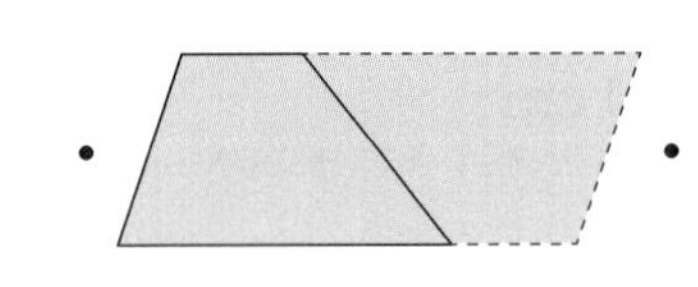 •	• ((아랫변의 길이) + (윗변의 길이)) × $\frac{(\text{높이})}{2}$
사다리꼴을 잘라서 직사각형 2개로 만들기 •	• 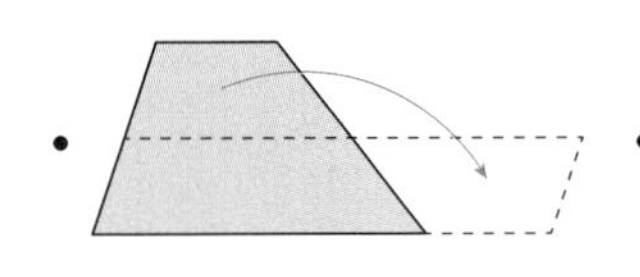 •	• ((아랫변의 길이) + (윗변의 길이)) × (높이) ÷ 2
사다리꼴 2개를 붙여서 평행사변형으로 만들기 •	• 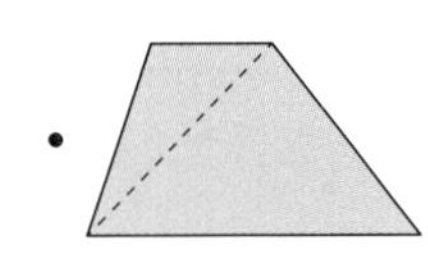 •	• (윗변의 길이) × $\frac{(\text{높이})}{2}$ + (아랫변의 길이) × $\frac{(\text{높이})}{2}$
사다리꼴을 잘라서 평행사변형으로 만들기 •	• 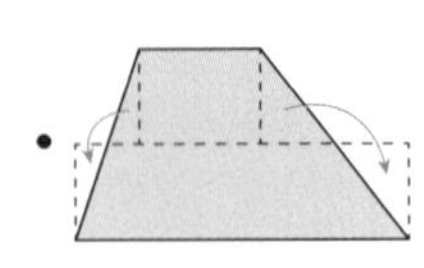 •	• (윗변의 길이) × (높이) ÷ 2 + (아랫변의 길이) × (높이) ÷ 2

최상위 사고력 A

다음을 보고 사다리꼴의 넓이를 구하는 식을 쓰시오.

(1)

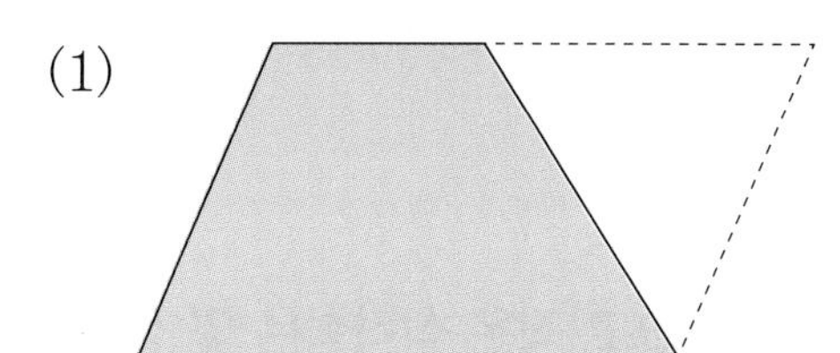

(2)

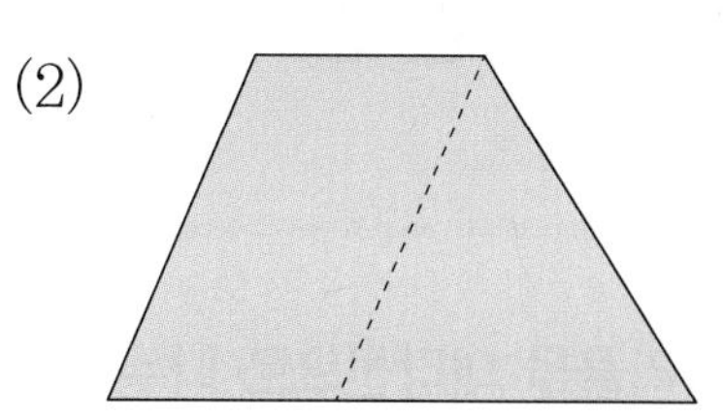

최상위 사고력 B

|보기|는 직각삼각형을 넓이가 같은 직사각형으로 만드는 방법을 나타낸 것입니다. |보기|와 같은 방법으로 예각삼각형과 둔각삼각형을 직사각형으로 바꾸시오.

|보기|

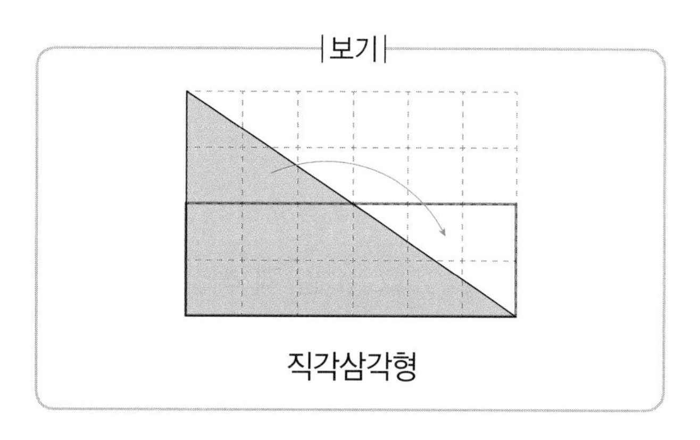

직각삼각형

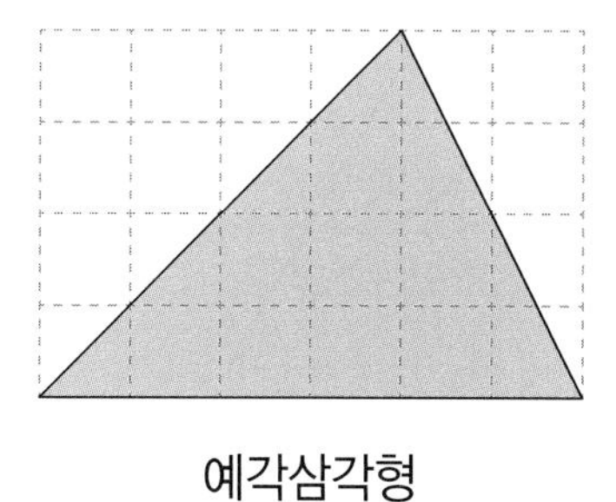

예각삼각형

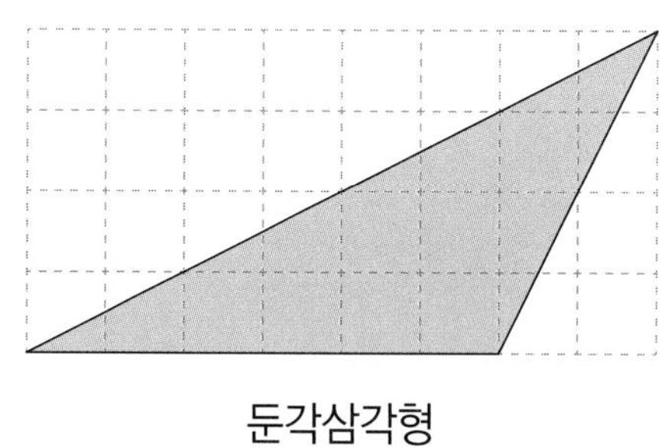

둔각삼각형

정답과 풀이 87쪽 ►

15-2. 높이가 같은 삼각형의 넓이 (1)

1 사다리꼴을 대각선으로 나누었습니다. 넓이가 같은 크고 작은 삼각형은 몇 쌍인지 구하시오.

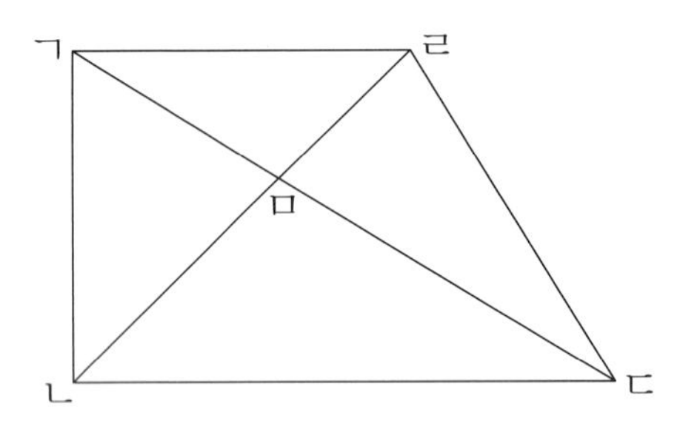

땅이 뻘뻘

2 삼각형 ㄱㄴㄷ의 넓이가 $24\,\mathrm{cm}^2$일 때 색칠한 삼각형의 넓이는 몇 cm^2인지 구하시오.

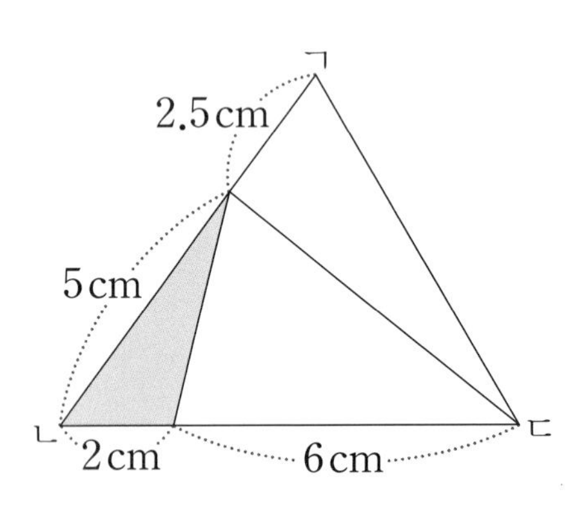

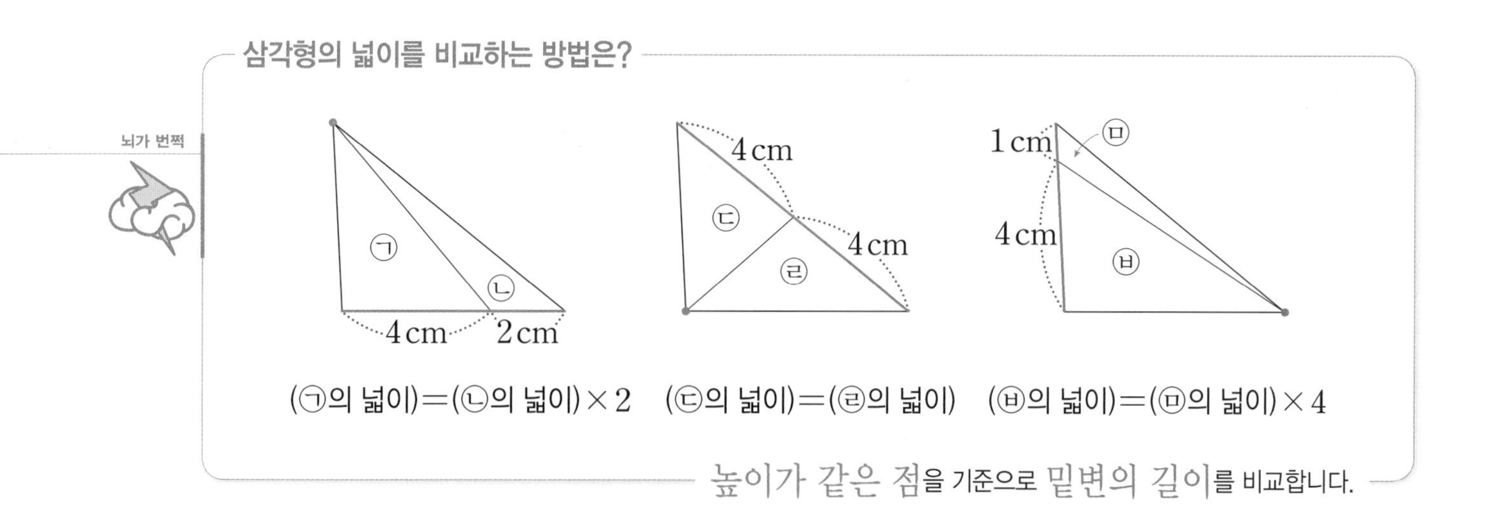

최상위 사고력

삼각형 ㄱㄴㄷ은 한 변의 길이가 1 cm인 정삼각형 ㄹㅁㅂ의 각 변을 연장하였을 때 각 변의 1배, 2배, 3배인 지점을 꼭짓점으로 합니다. 삼각형 ㄱㄴㄷ의 넓이는 삼각형 ㄹㅁㅂ의 넓이의 몇 배인지 구하시오.

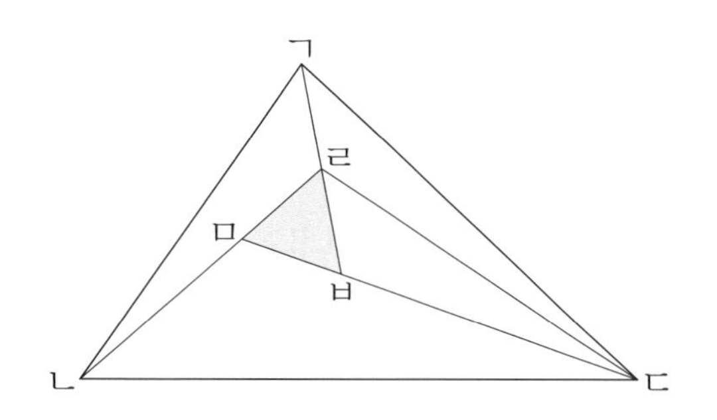

정답과 풀이 88쪽 ►

15-3. 높이가 같은 삼각형의 넓이 (2)

1 ㉠ 농장과 ㉡ 농장 사이에 꺾인 길이 있습니다. ㉠ 농장과 ㉡ 농장의 넓이가 변하지 않으면서 길이 반듯해지도록 그리시오.

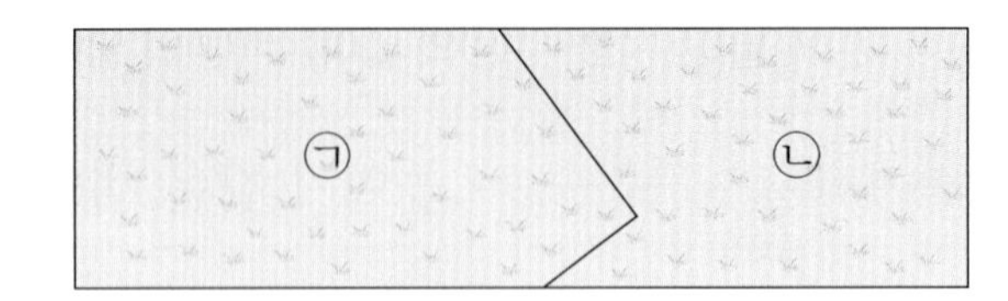

2 선분 ㄹㅁ은 선분 ㄱㄷ과 평행합니다. 삼각형 ㄱㄴㅁ의 넓이는 몇 cm^2인지 구하시오.

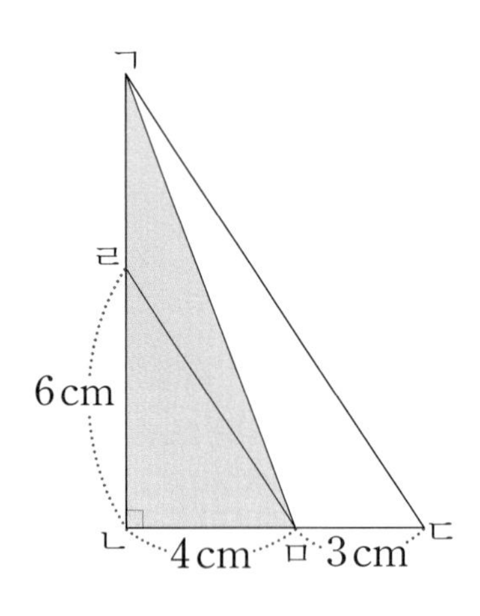

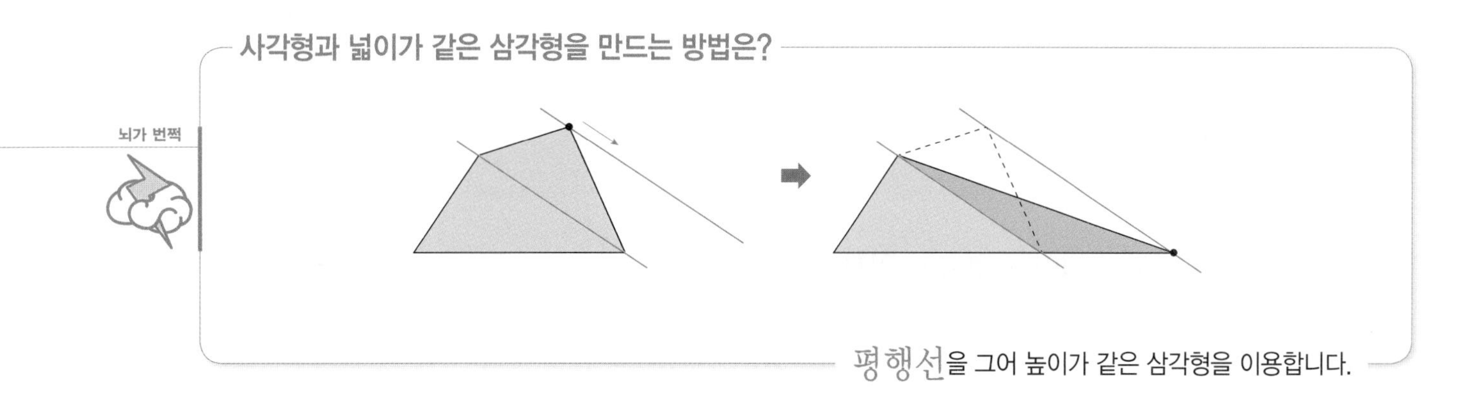

최상위 사고력

주어진 도형을 다음 조건에 맞게 바꾸시오.

(1) 넓이가 같은 삼각형

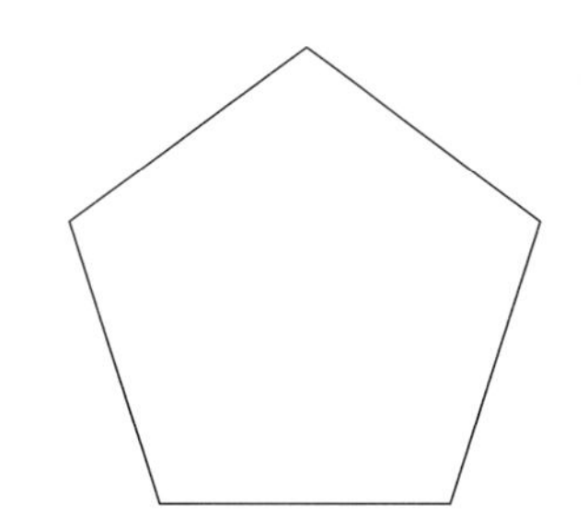

(2) 넓이가 같은 사각형

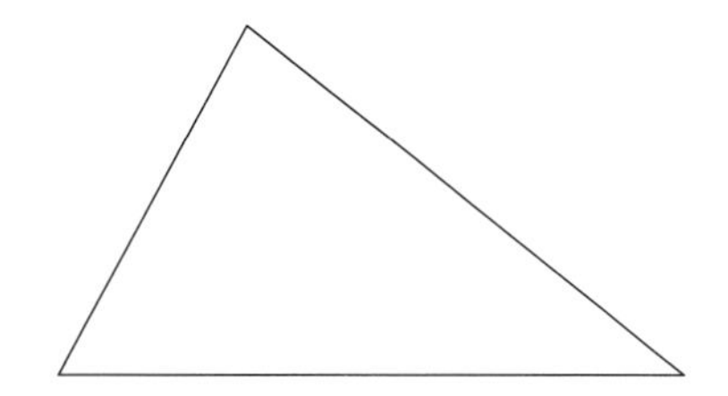

정답과 풀이 90쪽 ►

1 색칠한 부분의 넓이는 몇 cm^2인지 구하시오.

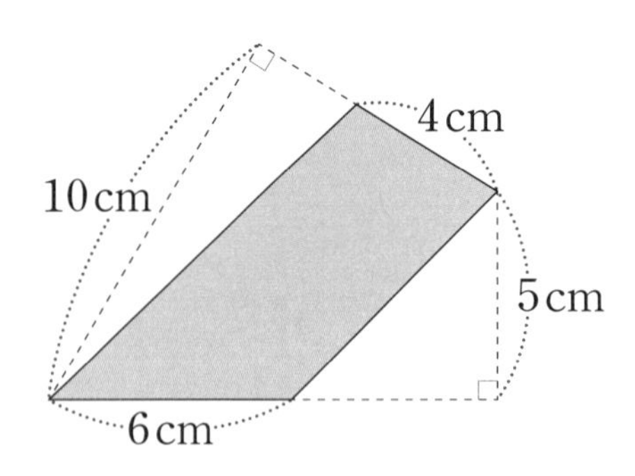

| 경시대회 기출 |

2 직사각형 2개를 겹쳐 놓았습니다. 색칠한 사각형의 둘레가 30 cm일 때 이 사각형의 넓이는 몇 cm^2인지 구하시오.

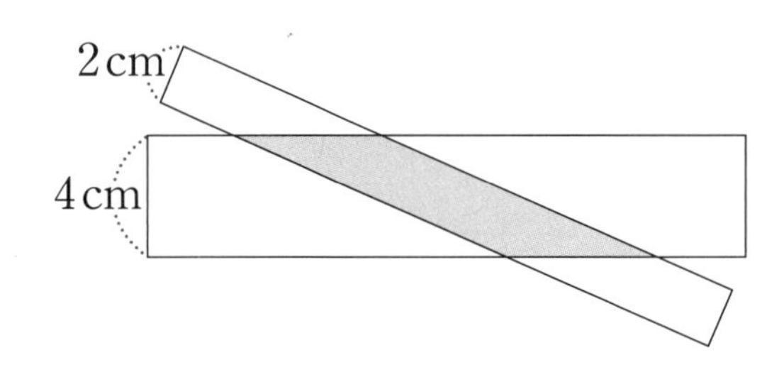

| 경시대회 기출 |

3

사각형 ㄱㄴㄷㄹ은 사각형 ㅁㅂㅅㅇ의 각 변을 변의 길이만큼 연장한 지점을 꼭짓점으로 합니다. 사각형 ㅁㅂㅅㅇ의 넓이가 $12\,\mathrm{cm}^2$일 때 사각형 ㄱㄴㄷㄹ의 넓이는 몇 cm^2인지 구하시오.

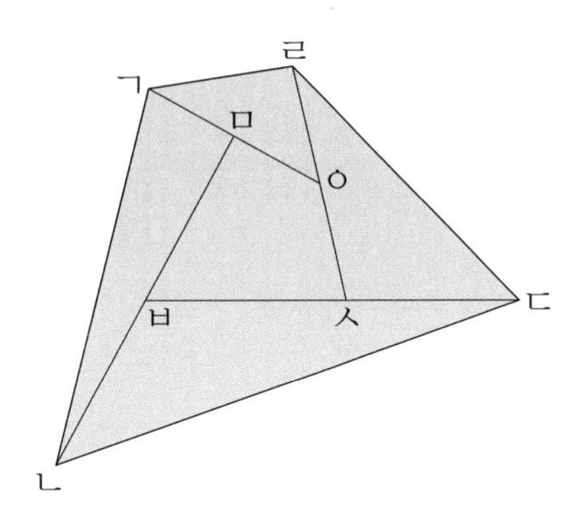

4

사각형 ㄱㄴㄷㄹ의 넓이를 이등분하는 선분을 그으시오.

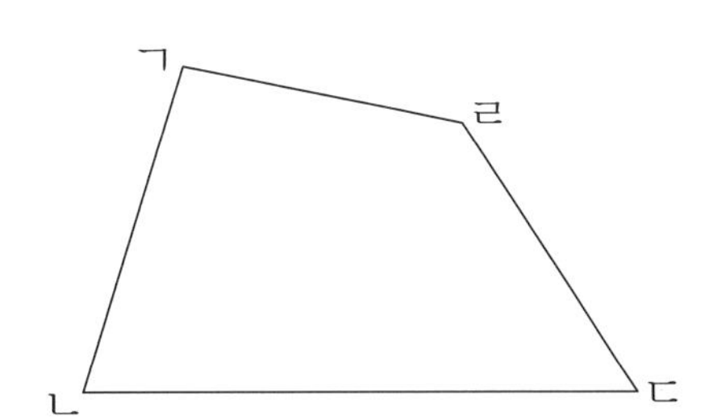

1 넓이가 같은 삼각형과 사각형을 겹쳐놓았습니다. 겹쳐진 부분의 넓이가 $5\,\mathrm{cm}^2$일 때 겹쳐지지 않은 두 부분 ㉠과 ㉡의 넓이의 차는 몇 cm^2인지 구하시오.

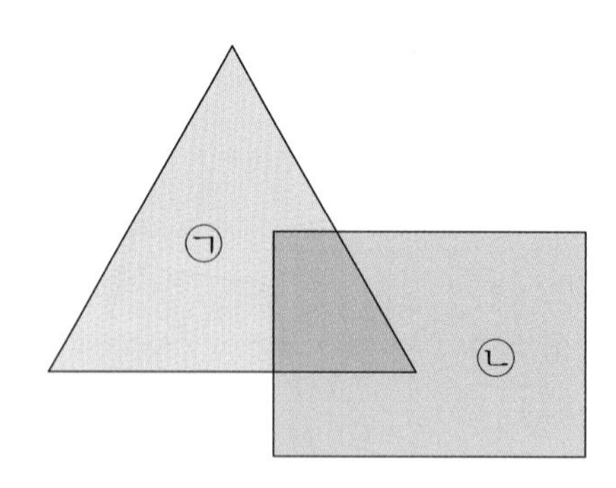

2 정사각형 모양의 종이를 점선을 따라 잘라 직사각형 4개를 만들었습니다. 만든 직사각형 4개의 둘레의 합이 $96\,\mathrm{cm}$일 때 처음 정사각형의 넓이는 몇 cm^2인지 구하시오.

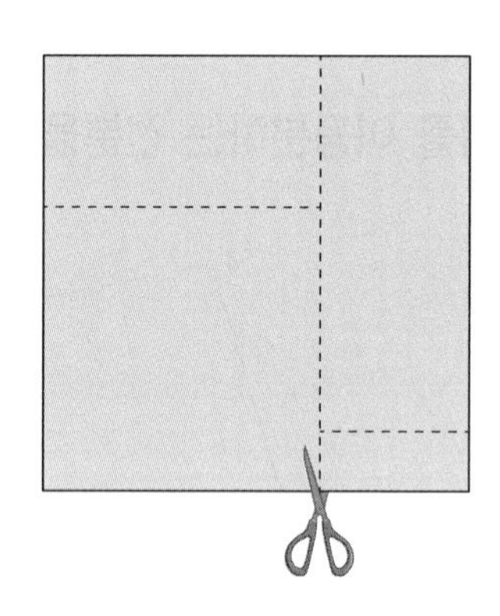

3

삼각형 ㄱㄴㄷ에서 점 ㄹ과 점 ㅁ은 변 ㄱㄴ을 3등분 하는 점이고, 점 ㅅ과 점 ㅂ은 변 ㄱㄷ을 3등분 하는 점입니다. 사각형 ㄹㅁㅂㅅ의 넓이가 $12\,\mathrm{cm}^2$일 때 삼각형 ㄱㄴㄷ의 넓이는 몇 cm^2인지 구하시오.

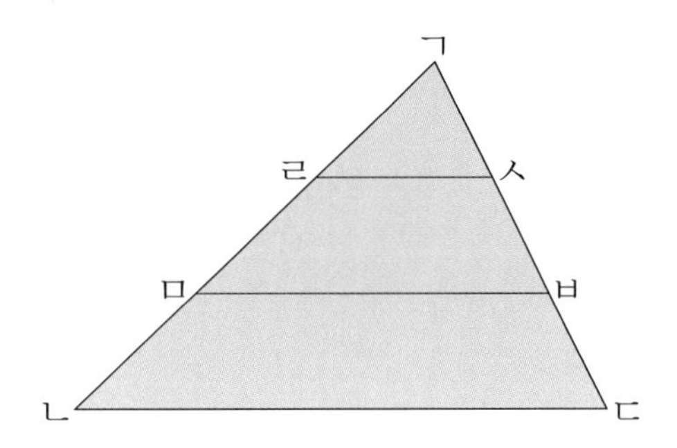

4

직사각형 안에 선을 그어 삼각형 6개를 만들었습니다. 색칠한 삼각형의 넓이의 합은 몇 cm^2인지 구하시오.

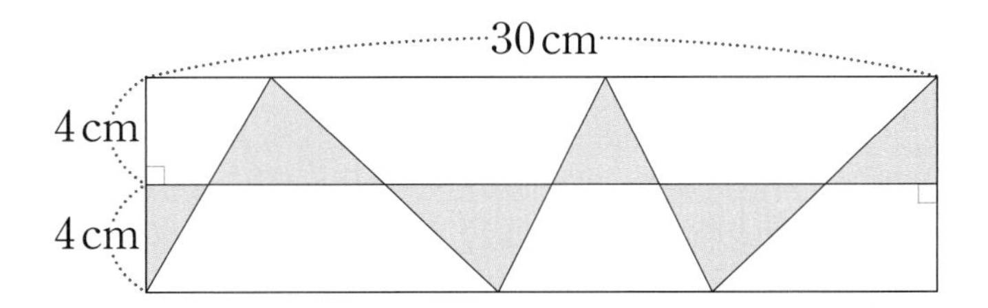

정답과 풀이 93쪽 ►

5 사다리꼴 ㄱㄴㄷㄹ의 넓이는 색칠한 삼각형의 넓이의 몇 배인지 구하시오.

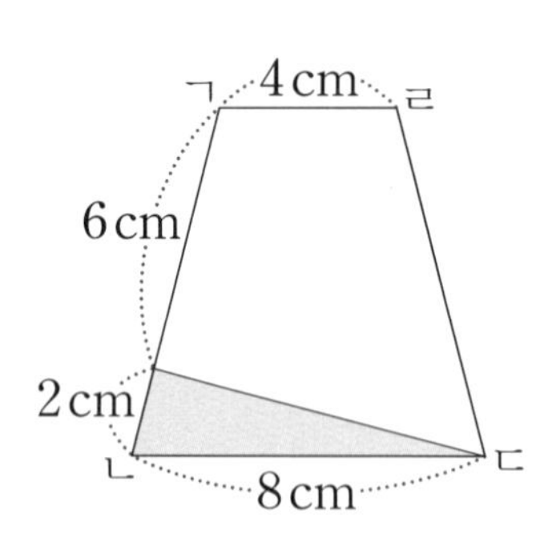

6 다음과 같은 점판에 빨간색 두 점을 지나면서 넓이가 $2\,\mathrm{cm}^2$인 서로 다른 사각형을 모두 그리시오. (단, 돌리거나 뒤집어서 같은 것은 한가지로 생각합니다.)

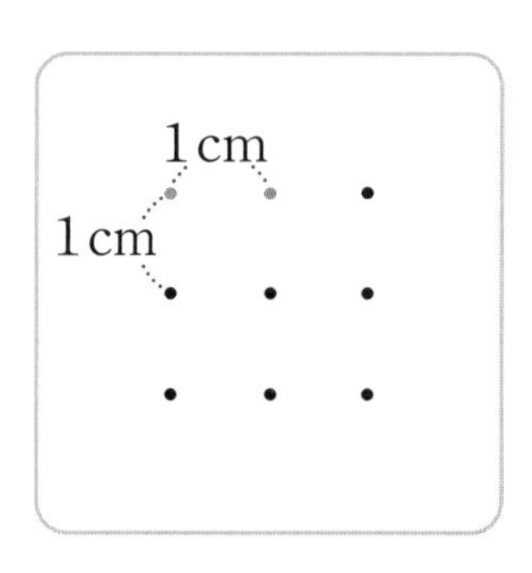

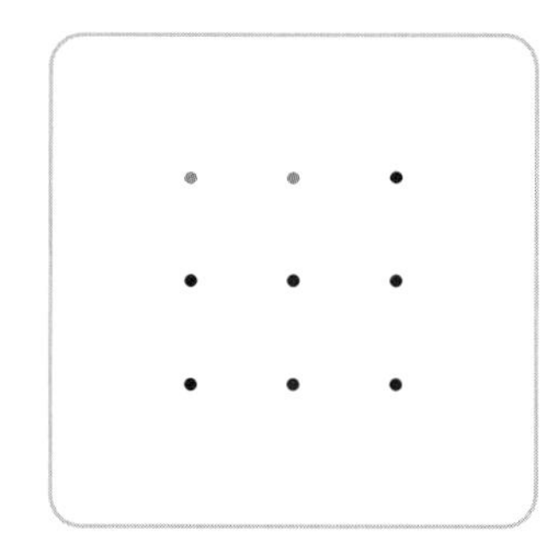

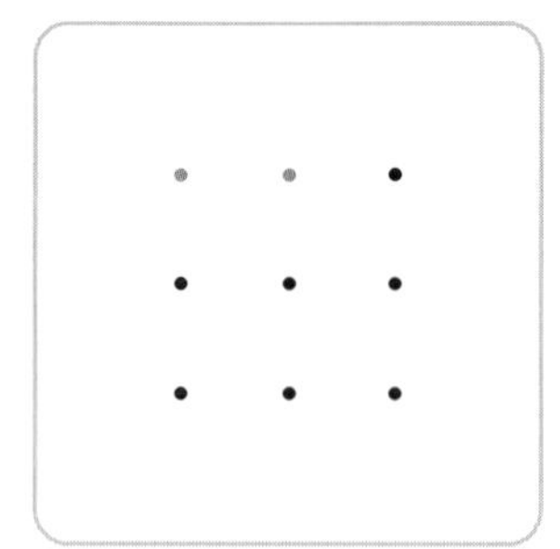

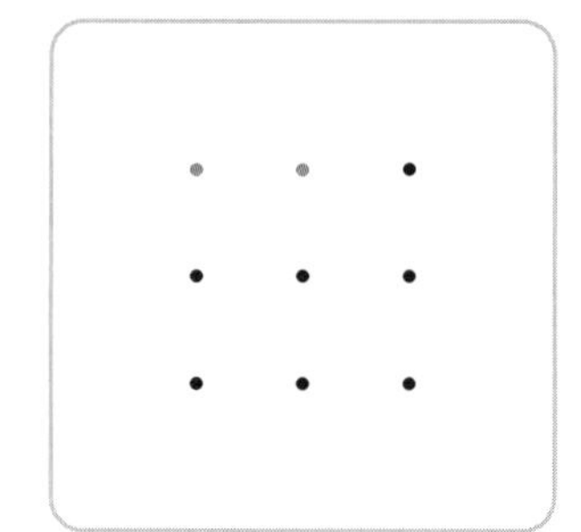

MEMO

MEMO

MEMO

MEMO

Final 평가 1회

이름 점수

01 등식이 성립하도록 $+$, $-$, $\times$, $\div$, (   )를 사용하여 36을 만드시오.

(1) $3 \quad 3 \quad 3 \quad 3 = 36$

(2) $3 \quad 3 \quad 3 \quad 3 \quad 3 = 36$

02 다음 계산 결과의 일의 자리부터 연속된 0의 개수를 구하시오.

$$1 \times 2 \times 3 \times \cdots\cdots \times 8 \times 9 \times 10$$

03 민수가 한 개의 가격이 같은 초콜릿을 36개 사고 4만 원을 냈을 때 민수가 받아야 할 거스름돈은 얼마인지 구하시오.

품목	금액
초콜릿 36개	375□2원

Final 평가 1회

정답과 풀이 96쪽

09 다음 두 자리 수의 곱셈식에서 □ 안에 알맞은 수 4개의 합이 가장 클 때의 값을 구하시오.

$$\square\square \times \square\square = 1653$$

10 다음 세 가지 약속을 이용하여 물음에 답하시오.

약속1　(㉠, ㉡): ㉠, ㉡의 최대공약수

약속2　[㉠, ㉡]: ㉠, ㉡의 최소공배수

약속3　㉠★㉡=(㉠, ㉡)+[㉠, ㉡]

(1) 8★14의 값을 구하시오.

(2) 6★□=33일 때 □ 안에 알맞은 수를 구하시오.

Final 평가 2회

이름 점수

01 두 수의 곱이 84이고, 두 수의 최소공배수가 42일 때 두 수의 최대공약수를 구하시오.

02 주어진 수 카드를 한 번씩만 사용하여 만들 수 있는 두 자리 수와 세 자리 수 중에서 소수를 모두 찾아 쓰시오.

1	2	3

03 □ 안에 2, 3, 4, 7, 9를 한 번씩 써넣어 계산한 값이 자연수일 때 가장 큰 값을 구하시오.

$$\square\square - \square\square \div \square$$

09 정삼각형 ㄱㄴㄷ의 각 변의 2배만큼 연장하여 정삼각형 ㄹㅁㅂ을 만들었습니다. 정삼각형 ㄱㄴㄷ의 넓이가 1 cm^2일 때 정삼각형 ㄹㅁㅂ의 넓이는 몇 cm^2인지 구하시오.

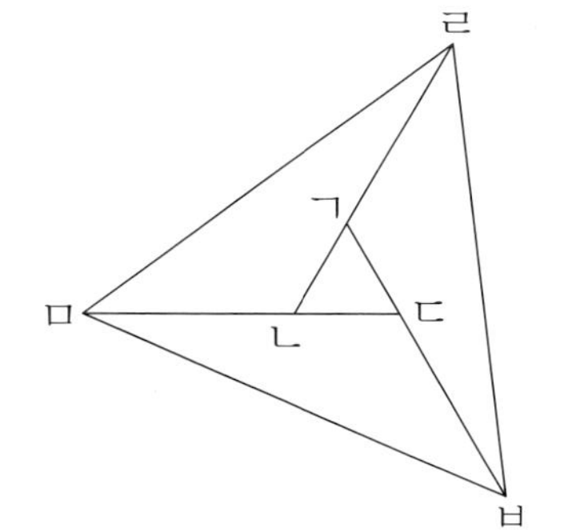

10 넓이가 $1512\,cm^2$인 직사각형 중에서 둘레가 가장 작은 직사각형의 둘레는 몇 cm인지 구하시오.

(단, 가로와 세로는 cm 단위로 자연수입니다.)

최상위
연산
수학

1~6학년(학기용)

단순 계산이 아닌
수학 원리를
알아가는
수학 공부의 첫 걸음,
같아 보이지만
완전히 다른 연산!

초등수학은 디딤돌!

아이의 학습 능력과 학습 목표에 따라
맞춤 선택을 할 수 있도록
다양한 교재를 제공합니다.

문제해결력 강화 문제유형, 응용

연산력 강화

최상위 연산

최상위
연산
수학

개념+문제해결력 강화를 동시에

기본+유형, 기본+응용

정답과 풀이

초등 5A

초등 5A

상위권의 기준

최상위 사고력

수학 좀 한다면

디딤돌

I 연산

최상위 사고력 1 자연수의 혼합 계산 10~17쪽

1-1. 자연수의 혼합 계산의 최대 · 최소

1 14

2 40, 4

최상위 사고력 87, 4

1-2. (　　)로 묶기

1 $55-(10+3)\times 4=3$,
$(55-10+3)\times 4=192$,
$55-(10+3\times 4)=33$

2 (1) $4+(5\times 12-8)\div 2=30$
(2) $9+7\times 9+12\div (3-1)=78$
(3) $38-(3\times 12\div 4+6)+2=25$

최상위 사고력 96, 20

1-3. 간단하게 계산하기

1 (1) 166665 (2) 500 (3) 50
(4) 3610 (5) 706 (6) 3538

최상위 사고력 (1) 198500 (2) 1 (3) 33330000

최상위 사고력

1 $(21-3)\times 4-12\div (4+2)=70$

2 (1) 111100 (2) 1098

3 26

4 6가지

최상위 사고력 2 수 퍼즐 18~25쪽

2-1. 수 넣기

1 $1\times 2=(3+5)\div 4$, $1\times 4=(3+5)\div 2$,
$2\times 4=(3+5)\div 1$

2 $4+5=9$, $8-7=1$, $2\times 3=6$

최상위 사고력

9	×	6	+	3	=	57
+		+		+		
7	×	2	−	5	=	9
+		+		+		
8	÷	4	−	1	=	1
‖		‖		‖		
24		12		9		

2-2. 포포즈(1)

1 예 $4+4+4-4=8$, $4\times 4\div 4+4=8$,
$(4+4)\div (4\div 4)=8$, $(4+4)\times 4\div 4=8$

2 예 $44\div 44=1$, $4\div 4+4\div 4=2$,
$(4+4+4)\div 4=3$, $4+(4-4)\times 4=4$,
$(4\times 4+4)\div 4=5$, $4+(4+4)\div 4=6$,
$4+4-4\div 4=7$, $4+4+4-4=8$,
$4+4+4\div 4=9$, $(44-4)\div 4=10$

최상위 사고력 예 $9-(9+9)\div 9=7$, $(9\times 9-9)\div 9=8$,
$9\times (9-9)+9=9$, $(99-9)\div 9=10$,
$9+(9+9)\div 9=11$, $(99+9)\div 9=12$

2-3. 포포즈(2)

1 예 $4\times 4-4\div 4=15$, $(4\div 4+4)\times 4=20$,
$44\div 4\times 4=44$, $4\times 4\times 4-4=60$,
$4\times 4\times 4+4=68$, $(4\times 4+4)\times 4=80$

2 예 $33+3+3\div 3=37$, $333\div (3\times 3)=37$

최상위 사고력 예 $(9\times 9-9)\div 9+9=17$, $(9\div 9+9\div 9)\times 9=18$,
$(99-9)\div 9+9=19$, $(9+9)\div 9+9+9=20$,
$9\times (9+9)-99=63$, $99\div 9\times 9-9=90$

최상위 사고력

1 (1) 예 $2\times5+9-9=10$
(2) 예 $6\times7-32=10$
(3) 예 $8\div2+7-1=10$

2 5

3 예 $3+6=9$, $8-7=1$, $5\times4=20$

4 예 $12\div3\div4+5=6$, $12+3-4-5=6$,
$1\times(2+3)-4+5=6$, $1+2\times3+4-5=6$,
$(1+2)\times(3+4-5)=6$

최상위 사고력 3 목표수 만들기 26~33쪽

3-1. 자연수의 계산식 만들기

1 (1) $1+2+3+4+5*6+7+8+9=90$
(2) $1+2+3*4+5+6+7+8+9=72$
(3) $1+2+3+4+5+6+7+8*9=117$

2 $1+2-3+4+5+6-7=8$,
$1+2+3-4+5-6+7=8$

최상위 사고력 12가지

3-2. 홀수와 짝수를 이용하여 목표수 만들기

1 ①, ④

2 ②, ④

최상위 사고력 22, 26

3-3. 100 만들기

1 (1) 예 $98-7+6+5-4+3-2+1=100$
(2) $9-8+76-5+4+3+21=100$
(3) $9-8+7+65-4+32-1=100$

2 예 $123-45-67+89=100$,
$1+2+34-5+67-8+9=100$

최상위 사고력 예 $123-(3+3+3+5+9)=100$,
$1\times(2+3)+3+33+59=100$,
$1\times(23+33+35)+9-100$

최상위 사고력

1 4개

2 예 $12=3+4+5$, $(1+2)\times3-4=5$,
$(1+2)\div3+4=5$

3 10가지

4 9

Review Ⅰ 연산 34~36쪽

1 (1) $(60-40+4)\div3\times2=16$
(2) $20-(40-4)\div6+3\times2=20$

2 (1) 888806 (2) 22220000

3 예 $66\div66=1$, $6\div6+6\div6=2$,
$(6+6+6)\div6=3$, $6-(6+6)\div6=4$,
$(6\times6-6)\div6=5$, $(6-6)\times6+6=6$,
$(6\times6+6)\div6=7$, $6+(6+6)\div6=8$

4 3, 5, 6, 10, 14

5 $(7+8)\times9\div1=135$

6 5 앞의 +를 −로 바꿉니다.

Ⅱ 수(1)

최상위 사고력 4 배수 판정법 38~45쪽

4-1. 배수 판정법(1)

1

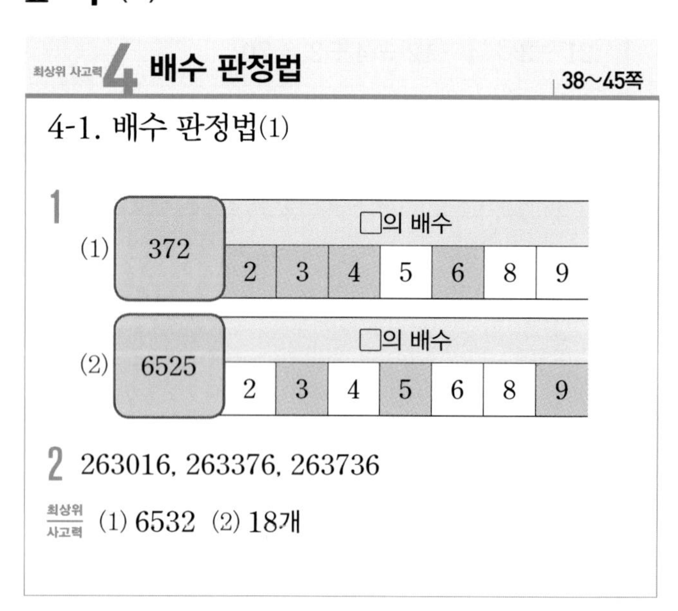

2 263016, 263376, 263736

최상위 사고력 (1) 6532 (2) 18개

4-2. 배수 판정법(2)

1 ②, ⑤

2 98989, 97999, 99979

최상위 사고력 A (1) 7의 배수입니다. (2) 7의 배수입니다.

최상위 사고력 B 1243, 1342, 2134, 2431, 3124, 3421, 4213, 4312

4-3. 배수 판정법의 활용

1 527040

2 86544원

최상위 사고력 예 정확하지 않습니다. 공책 3권의 값과 연필 6자루의 값은 3의 배수인데 그 합이 3의 배수가 아니기 때문입니다.

최상위 사고력

1 495, 405

2 193개

3 예 주어진 수들의 최대공약수는 111이고 111은 37의 배수이므로 주어진 수들은 모두 37의 배수입니다.

4 288

최상위 사고력 5 소수와 약수 46~53쪽

5-1. 에라토스테네스의 체

1 25개

2 311

최상위 사고력 A 137, 751

최상위 사고력 B 2, 97

5-2. 소인수분해

1 예 방법1

54 → 6, 9; 6 → 2, 3; 9 → 3, 3

➡ $2\times3\times3\times3=54$

방법2

2) 54
3) 27
3) 9
3

2 (1) $2^3\times3^2\times5$ (2) $2^3\times3\times43$

최상위 사고력 A 9852

최상위 사고력 B 31, 32, 33

5-3. 약수의 개수

1 (1) 9, 18, 36 / 3, 6, 12 / 1, 2, 4 , 9개 (2) 75, 150, 25, 50, 15, 30, 5, 10, 3, 6, 1, 2 , 12개

최상위 사고력 A 216, 105

최상위 사고력 B 14

최상위 사고력

1 28

2 91

3 12개

4 10개

최상위 사고력 6 소인수분해의 활용 54~61쪽

6-1. 제곱수

1 ②, ④

2 6

최상위 사고력 27, 6, 18

6-2. 사물함 열고 닫기

1 1번, 4번, 9번

2 43개

최상위 사고력 A 25, 100, 169

최상위 사고력 B 4개

6-3. 0의 개수

1 (1) 3개 (2) 3개 (3) 3개

2 200

최상위 사고력 24개

최상위 사고력

1 3

2 0

3 3136

4 961

최상위 사고력 7 최대공약수와 최소공배수 62~69쪽

7-1. 유클리드 호제법

1 (1) 풀이 참조, 2 (2) 풀이 참조, 18

2 13

최상위 사고력 19권, 47자루

7-2. 최대공약수와 최소공배수의 관계

1 (1) 3 (2) 21 (3) 14400

2 4가지

최상위 사고력 A 12, 15

최상위 사고력 B 4가지

7-3. 최대공약수와 최소공배수의 활용

1 (1) 4 cm (2) 6 cm

최상위 사고력 12개

최상위 사고력

1 14

2 11288

3 6월, 10일

4 (1) 10, 12 (2) 48개

Review II 수(1) 70~72쪽

1 25, 49

2 24, 32

3 예 10=3+7, 12=5+7, 14=7+7, 16=5+11, 18=5+13, 20=3+17, 22=5+17, 24=7+17, 26=7+19, 28=11+17, 30=11+19

4 777777777

5 12개

6 37개

III 규칙

최상위 사고력 8 규칙과 대응 74~81쪽

8-1. 도형의 개수

1 풀이 참조

2 101개

최상위 사고력 108칸

8-2. 교점과 영역

1 예

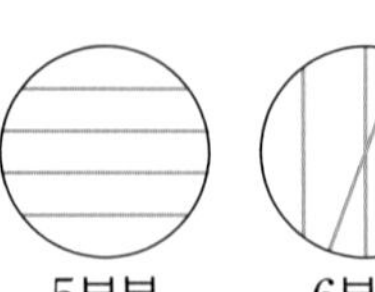
5부분

6부분

7부분

8부분

9부분

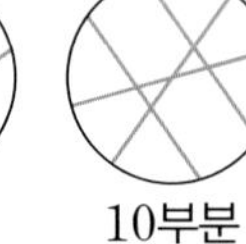
10부분

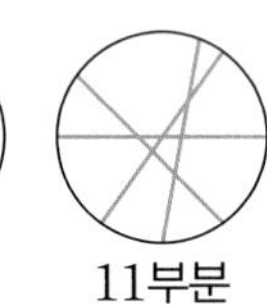
11부분

2 35개

최상위 사고력 50

8-3. 규칙 찾아 문제 해결하기

1 19번

2 64번

최상위 사고력 8

최상위 사고력

1 40 m

2 12개, 78개

3 306개

4 21, 22

최상위 사고력 9 약속 찾기 82~89쪽

9-1. 관계 규칙

1 19

2 (1) 16 (2) 40

최상위 사고력 A 7

최상위 사고력 B 24

9-2. 혼합 계산 규칙

1 38

2 (1) 11 (2) 11

최상위 사고력 (1) 15, 39 (2)

9-3. 처음 수 구하기

1 16

2 7, 9, 10, 12, 16

최상위 사고력 104, 112, 120, 128, 145, 153, 161, 169, 177

최상위 사고력

1 50개

2

2	1	3	4	7	11	18

3 92

4 13개

Review III 규칙 90~92쪽

1 (1) 36 (2) 57

2 18

3 3

4 49, 66, 79, 88, 94, 97

5 92개

6 6

Ⅳ 수(2)

최상위 사고력 10 이집트 분수 94~101쪽

10-1. 이집트의 분배 방식

1 예

최상위 사고력 A (1)

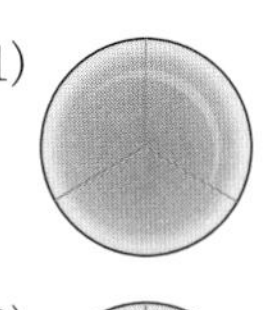

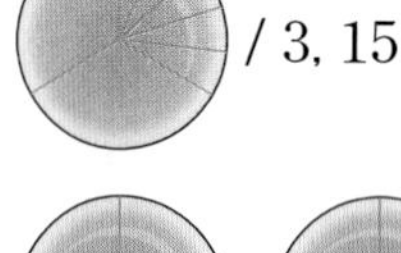

/ 3, 15

(2)

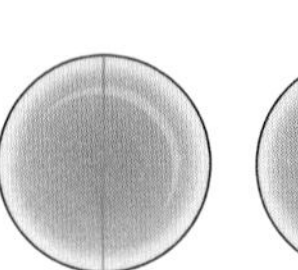

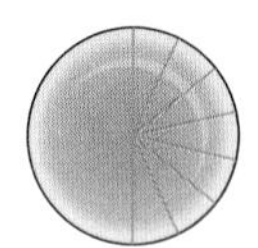

/ 2, 14

최상위 사고력 B (1) $\frac{3}{5}=\frac{1}{2}+\frac{1}{10}$ (2) $\frac{5}{8}=\frac{1}{2}+\frac{1}{8}$

10-2. 약수로 단위분수 나타내기

1 (1) $\frac{3}{8}=\frac{1}{4}+\frac{1}{8}$

(2) $\frac{8}{12}=\frac{1}{3}+\frac{1}{4}+\frac{1}{12}$ 또는 $\frac{8}{12}=\frac{1}{2}+\frac{1}{6}$

2 예 $\frac{4}{7}=\frac{1}{2}+\frac{1}{14}$

최상위 사고력 (1) 4, 7 (2) 2, 3, 9

10-3. 여러 가지 방법으로 단위분수 나타내기

1 (1) $\frac{4}{9}=\frac{1}{3}+\frac{1}{9}$ (2) $\frac{23}{36}=\frac{1}{2}+\frac{1}{8}+\frac{1}{72}$

최상위 사고력 A (1) 18, 63 (2) 60, 100, 150

최상위 사고력 B (1) $\frac{2}{35}=\frac{1}{5\times6}+\frac{1}{6\times7}=\frac{1}{30}+\frac{1}{42}$

(2) $\frac{2}{7}=\frac{1}{1\times4}+\frac{1}{4\times7}=\frac{1}{4}+\frac{1}{28}$

최상위 사고력

1 예 $\frac{18}{24}=\frac{1}{2}+\frac{1}{4}=\frac{1}{3}+\frac{1}{4}+\frac{1}{6}$

$=\frac{1}{2}+\frac{1}{8}+\frac{1}{12}+\frac{1}{24}$

$=\frac{1}{3}+\frac{1}{6}+\frac{1}{8}+\frac{1}{12}+\frac{1}{24}$

2 9, 56, 72

3 (1) $\frac{1}{7}+\frac{1}{10}=\frac{17}{70}$, $\frac{1}{110}+\frac{1}{30}+\frac{1}{6}=\frac{23}{110}$

(2) 예 ⊐◯ |||, 예 ⊐◯ ||| |||

11 분수의 계산

102~109쪽

11-1. 분수의 크기 비교하기

1 (위에서부터) $\frac{20}{23}$ / $\frac{20}{23}$, $\frac{52}{64}$ / $\frac{8}{16}$, $\frac{20}{23}$, $\frac{52}{64}$, $\frac{13}{19}$

2 $<$

최상위 사고력 $\frac{154}{303}$, $\frac{77}{152}$, $\frac{101}{207}$, $\frac{91}{197}$, $\frac{300}{983}$

11-2. 수 카드로 분수 만들기

1 $1\frac{2}{15}$, $\frac{17}{20}$

2 $3\frac{10}{11}$, $4\frac{1}{11}$

최상위 사고력 (1) $\frac{2}{5}$, $\frac{1}{3}$ (2) $1\frac{2}{6}$, $\frac{3}{4}$

11-3. 간단히 계산하기

1 $\frac{63}{64}$

2 $\frac{7}{18}$

최상위 사고력 (1) $7\frac{1}{256}$ (2) $8\frac{8}{9}$ (3) $\frac{11}{23}$

최상위 사고력

1 (1)

가장 큰 합: 예 $9\frac{5}{6}+8\frac{2}{3}=18\frac{1}{2}$

가장 작은 합: 예 $2\frac{6}{9}+3\frac{5}{8}=6\frac{7}{24}$

가장 큰 차: 예 $9\frac{5}{6}-2\frac{3}{8}=7\frac{11}{24}$

가장 작은 차: 예 $9\frac{2}{6}-8\frac{3}{5}=\frac{11}{15}$

(2) $\frac{53}{9}$, $5\frac{8}{9}$

2 11, 12, 13, 14, 15

3 (1) $\frac{3}{5}$ (2) $64\frac{22}{45}$ (3) 54

Review IV 수(2)

110~112쪽

1 $>$

2 $9\frac{1}{5}+\frac{7}{2}=12\frac{7}{10}$, 예 $1\frac{5}{9}+\frac{2}{7}=1\frac{53}{63}$

3 4, 24

4 (1) $1\frac{63}{64}$ (2) $1\frac{1}{9}$

5 (1) $\frac{1}{42}=\frac{1}{6}-\frac{1}{7}$, $\frac{1}{90}=\frac{1}{9}-\frac{1}{10}$

(2) $\frac{7}{8}=\frac{1}{2}+\frac{1}{4}+\frac{1}{8}$, $\frac{5}{9}=\frac{1}{2}+\frac{1}{18}$

또는 $\frac{5}{9}=\frac{1}{3}+\frac{1}{6}+\frac{1}{18}$

(3) $1=\frac{20}{20}=\frac{1}{2}+\frac{1}{4}+\frac{1}{5}+\frac{1}{20}$

V 측정

최상위 사고력 12 둘레와 넓이 114~121쪽

12-1. 꺾인 도형의 둘레

1

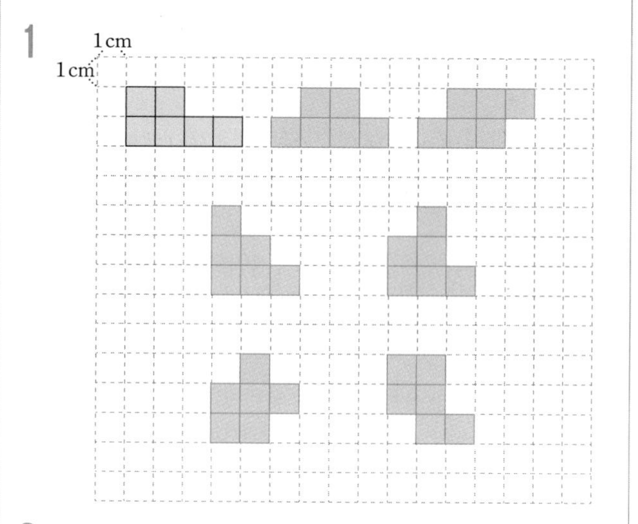

2 68 cm

최상위 사고력 1200 cm

12-2. 붙여 만든 도형의 둘레

1 176 cm 2 92 cm

최상위 사고력 88 cm

12-3. 둘레와 넓이의 관계

1 49 cm^2 2 36 cm^2

최상위 사고력 30 cm^2

최상위 사고력

1 34 cm, 38 cm, 40 cm 2 121 cm^2

3 68 cm 4 143 cm^2

최상위 사고력 13 도형의 넓이 122~129쪽

13-1. 복잡한 도형의 넓이

1 (1) 48 cm^2 (2) 81 cm^2

2 12 cm^2 최상위 사고력 53 cm^2

13-2. 직사각형을 나눈 도형의 넓이

1 32 cm^2 2 20 cm^2

최상위 사고력 16 cm^2

13-3. 겹쳐진 도형의 넓이

1 51 cm^2 2 18 cm^2

최상위 사고력 3 cm

최상위 사고력

1 80 cm^2 2 32 cm^2

3 $7\frac{1}{2}$ cm^2 4 78 cm^2

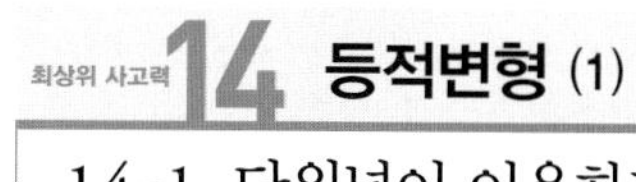

최상위 사고력 14 등적변형 (1) 130~137쪽

14-1. 단위넓이 이용하기

1

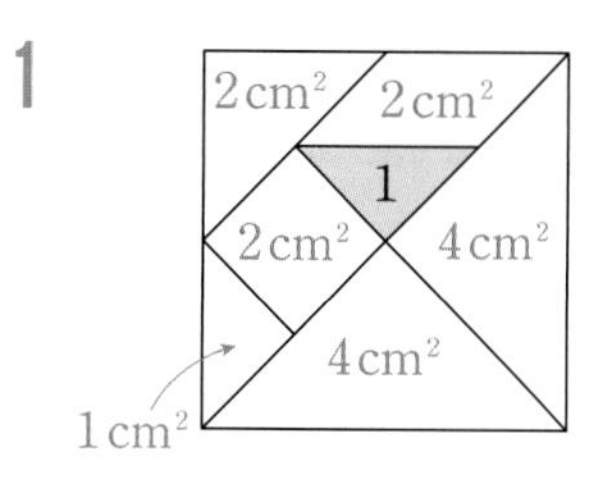

2 5배 최상위 사고력 36 cm^2

14-2. 변형하기

1 16 cm^2 2 10 cm^2

최상위 사고력 20 cm^2

14-3. 픽의 정리

1 (1)

㉢	㉣	㉤
5	6	7
1.5	2	2.5

,

(도형의 넓이)=(둘레 위의 점의 개수)÷2−1

(2)

㉦	㉧	㉨	㉩	㉪	㉫
4	5	6	4	6	4
1	1	1	2	2	4
2	2.5	3	3	4	5

,

(도형의 넓이)

=(둘레 위의 점의 개수)÷2

+(도형 안의 점의 개수)−1

최상위 사고력 A 7.5cm^2, 10cm^2

최상위 사고력 B 예

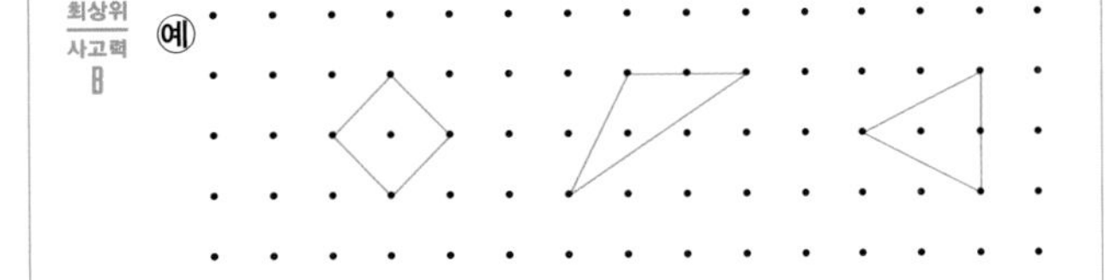

최상위 사고력

1 16cm^2 **2** 64cm^2

3

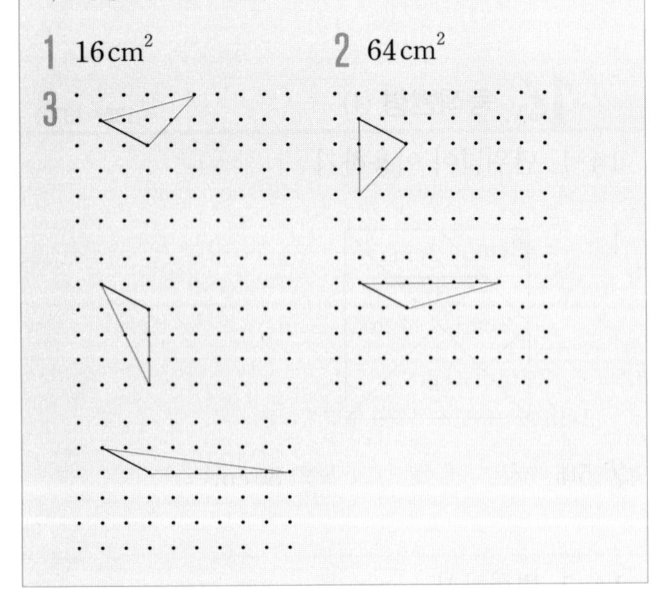

15-1. 사다리꼴의 넓이

1

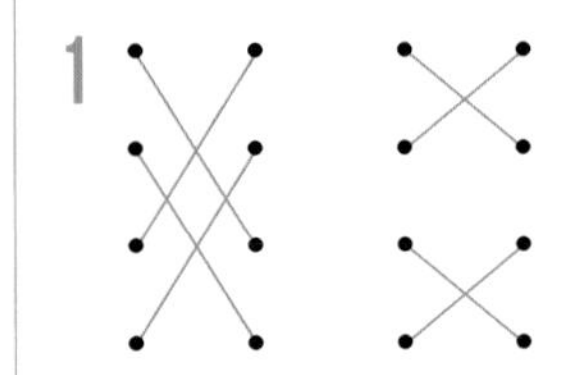

최상위 사고력 A (1) (아랫변의 길이)×(높이)−((아랫변의 길이)

−(윗변의 길이))×(높이)÷2

(2) (윗변의 길이)×(높이)+((아랫변의 길이)

−(윗변의 길이))×(높이)÷2

최상위 사고력 B 예

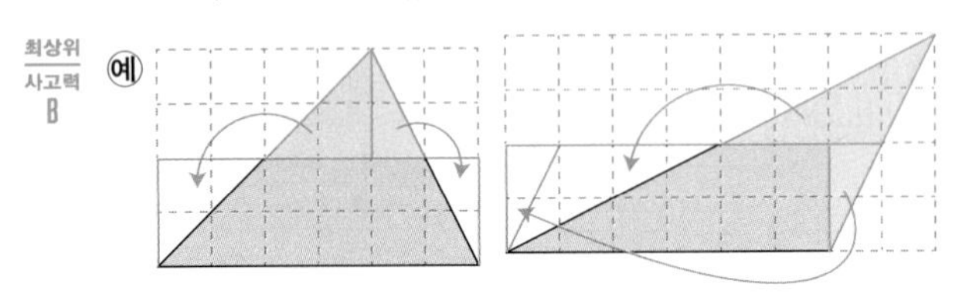

15-2. 높이가 같은 삼각형의 넓이 (1)

1 3쌍 **2** 4cm^2

최상위 사고력 18배

15-3. 높이가 같은 삼각형의 넓이 (2)

1 예

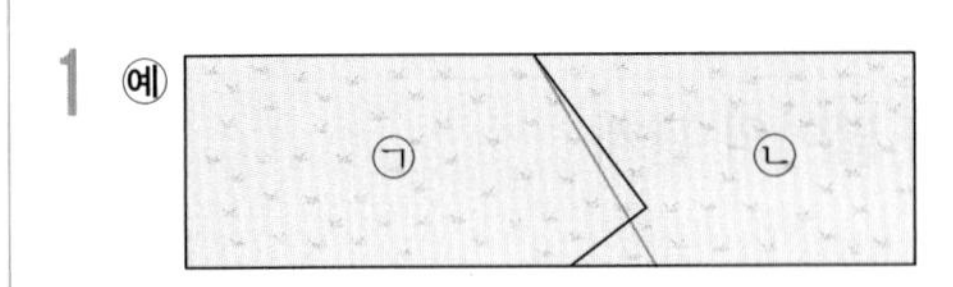

2 21cm^2

최상위 사고력 (1) 예

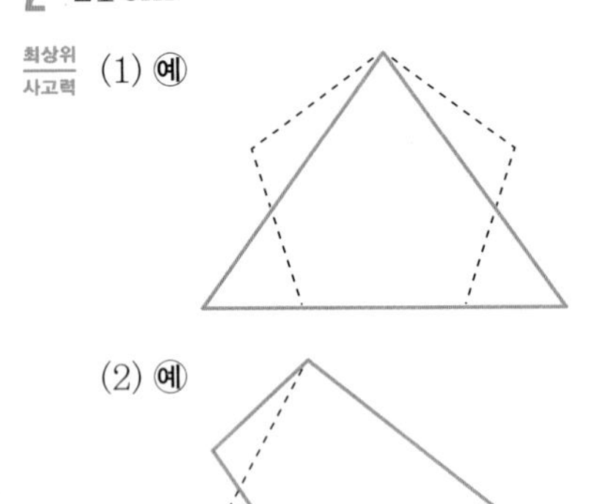

(2) 예

최상위 사고력

1 $35\,cm^2$　　2 $20\,cm^2$

3 $60\,cm^2$　　4 예

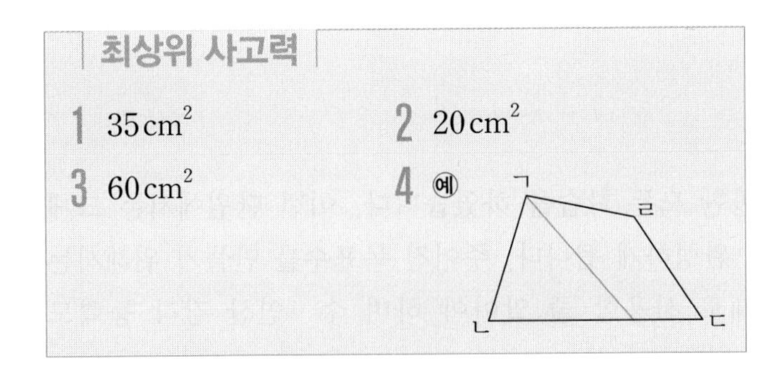

Review V 측정

146~148쪽

1 0　　2 $144\,cm^2$

3 $36\,cm^2$　　4 $60\,cm^2$

5 6배

6

최상위 사고력 Final 평가

1회

1~4쪽

01 (1) 예 $(3+3)\times(3+3)=36$

(2) 예 $33+3+3-3=36$

02 2개　　03 2488원

04 66 cm　　05 64

06 예 2, 5, 10　　07 2, 4, 6, 8, 10

08 $60\,cm^2$　　09 25

10 (1) 58 (2) 15

2회

5~8쪽

01 2　　02 13, 23, 31

03 89　　04 37개

05 예 $1+2+34+5+6+7=55$,

$12-3+45-6+7=55$,

06 $36\,cm^2$　　07 $20\,cm^2$

08 $\frac{1}{7}$　　09 $19\,cm^2$

10 156 cm

I 연산

1학년부터 4학년까지의 교과 내용으로 자연수의 연산에 관한 모든 학습을 하였습니다. 이번 단원에서는 크게 목표수 만들기라는 주제를 통해 연산에 대한 실력을 다지고 완성하게 됩니다. 주어진 목표수를 만들기 위해서는 지금까지 배운 연산 기호와 괄호를 규칙에 맞게 자유자재로 사용할 줄 알아야 하며 수 · 연산 감각 능력도 필요합니다.

1 자연수의 혼합 계산에서는 연산 기호와 수의 크기에 따라 계산 결과가 가장 커지거나 가장 작아지는 경우를 살펴봅니다. 이어서 복잡하고 어려워 보이는 자연수의 혼합 계산에서 계산 순서에 상관없이 간단히 해결하는 방법을 학습합니다.

2 수 퍼즐에서는 1부터 9까지의 수를 써넣어 식을 완성하는 수 퍼즐을 시작으로 네 개의 4와 연산 기호를 사용하여 목표수를 만드는 퍼즐인 포포즈를 다루게 됩니다.

3 목표수 만들기에서는 목표수를 단지 수 · 연산 감각에만 의존하는 것이 아니라 ＋로 가정하기, 홀수와 짝수의 성질을 이용하기, 큰 덩어리로 먼저 만들어 보기 등 논리적이고 효율적인 수 만들기 방법을 알아봅니다.

이번 주제들은 계산 과정이 연필을 사용하지 않고 머리로 이루어지는 경우가 많아 사고 훈련으로 자주 사용됩니다. 또한 원인과 결과를 짜임새 있게 맞추어 가면서 생각하는 과정이 논리적인 사고력을 기르는데 큰 도움이 됩니다.

최상위 사고력 1 자연수의 혼합 계산

1-1. 자연수의 혼합 계산의 최대 · 최소 10~11쪽

1 14 **2** 40, 4 **최상위 사고력** 87, 4

저자 톡! 주어진 식에 연산 기호와 숫자를 써넣어 계산 결과가 가장 클 때 또는 가장 작을 때의 값을 구하는 내용입니다. 교과 내용의 자연수의 혼합 계산에서 계산 순서를 미리 숙지하고 있어야 해결할 수 있습니다.

1 1은 어떤 수를 곱해도 어떤 수 자신이 나오므로 1 바로 앞의 ○ 안에만 ×를 써넣고 나머지 ○ 안에는 ＋를 써넣으면 계산 결과가 가장 작게 됩니다.

➡ $5+4+3+2\times1=14$

> 해결 전략
> 계산 결과가 작으려면 곱셈보다 덧셈을 많이 사용해야 합니다.

2 주어진 식을 (㉠＋㉡)×㉢÷㉣이라 하여 계산 결과가 가장 클 때와 가장 작을 때의 식을 각각 찾아봅니다.

• 가장 클 때

곱하는 수 (㉠＋㉡), ㉢이 커야 하므로 4, 6, 8을 사용하면 $(4+6)\times8=80$일 때 가장 큽니다.

가장 작은 수인 2를 나누는 수 ㉣에 써넣으면 계산 결과가 가장 클 때의 식은 $(4+6)\times8\div2$이 되고 그 값은 40입니다.

> 보충 개념
> 두 수의 곱을 $(4+8)\times6$, $(6+8)\times4$와 같이 만들 수 있지만 두 수의 곱은 곱하는 두 수의 합이 같을 때 두 수의 차가 작을수록 커지므로 위의 두 계산 결과는 $(4+6)\times8$보다 모두 작습니다.

• 가장 작을 때

곱하는 수 (㉠+㉡), ㉢이 작아야 합니다.

① ㉠, ㉡, ㉢에 2, 4, 6을 사용하면
$(4+6)\times2=20$일 때 가장 작습니다.
가장 큰 수인 8을 나누는 수 ㉣에 써넣으면 계산 결과가 가장 작을 때의 식은 $(4+6)\times2\div8$이 됩니다. 계산 결과는 자연수로 나누어떨어져야 하므로 계산 결과가 가장 작을 때의 식은 $(2+6)\times4\div8$이 되고 그 값은 4입니다.

② ㉠, ㉡, ㉢에 2, 4, 8을 사용하면 $(4+8)\times2=24$일 때 가장 작습니다. 남은 수 6을 나누는 수 ㉣에 써넣으면 계산 결과가 가장 작을 때의 식은 $(4+8)\times2\div6$이 되고 그 값은 4입니다.

따라서 가장 작을 때의 값은 4입니다.

보충 개념
두 수의 곱을 $(2+4)\times6$, $(2+6)\times4$와 같이 만들 수 있지만 두 수의 곱은 곱하는 두 수의 합이 같을 때 두 수의 차가 클수록 작아지므로 위의 두 계산 결과는 $(4+6)\times2$보다 모두 큽니다.

최상위 사고력 • 가장 클 때

계산 결과를 가장 크게 만들려면 빼어지는 수 ㉠을 크게, 빼는 수 ㉡을 작게 만듭니다. 이때 계산 결과가 자연수이므로 나눗셈식은 나누어떨어지는 수로 만듭니다.

㉠을 97, 95, 93……과 같이 큰 수로 만들고, ㉡을 나누는 수가 크면서 나누어떨어지게 만듭니다.

➡ $92-35\div7=87$

• 가장 작을 때

계산 결과를 가장 작게 만들려면 빼어지는 수 ㉠을 작게, 빼는 수 ㉡을 빼어지는 수보다는 작으면서 가능한 크게 만듭니다. 이때 계산 결과가 자연수이므로 나눗셈식은 나누어떨어지는 수로 만듭니다.

㉠을 23, 25, 27……과 같이 작은 수로 만들고, ㉡을 나누는 수가 작으면서 나누어떨어지게 만듭니다.

➡ $29-75\div3=4$

해결 전략
주어진 식을 ㉠−㉡으로 생각합니다.
□□−□□÷□
㉠ ㉡

1-2. (　　)로 묶기

12~13쪽

1 $55-(10+3)\times4=3$, $(55-10+3)\times4=192$, $55-(10+3\times4)=33$

2 (1) $4+(5\times12-8)\div2=30$ (2) $9+7\times9+12\div(3-1)=78$ (3) $38-(3\times12\div4+6)+2=25$

최상위 사고력 96, 20

저자 톡! 주어진 식을 등식이 성립하도록 만들거나 계산 결과가 최대 · 최소가 되도록 (　　)로 묶는 내용입니다. (　　)를 앞에서부터 차례로 묶기보다는 계산 순서를 논리적으로 생각하여 어디를 (　　)로 묶어야 할지 생각해 봅니다.

1 주어진 식을 계산하면

$55-10+3\times4=55-10+12=45+12=57$입니다.

계산 결과가 57이 나오지 않도록 ( )로 묶습니다.

방법 1 $55-(10+3)\times4=55-13\times4=55-52=3$

방법 2 $(55-10+3)\times4=(45+3)\times4=48\times4=192$

방법 3 $55-(10+3\times4)=55-(10+12)=55-22=33$

주의

3×4는 가장 먼저 계산해야 하므로 (3×4)와 같이 ( )를 묶지 않도록 합니다.

2 (1) 주어진 식을 계산하면 $4+5\times12-8\div2=60$이므로 계산 결과가 $60-30=30$만큼 작아지도록 ( )로 묶습니다.

➡ $4+(5\times12-8)\div2=4+(60-8)\div2$
$=4+52\div2=4+26=30$

(2) 주어진 식을 계산하면 $9+7\times9+12\div3-1=75$이므로 계산 결과가 $78-75=3$만큼 커지도록 ( )로 묶습니다.

➡ $9+7\times9+12\div(3-1)=9+7\times9+12\div2=9+63+6$
$=72+6=78$

(3) 주어진 식을 계산하면 $38-3\times12\div4+6+2=37$이므로 계산 결과가 $37-25=12$만큼 작아지도록 ( )로 묶습니다.

➡ $38-(3\times12\div4+6)+2=38-(36\div4+6)+2$
$=38-(9+6)+2$
$=38-15+2=23+2=25$

해결 전략

묶는 수의 개수를 2개, 3개……로 바꾸어 가며 찾아봅니다.

최상위 사고력

• 가장 클 때

계산 결과가 가장 크게 되려면 곱해지는 수와 곱하는 수는 각각 더 크게, 나누는 수는 더 작게 ( )로 묶습니다.

➡ $(18+6)\times4\div(2-1)=24\times4\div1=96\div1=96$

• 가장 작을 때

계산 결과가 가장 작게 되려면 나누어지는 수를 더 작게 ( )로 묶습니다.

➡ $(18+6\times4)\div2-1=(18+24)\div2-1$
$=42\div2-1=21-1=20$

해결 전략

계산 결과가 가장 크게 되려면 덧셈이나 곱셈을 하는 수는 가능한 커야 하고, 뺄셈이나 나눗셈은 가능한 작은 수로 빼거나 나누어야 합니다.

1-3. 간단하게 계산하기 14~15쪽

1 (1) 166665 (2) 500 (3) 50 (4) 3610 (5) 706 (6) 3538

최상위 사고력 (1) 198500 (2) 1 (3) 33330000

저자 톡! 자연수의 혼합 계산에서 계산 순서에 맞게 계산하는 것도 중요하지만 복잡한 자연수의 혼합 계산에서 사용할 수 있는 효율적인 계산 방법을 익혀 자연수의 혼합 계산을 간단히 하는 방법을 알아봅니다.

1 (1) 각 자리의 숫자끼리 더하여 계산합니다.

$54321+43215+32154+21543+15432$
$=(1+2+3+4+5)\times 11111$
$=15\times 11111=166665$

(2) 1000을 제외하고 앞에서부터 두 수씩 묶어서 계산합니다.

$1000-81-19-80-20-79-21-78-22-74-26$
$=1000-(81+19)-(80+20)-(79+21)-(78+22)-(74+26)$
$=1000-100\times 5=500$

(3) 뺄셈 결과가 일정한 두 수씩 묶어서 계산합니다.

$(101+103+105+107+109)-(91+93+95+97+99)$
$=(101-91)+(103-93)+(105-95)+(107-97)+(109-99)$
$=10\times 5=50$

(4) 10, 100, 1000……이 되는 곱을 먼저 계산합니다.

$7\times 25\times 4-2\times 9\times 5+8\times 3\times 125$
$=7\times 100-10\times 9+1000\times 3=700-90+3000=3610$

(5) 나눗셈을 먼저 계산하여 수의 크기를 줄인 후 계산합니다.

$140\times 15\div 3+54\times 105\div 27\div 35$
$=140\times 5+2\times 3=700+6=706$

(6) 공통으로 곱하는 수를 묶어서 계산합니다.

$1990\times 1991-1989\times 1990-221\times 2$
$=1990\times (1991-1989)-221\times 2$
$=1990\times 2-221\times 2$
$=(1990-221)\times 2$
$=1769\times 2=3538$

해결 전략
주어진 식에 나온 수들의 공통점은 모두 다섯 자리 수이고, 1부터 5까지의 숫자가 모두 한 번씩 나옵니다.

보충 개념
$54\times 105\div 27\div 35$
$=54\div 27\times 105\div 35=2\times 3$

보충 개념
분배법칙: 어떤 수에 두 수의 합을 곱한 값은 어떤 수를 두 수와 각각 곱한 것의 합과 같습니다.
●×▲+●×■=●×(▲+■)

최상위 사고력 (1) $156+78\times 1983+22\times 1985$
$=78\times 2+78\times 1983+22\times 1985$
$=78\times (2+1983)+22\times 1985$
$=78\times 1985+22\times 1985$
$=(78+22)\times 1985$
$=100\times 1985=198500$

(2) $100000\div 25\div 125\div 8\div 4$
$=100000\div (25\times 4)\div (125\times 8)$
$=100000\div 100\div 1000=1$

(3) $9999\times 2222+3333\times 3334$
$=3333\times 3\times 2222+3333\times 3334$
$=3333\times 6666+3333\times 3334$
$=3333\times (6666+3334)$
$=3333\times 10000=33330000$

해결 전략
수를 분해하거나 공통인 수로 결합하여 간단히 계산합니다.

최상위 사고력

16~17쪽

1 $(21-3)\times4-12\div(4+2)=70$

2 (1) 111100 (2) 1098

3 26

4 6가지

1 주어진 식을 계산하면 8이므로 계산 결과가 $70-8=62$만큼 더 커지도록 ( )로 묶어야 합니다.

$(21-3)\times4-12\div(4+2)$
$=18\times4-12\div6$
$=72-2=70$

보충 개념
주어진 식을 계산하면
$21-3\times4-12\div4+2$
$=21-12-3+2$
$=9-3+2$
$=6+2=8$입니다.

2 (1) $8+98+998+9998+99998$
$=(10-2)+(100-2)+(1000-2)+(10000-2)+(100000-2)$
$=(10+100+1000+10000+100000)-(2+2+2+2+2)$
$=111110-10$
$=111100$

해결 전략
8, 98, 998, 9998, 99998을 기준수 10, 100, 1000, 10000, 100000을 이용한 수로 식을 바꾸어 계산합니다.

(2) $2772\div28+34965\div35$
$=(2800-28)\div28+(35000-35)\div35$
$=2800\div28-28\div28+35000\div35-35\div35$
$=100-1+1000-1$
$=1100-2$
$=1098$

해결 전략
주어진 식에 나오는 2772와 34965를 $2772=2800-28$, $34965=35000-35$로 바꾸어 계산합니다.

3 왼쪽에서부터 차례로 계산하면
$15\times5-▲\div3=12$, $75-▲\div3=12$입니다.
이제 거꾸로 풀어보면
$75-▲=12\times3=36$, $▲=75-36=39$입니다.
따라서 주어진 식을 혼합 계산의 순서에 맞게 바르게 계산하면
$9+6\times5-39\div3=9+30-13=39-13=26$입니다.

해결 전략
왼쪽에서부터 차례로 계산하였으므로 다음과 같은 순서로 ▲를 구해 봅니다.
$9+6\times5-▲\div3=12$
① ② ③ ④

4 • 덧셈을 마지막에 하는 경우
$12\times9+(6\div3-2)=108$, $12\times9+6\div(3-2)=114$
• 뺄셈을 마지막에 하는 경우
$(12\times9+6)\div3-2=36$, $12\times(9+6)\div3-2=58$,
$12\times(9+6\div3)-2=130$
• 곱셈을 마지막에 하는 경우
$12\times(9+6\div3-2)=108$

해결 전략
가장 마지막에 계산할 수 있는 연산이 덧셈, 뺄셈, 곱셈, 나눗셈인 경우로 나누어 구합니다.

• 나눗셈을 마지막에 하는 경우

$(12\times9+6)\div(3-2)=114$, $12\times(9+6)\div(3-2)=180$

따라서 서로 다른 계산 결과는 36, 58, 108, 114, 130, 180으로 모두 6가지입니다.

최상위 사고력 **2 수 퍼즐**

2-1. 수 넣기

18~19쪽

1 $1\times2=(3+5)\div4$, $1\times4=(3+5)\div2$, $2\times4=(3+5)\div1$

2 $4+5=9$, $8-7=1$, $2\times3=6$

최상위 사고력

9	×	6	+	3	=	57
+		+		+		
7	×	2	−	5	=	9
+		+		+		
8	÷	4	−	1	=	1
‖		‖		‖		
24		12		9		

저자 톡! 1부터 9까지의 수를 한 번씩 써넣어 식을 완성하는 내용입니다. 무작정 수를 써넣기보다 시행착오를 줄일 수 있는 효과적인 방법을 찾아 수 퍼즐을 완성할 수 있도록 합니다.

1 등호 오른쪽 나눗셈식을 계산하여 나올 수 있는 가장 작은 값은 1이고, 가장 큰 값은 9입니다.

따라서 등호 왼쪽의 곱셈식에서 두 수의 곱은 9보다 작거나 같아야 합니다. 두 수의 곱이 가장 작은 경우부터 차례로 찾아보면 다음과 같습니다.

곱셈식	나눗셈식	주어진 식
$1\times2=2$	$(3+5)\div4=2$	$1\times2=(3+5)\div4$
$1\times3=3$	불가능	
$1\times4=4$	$(3+5)\div2=4$	$1\times4=(3+5)\div2$
$1\times5=5$	불가능	
$2\times3=6$	불가능	
$2\times4=8$	$(3+5)\div1=8$	$2\times4=(3+5)\div1$

해결 전략
나눗셈식을 계산하여 나올 수 있는 값을 먼저 생각합니다.

2 2부터 9까지의 수 중에서 세 수를 사용하여 곱셈식을 만들 수 있는 경우는 $2\times3=6$, $2\times4=8$ 두 가지입니다.

• 곱셈식이 $2\times3=6$인 경우

남은 수 중에서 덧셈식을 만들고 뺄셈식을 만듭니다.

➡ 덧셈식: $4+5=9$, 뺄셈식: $8-7=1$

• 곱셈식이 $2\times4=8$인 경우

남은 수 중에서 덧셈식을 만들고 뺄셈식을 만듭니다.

➡ 덧셈식: $3+6=9$, 뺄셈식은 만들 수 없습니다.

해결 전략
곱셈식을 만들 수 있는 경우부터 먼저 생각합니다.

최상위 사고력 ①번 세로식에서 세 수의 합이 24인 경우는 $7+8+9$입니다.
②번 가로식을 완성하면 $9\times6+3=57$입니다.
③번 가로식을 완성하면 $8\div4-1=1$입니다.
남은 수를 빈칸에 써넣어 수 퍼즐을 완성합니다.

해결 전략
①번 세로식부터 생각해 봅니다.

①						
②	×		+		=	57
+		+		+		
	×		−		=	9
+		+		+		
③	÷		−		=	1
‖		‖		‖		
24		12		9		

2-2. 포포즈(1)

20~21쪽

1 예 $4+4+4-4=8$, $4\times4\div4+4=8$, $(4+4)\div(4\div4)=8$, $(4+4)\times4\div4=8$

2 예 $44\div44=1$, $4\div4+4\div4=2$, $(4+4+4)\div4=3$, $4+(4-4)\times4=4$, $(4\times4+4)\div4=5$,
$4+(4+4)\div4=6$, $4+4-4\div4=7$, $4+4+4-4=8$, $4+4+4\div4=9$, $(44-4)\div4=10$

최상위 사고력 예 $9-(9+9)\div9=7$, $(9\times9-9)\div9=8$, $9\times(9-9)+9=9$,
$(99-9)\div9=10$, $9+(9+9)\div9=11$, $(99+9)\div9=12$

저자 톡! 포포즈(Four Fours)는 네 개의 4와 +, −, ×, ÷, ( )를 사용하여 0과 자연수를 만드는 것입니다. 이번 주제에서는 네 개의 4와 네 개의 9, +, −, ×, ÷, ( )를 사용하여 자연수를 만들어 봅니다.

1
- $12-4=8$이므로 $4+4+4-4=8$입니다.
- $4+4=8$이므로 $4\times4\div4+4=8$입니다.
- $8\div1=8$이므로 $(4+4)\div(4\div4)=8$입니다.
- $32\div4=8$이므로 $(4+4)\times4\div4=8$입니다.

이외에도 여러 가지 답이 있습니다.

해결 전략
먼저 두 수로 8이 나올 수 있는 식을 $12-4=8$, $4+4=8$……과 같이 다양하게 생각한 후 두 수를 네 개의 4로 만들어 봅니다.

2
- $\square\div\square=1$ ➡ $44\div44=1$
- $1+1=2$ ➡ $4\div4+4\div4=2$
- $12\div4=3$ ➡ $(4+4+4)\div4=3$
- $4+0=4$ ➡ $4+(4-4)\times4=4$
- $20\div4=5$ ➡ $(4\times4+4)\div4=5$
- $4+2=6$ ➡ $4+(4+4)\div4=6$
- $8-1=7$ ➡ $4+4-4\div4=7$

해결 전략
두 개의 4로 만들 수 있는 수
$4-4=0$, $4\div4=1$, $4+4=8$, $4\times4=16$, 44를 이용합니다.

• $8+0=8$ ➡ $4+4+4-4=8$

• $8+1=9$ ➡ $4+4+4\div4=9$

• $40\div4=10$ ➡ $(44-4)\div4=10$

이외에도 여러 가지 답이 있습니다.

최상위 사고력 • $9-2=7$ ➡ $9-(9+9)\div9=7$

• $72\div9=8$ ➡ $(9\times9-9)\div9=8$

• $0+9=9$ ➡ $9\times(9-9)+9=9$

• $90\div9=10$ ➡ $(99-9)\div9=10$

• $9+2=11$ ➡ $9+(9+9)\div9=11$

• $108\div9=12$ ➡ $(99+9)\div9=12$

이외에도 여러 가지 답이 있습니다.

해결 전략
두 개의 9로 만들 수 있는 수
$9-9=0$, $9\div9=1$, $9+9=18$, $9\times9=81$, 99를 이용합니다.

2-3. 포포즈(2)

22~23쪽

1 예 $4\times4-4\div4=15$, $(4\div4+4)\times4=20$, $44\div4\times4=44$, $4\times4\times4-4=60$, $4\times4\times4+4=68$, $(4\times4+4)\times4=80$

2 예 $33+3+3\div3=37$, $333\div(3\times3)=37$

최상위 사고력 예 $(9\times9-9)\div9+9=17$, $(9\div9+9\div9)\times9=18$, $(99-9)\div9+9=19$, $(9+9)\div9+9+9=20$, $9\times(9+9)-99=63$, $99\div9\times9-9=90$

저자 톡! 앞에서는 네 개의 같은 수와 +, −, ×, ÷, (　)를 사용하여 작은 수를 만들었습니다. 이번 주제에서는 네 개 또는 그 이상의 같은 수와 +, −, ×, ÷, (　)를 사용하여 좀 더 큰 수를 만들어 봅니다.

1 • $16-1=15$ ➡ $4\times4-4\div4=15$

• $5\times4=20$ ➡ $(4\div4+4)\times4=20$

• $11\times4=44$ ➡ $44\div4\times4=44$

• $64-4=60$ ➡ $4\times4\times4-4=60$

• $64+4=68$ ➡ $4\times4\times4+4=68$

• $20\times4=80$ ➡ $(4\times4+4)\times4=80$

이외에도 여러 가지 답이 있습니다.

해결 전략
두 개의 4로 만들 수 있는 수
$4-4=0$, $4\div4=1$, $4+4=8$, $4\times4=16$, 44를 이용합니다.

2 • $36+1=37$ ➡ $33+3+3\div3=37$

• $333\div9=37$ ➡ $333\div(3\times3)=37$

이외에도 여러 가지 답이 있습니다.

해결 전략
+, −, ×만을 사용하면 계산 결과는 3의 배수가 되므로 반드시 ÷를 사용해야 합니다.

최상위 사고력

- $8+9=17 \Rightarrow (9\times9-9)\div9+9=17$
- $2\times9=18 \Rightarrow (9\div9+9\div9)\times9=18$
- $10+9=19 \Rightarrow (99-9)\div9+9=19$
- $11+9=20 \Rightarrow (9+9)\div9+9+9=20$
- $162-99=63 \Rightarrow 9\times(9+9)-99=63$
- $99-9=90 \Rightarrow 99\div9\times9-9=90$

이외에도 여러 가지 답이 있습니다.

해결 전략
두 수의 계산으로 나올 수 있는 방법을 생각한 후 두 수를 다섯 개의 9로 만들어 봅니다.

최상위 사고력

24~25쪽

1 (1) 예 $2\times5+9-9=10$ (2) 예 $6\times7-32=10$ (3) 예 $8\div2+7-1=10$

2 5

3 예 $3+6=9$, $8-7=1$, $4\times5=20$

4 예 $12\div3\div4+5=6$, $12+3-4-5=6$, $1\times(2+3)-4+5=6$, $1+2\times3+4-5=6$, $(1\times2)\times(3\times4-5)=6$

1 (1) $2\times5=10 \Rightarrow 2\times5+9-9=10$
(2) $42-32=10 \Rightarrow 6\times7-32=10$
(3) $11-1=10 \Rightarrow 8\div2+7-1=10$
이외에도 여러 가지 답이 있습니다.

해결 전략
먼저 사용해야 할 연산을 여러 가지로 생각한 후 나머지 수를 사용하여 10을 만듭니다.

2 $8\div8\times8\div8=1$, $8\div8+8\div8=2$, $(8+8+8)\div8=3$,
$8\times8\div(8+8)=4$, $8-(8+8)\div8=6$, $(8\times8-8)\div8=7$,
$8+(8-8)\times8=8$, $(8\times8+8)\div8=9$, $(88-8)\div8=10$
따라서 만들 수 없는 수는 5입니다.

해결 전략
두 개의 8로 만들 수 있는 수
$8-8=0$, $8\div8=1$, $8+8=16$, $8\times8=64$, 88을 이용하여 1부터 10까지 만들어 봅니다.

3 덧셈식, 빼셈식, 곱셈식 중에서 숫자 0을 써넣을 수 있는 곳은 곱셈식의 계산 결과의 일의 자리입니다.
두 수의 곱이 몇십이 되려면 곱하는 두 수 중 한 수는 5가 되어야 합니다.
따라서 $5\times2=10$, $5\times4=20$, $5\times6=30$, $5\times8=40$ 네 가지 중에서 $5\times4=20$인 경우만 나머지 6개의 숫자로 덧셈식과 뺄셈식을 만들 수 있습니다.

해결 전략
숫자 0을 써넣을 수 있는 곳부터 찾습니다.

4
- $1+5=6 \Rightarrow 12\div3\div4+5=6$
  $1\times(2+3)-4+5=6$
- $11-5=6 \Rightarrow 1+2\times3+4-5=6$
  $12+3-4-5=6$
- $3\times2=6 \Rightarrow (1+2)\times(3+4-5)=6$

이외에도 여러 가지 답이 있습니다.

해결 전략
수의 계산을 먼저 큰 두 부분으로 생각합니다.

3-1. 자연수의 계산식 만들기

26~27쪽

1 (1) 1+2+3+4+5*6+7+8+9=90

(2) 1+2+3*4+5+6+7+8+9=72

(3) 1+2+3+4+5+6+7+8*9=117

2 1+2−3+4+5+6−7=8, 1+2+3−4+5−6+7=8

최상위 사고력 12가지

저자 톡! +, −를 써넣어 알맞은 자연수의 계산식을 만드는 내용입니다. 들어가야 할 기호가 모두 +라고 가정한 후 +를 −로 바꾸는 방법을 이용하여 해결하도록 합니다.

1 주어진 식의 계산 결과는 1+2+3+4+5+6+7+8+9=45입니다.

(1) 계산 결과가 90이 되려면 주어진 식의 계산 결과 45와의 차가 90−45=45이므로 45만큼 커져야 합니다.
5 ➡ 50일 때 45가 커지므로
1+2+3+4+56+7+8+9=90입니다.

(2) 계산 결과가 72가 되려면 주어진 식의 계산 결과 45와의 차가 72−45=27이므로 27만큼 커져야 합니다.
3 ➡ 30일 때 27이 커지므로
1+2+34+5+6+7+8+9=72입니다.

(3) 계산 결과가 117이 되려면 주어진 식의 계산 결과 45와의 차가 117−45=72이므로 72만큼 커져야 합니다.
8 ➡ 80일 때 72가 커지므로
1+2+3+4+5+6+7+89=117입니다.

지도 가이드
+를 없애면 + 앞의 수는 십의 자리 수로 바뀝니다. 한 자리 수가 두 자리 수로 바꾸면 얼마나 커지는지 규칙을 찾아보도록 지도합니다.

해결 전략
+를 없애면 + 앞의 수는 십의 자리 숫자로 바뀝니다. 일의 자리 숫자가 십의 자리 숫자로 바뀌면 얼마나 커지는지 생각해 봅니다.

2 1+2+3+4+5+6+7=28이므로 계산 결과가 8이 되려면 28−8=20이므로 20만큼 작아져야 합니다.
어떤 수를 더하는 대신 빼면 계산 결과는 그 수의 2배만큼 작아지므로 빼는 수의 합이 10이 되어야 합니다.
10이 되는 수의 쌍은 (3, 7), (4, 6)이므로
이 수 앞에 −를 붙이면 계산 결과가 8인 식이 나옵니다.
➡ 1+2−3+4+5+6−7=8,
1+2+3−4+5−6+7=8

해결 전략
먼저 ○ 안에 모두 +를 써넣어 계산 결과를 구한 후 얼마만큼 작아져야 8이 되는지 알아봅니다.

주의
10이 되는 수의 쌍이 (2, 3, 5)인 경우도 있지만 작은 수에서 큰 수를 빼야 하므로 이 방법으로는 식을 만들 수 없습니다.

최상위 사고력 $100+1+2+3+4+5+6+7+8=136$이므로 계산 결과가 108이 되려면 $136-108=28$만큼 작아져야 합니다.

어떤 수를 더하는 대신 빼면 계산 결과는 그 수의 2배만큼 작아지므로 빼는 수의 합이 14가 되어야 합니다.

두 수의 합이 14인 쌍: (8, 6) ➡ 1가지

세 수의 합이 14인 쌍: (8, 5, 1), (8, 4, 2), (7, 6, 1), (7, 5, 2), (7, 4, 3), (6, 5, 3) ➡ 6가지

네 수의 합이 14인 쌍: (8, 3, 2, 1), (7, 4, 2, 1), (6, 5, 2, 1), (6, 4, 3, 1), (5, 4, 3, 2) ➡ 5가지

따라서 모두 $1+6+5=12$(가지)입니다.

> 해결 전략
> 먼저 ○ 안에 모두 +를 써넣어 계산 결과를 구한 후 얼마만큼 작아져야 108이 되는지 알아봅니다.

3-2. 홀수와 짝수를 이용하여 목표수 만들기

28~29쪽

1 ①, ④　　2 ②, ④　　최상위 사고력 22, 26

저자 톡! 주어진 수를 이용하여 만들 수 있는 수와 만들 수 없는 수를 찾는 내용입니다. 수를 찾는 과정 중에 홀수와 짝수의 성질이 이용됩니다. 이 성질을 패리티(parity)라고 하는데 단순한 원리이지만 해결하기 어려운 수학 문제를 간단하게 해결하는 문제 해결 기법입니다. 패리티는 '최상위 사고력 5B'에서 자세하게 다룹니다.

1 ① 가장 적게 받을 수 있는 점수는 $1+3+3+5=12$(점)이므로 10점을 얻을 수 없습니다.

② $5+3+3+1=12$(점)

③ $5+5+3+1=14$(점)

④ 홀수 4개를 더하여 홀수 17을 만들 수 없습니다.

⑤ $5+5+5+3=18$(점)

따라서 얻을 수 없는 점수는 ①, ④입니다.

> 해결 전략
> 주어진 수는 모두 홀수이므로 홀수의 성질을 이용합니다.

> 보충 개념
> (홀수)+(홀수)+(홀수)+(홀수)=(짝수)

2 $9+8+7+6+5+4+3+2+1=45$

① 33은 45보다 $45-33=12$만큼 작아졌습니다. 빼는 수의 두 배가 12가 될 수 있으므로 33은 나올 수 있습니다.

② 42는 45보다 $45-42=3$만큼 작아졌습니다. 빼는 수의 두 배가 3이 될 수 없으므로 42는 나올 수 없습니다.

③ 25는 45보다 $45-25=20$만큼 작아졌습니다. 빼는 수의 두 배가 20이 될 수 있으므로 25는 나올 수 있습니다.

④ 47은 45보다 크므로 47은 나올 수 없습니다.

⑤ 39는 45보다 $45-39=6$만큼 작아졌습니다. 빼는 수의 두 배가 6이 될 수 있으므로 39는 나올 수 있습니다.

따라서 나올 수 없는 수는 ②, ④입니다.

> 보충 개념
> 주어진 수를 이용하여 45보다 작은 홀수만 계산 결과로 나올 수 있다는 것을 알아볼 수 있습니다.

최상위 사고력

- (짝수)×(짝수)인 경우
  (짝수)×(짝수)=(짝수)이므로
  (짝수)−(홀수)+(홀수)=(짝수)입니다.
  ➡ $4\times6-5+3=22$, $4\times6-3+5=26$
- (짝수)×(홀수)인 경우
  (짝수)×(홀수)=(짝수)이므로
  (짝수)−(홀수)+(짝수)=(홀수) 또는 (짝수)−(짝수)+(홀수)=(홀수)
  입니다.
- (홀수)×(홀수)인 경우
  (홀수)×(홀수)=(홀수)이므로
  (홀수)−(짝수)+(짝수)=(홀수)입니다.

따라서 계산한 값 중에서 짝수인 것은 22, 26입니다.

해결 전략
(짝수)×(짝수)=(짝수),
(짝수)×(홀수)=(짝수),
(홀수)×(홀수)=(홀수)인 경우로 나누어서 생각합니다.

3-3. 100 만들기

30~31쪽

1 (1) 예 $98-7+6+5-4+3-2+1=100$
(2) $9-8+76-5+4+3+21=100$
(3) $9-8+7+65-4+32-1=100$

2 예 $123-45-67+89=100$, $1+2+34-5+67-8+9=100$

최상위 사고력 예 $123-(3+3+3+5+9)=100$,
$1\times(2+3)+3+33+59=100$,
$1\times(23+33+35)+9=100$

저자 톡! 주어진 수와 +, −, ×, ÷, ( )를 사용하여 여러 가지 방법으로 100을 만드는 내용입니다. 먼저 100에 가까운 수를 만들거나 앞에서 학습한 연산과 수의 성질을 이용하여 시행착오를 줄일 수 있도록 합니다.

1 (1) $98+7+6+5+4+3+2+1=126$이므로 $126-100=26$의 반인 13만큼 빼야 합니다.
➡ $98-7+6+5-4+3-2+1=100$
이외에도 여러 가지 방법이 있습니다.
(2) $9+8+76+5+4+3+21=126$이므로 $126-100=26$의 반인 13만큼 빼야 합니다.
➡ $9-8+76-5+4+3+21=100$
(3) $9+8+7+65+4+32+1=126$이므로 $126-100=26$의 반인 13만큼 빼야 합니다.
➡ $9-8+7+65-4+32-1=100$

해결 전략
먼저 ○ 안에 모두 +를 써넣어 계산 결과를 구한 후 얼마만큼 작아져야 100이 되는지 알아봅니다.

2 $1+2+3+4+5+6+7+8+9=45$이므로 100을 만들려면 수를 붙여 두 자리 수 또는 세 자리 수를 만들어야 합니다.

방법 1 세 자리 수를 이용하기

1, 2, 3으로 세 자리 수 123을 만든 후 나머지 수로 23을 만들어 뺍니다.
$4+5+6+7+8+9=39$이므로 39가 23이 되려면 16만큼 작아져야 합니다. $+$를 $-$로 바꾸면 빼는 수의 2배만큼 작아지므로 8을 빼줍니다.

➡ $123-(4+5+6+7-8+9)=100$

방법 2 두 자리 수를 이용하기

1, 2로 두 자리 수 12를, 6, 7로 두 자리 수 67을 만들고
$12+67=79$이므로 나머지 수로 21을 만들어 더합니다.
$3+4+5+8+9=29$이므로 29가 21이 되려면 8만큼 작아져야 합니다. $+$를 $-$로 바꾸면 빼는 수의 2배만큼 작아지므로 4를 빼줍니다.

➡ $12+3-4+5+67+8+9=100$

이외에도 여러 가지 답이 있습니다.

해결 전략
먼저 두 자리 수 또는 세 자리 수를 만들어 목표수 100에 가까운 수를 만듭니다.

최상위 사고력

방법 1 세 자리 수를 이용하기

100에 가까운 세 자리 수 123을 만든 후 나머지 수로 23을 만들어 뺍니다.

➡ $123-(3+3+3+5+9)=100$

방법 2 두 자리 수를 이용하기

100에 가깝게 3, 3, 5, 9로 두 수의 합 $33+59=92$를 만들고 나머지 수 1, 2, 3, 3으로 $1\times(2+3)+3=8$을 만들어 더합니다.

➡ $1\times(2+3)+3+33+59=100$

방법 3 두 자리 수를 이용하기

100에 가깝게 2, 3, 3, 3, 3, 5로 세 수의 합
$23+33+35=91$을 만들고 나머지 수 1, 9로 9를 만들어야 합니다.
1과 9는 떨어져 있으므로 1을 앞에서 구한 91과 곱하고 여기에 나머지 수 9를 더합니다.

➡ $1\times(23+33+35)+9=100$

이외에도 여러 가지 답이 있습니다.

해결 전략
먼저 두 자리 수 또는 세 자리 수를 만들어 목표수 100에 가까운 수를 만듭니다.

최상위 사고력

32~33쪽

1 4개

2 예 $12=3+4+5$, $(1+2)\times3-4=5$, $(1+2)\div3+4=5$

3 10가지

4 9

1 주어진 식 중에 홀수가 5, 3, 1로 세 개입니다. 홀수를 홀수 번 더하거나 빼면 그 결과는 항상 홀수가 나오므로 주어진 식을 계산할 때 짝수는 나올 수 없습니다.
➡ 1부터 9까지의 자연수 중에 2, 4, 6, 8 네 개의 수는 나올 수 없습니다.
$6+5+4+3+2+1=21$이고 이 식에서 $+$를 $-$로 바꾸면 계산 결과는 빼는 수의 2배씩 작아지므로 1부터 9까지의 자연수 중에 홀수를 만들 수 있는지 알아봅니다.
$6-5+4-3-2+1=1$, $6+5-4-3-2+1=3$,
$6-5+4-3+2+1=5$, $6-5+4+3-2+1=7$,
$6-5+4+3+2-1=9$
➡ 홀수는 모두 만들 수 있습니다.
따라서 만들 수 없는 수는 2, 4, 6, 8로 모두 4개입니다.

해결 전략
홀수와 짝수의 성질과
$6+5+4+3+2+1=21$을 이용합니다.

2 • 등호가 네 번째에 있는 경우
➡ $12-3-4=5$, $(1+2)\times3-4=5$, $(1+2)\div3+4=5$
• 등호가 세 번째에 있는 경우
➡ $12-3=4+5$, $(1+2)\times3=4+5$
• 등호가 두 번째에 있는 경우
➡ $12=3+4+5$, $1\times2=3+4-5$
• 등호가 첫 번째에 있는 경우
➡ 알맞은 식을 만들 수 없습니다.
이외에도 여러 가지 방법이 있습니다.

해결 전략
등호의 위치가 정해져 있지 않으므로 등호의 위치를 먼저 정한 후 식을 만들어 봅니다.

3 홀수를 2번, 4번, 6번, 8번, 10번 더하는 경우로 나누어 구합니다.
• 2개의 수로 만들기
➡ $1+9=10$, $3+7=10$, $5+5=10$
• 4개의 수로 만들기
➡ $1+1+3+5=10$, $1+1+1+7=10$, $1+3+3+3=10$
• 6개의 수로 만들기
➡ $1+1+1+1+1+5=10$, $1+1+1+1+3+3=10$
• 8개의 수로 만들기
➡ $1+1+1+1+1+1+1+3=10$

보충 개념
홀수를 홀수 번 더하면 홀수가 나오고 짝수 번 더하면 짝수가 나오므로 홀수를 더하여 짝수 10이 되려면 홀수를 짝수 번 더해야 합니다.

• 10개의 수로 만들기

➡ $1+1+1+1+1+1+1+1+1+1=10$

따라서 홀수의 합이 10인 식은 모두 10가지입니다.

4 □ 안에 모두 같은 수가 들어가므로 (□−□)=0, (□÷□)=1입니다.

(□+□)+(□−□)+(□×□)+(□÷□)=100,

(□+□)+0+(□×□)+1=100,

(□+□)+(□×□)=99

(□+□)는 짝수이므로 (□×□)는 홀수가 되어야 합니다.

따라서 □ 안에 홀수 1, 3, 5, 7, 9, ……를 차례로 넣어 식이 만족하는 경우를 찾습니다.

□=9일 때 $(9+9)+(9\times9)=99$이므로 □ 안에 들어가는 수는 9입니다.

보충 개념

(홀수)+(홀수)=(짝수),
(짝수)+(짝수)=(짝수),
(짝수)+(홀수)=(홀수),
(홀수)×(홀수)=(홀수)

Review Ⅰ 연산

34~36쪽

1 (1) $(60-40+4)\div3\times2=16$ (2) $20-(40-4)\div6+3\times2=20$

2 (1) 888806 (2) 22220000

3 예 $66\div66=1$, $6\div6+6\div6=2$, $(6+6+6)\div6=3$, $6-(6+6)\div6=4$, $(6\times6-6)\div6=5$, $(6-6)\times6+6=6$, $(6\times6+6)\div6=7$, $6+(6+6)\div6=8$

4 3, 5, 6, 10, 14

5 $(7+8)\times9\div1=135$

6 5 앞의 +를 −로 바꿉니다.

1 (1) $4\div3$의 계산 결과가 자연수가 아니므로 나누어지는 수가 3으로 나누어떨어지도록 ( )로 묶고 계산해 봅니다.

➡ $(60-40+4)\div3\times2=24\div3\times2=8\times2=16$

(2) $4\div6$의 계산 결과가 자연수가 아니므로 나누어지는 수가 6으로 나누어떨어지도록 ( )로 묶고 계산해 봅니다.

➡ $20-(40-4)\div6+3\times2=20-36\div6+3\times2$

$=20-6+6=20$

해결 전략

계산 결과가 자연수로 나와야 하므로 나눗셈식을 먼저 생각합니다.

2 (1) $799998+79997+7996+797+18$

$=(800000-2)+(80000-3)+(8000-4)+(800-3)+18$

$=888800+6$

$=888806$

해결 전략

몇십만, 몇만, 몇천, 몇백을 기준수로 하여 식을 바꿉니다.

(2) $3333 \times 4444 + 3334 \times 2222$
$= 3333 \times 2 \times 2222 + 3334 \times 2222$
$= 6666 \times 2222 + 3334 \times 2222$
$= (6666 + 3334) \times 2222$
$= 10000 \times 2222$
$= 22220000$

해결 전략
공통된 수가 있도록 곱을 분해하고 결합하여 주어진 식을 바꾸어 나타냅니다.

3 • $\square \div \square = 1$ ➡ $66 \div 66 = 1$
• $1 + 1 = 2$ ➡ $6 \div 6 + 6 \div 6 = 2$
• $18 \div 6 = 3$ ➡ $(6 + 6 + 6) \div 6 = 3$
• $6 - 2 = 4$ ➡ $6 - (6 + 6) \div 6 = 4$
• $30 \div 6 = 5$ ➡ $(6 \times 6 - 6) \div 6 = 5$
• $0 + 6 = 6$ ➡ $(6 - 6) \times 6 + 6 = 6$
• $42 \div 6 = 7$ ➡ $(6 \times 6 + 6) \div 6 = 7$
• $6 + 2 = 8$ ➡ $6 + (6 + 6) \div 6 = 8$
이외에도 여러 가지 답이 있습니다.

해결 전략
두 수의 계산으로 나올 수 있는 방법을 생각한 후 두 수를 네 개의 6으로 만들어 봅니다.

4 두 가지 연산 기호를 사용할 수 있는 방법은
(+, −), (+, ×), (+, ÷), (−, ×), (−, ÷), (×, ÷)로 6가지입니다.
• (+, −)를 사용하는 경우
➡ $4 + 3 - 2 = 5$, $4 - 3 + 2 = 3$
• (+, ×)를 사용하는 경우
➡ $4 + 3 \times 2 = 10$, $4 \times 3 + 2 = 14$
• (+, ÷)를 사용하는 경우
➡ 나누어떨어지는 식을 만들 수 없습니다.
• (−, ×)를 사용하는 경우
➡ $4 \times 3 - 2 = 10$
• (−, ÷)를 사용하는 경우
➡ 나누어떨어지는 식을 만들 수 없습니다.
• (×, ÷)를 사용하는 경우
➡ $4 \times 3 \div 2 = 6$
따라서 계산 결과로 나올 수 있는 수는 3, 5, 6, 10, 14입니다.

해결 전략
−는 앞의 수가 뒤의 수보다 클 때만 사용할 수 있고, ÷는 앞의 수가 뒤의 수로 나누어떨어질 때만 사용할 수 있습니다.

5 1부터 9까지의 자연수 중에 곱하는 수는 7, 8, 9를 사용하고, 나누는 수는 1을 사용합니다.
➡ $(7 + 8) \times 9 \div 1 = 15 \times 9 \div 1$
$= 135 \div 1 = 135$

해결 전략
계산 결과가 크려면 곱하는 수는 크고, 나누는 수는 작아야 합니다.

6 주어진 식을 바르게 계산하면

$1+2+3+4+5+\cdots\cdots+16+17+18+19+20=210$이므로

계산 결과가 200이 되려면 $210-200=10$만큼 작아져야 합니다.

$+$를 $-$로 바꾸면 계산 결과는 빼는 수의 2배만큼 작아지는 성질이 있습니다.

$5\times2=10$이므로 합이 5가 되는 수를 빼주면 됩니다.

합이 5가 되는 수는 (1, 4), (2, 3), 5 세 가지가 있는데

(1, 4), (2, 3)을 바꾸면 (작은 수)$-$(큰 수)가 되므로 바꿀 수 없습니다.

따라서 5 앞의 기호 $+$를 $-$기호로 바꿉니다.

➡ $1+2+3+4-5+\cdots\cdots+16+17+18+19+20=200$

해결 전략

바르게 계산한 값과 잘못 계산한 값의 차를 먼저 구합니다.

Ⅱ 수(1)

1, 2, 3, 4……와 같은 자연수에는 그 수 나름의 특징이 있습니다. 이번 단원에서는 자연수의 특징을 좀 더 자세하게 알 수 있는 여러 가지 방법에 대해 학습합니다.

4 배수 판정법에서는 수를 직접 나누어 보지 않고도 어떤 수의 배수인지 알 수 있는 배수 판정법을 2부터 11까지의 범위에서 살펴보고, 배수 판정법이 활용되는 실생활 문제를 해결하게 됩니다.

5 소수와 약수에서는 모든 물질의 기본이 되는 원소(元素)와 같이 모든 자연수의 기본이 되는 수인 소수(素數)에 대해 살펴보고, 자연수를 이와 같은 소수의 곱으로 나타내는 방법인 소인수분해에 대해 알아봅니다.
소인수분해는 이어서 나오는 약수의 개수를 구할 때 매우 유용한 도구로 사용되고 **6** 소인수분해의 활용에서 제곱수와 연속되는 0의 개수를 구하는 데도 없어서는 안 될 중요한 도구로 사용됩니다. 따라서 소인수분해는 수를 탐구하기 위한 기본이 되므로 능숙하게 할 수 있도록 충분한 시간을 두고 연습할 수 있도록 합니다.

7 최대공약수와 최소공배수에서는 수가 복잡하고 클 때 유용하게 사용되는 유클리드 호제법을 알아보고, 최대공약수와 최소공배수의 관계를 이용하는 여러 가지 문제를 해결하게 됩니다. 이어서 최대공약수와 최소공배수가 활용되는 생활 속 문제를 경험해 보며 단원을 마무리하게 됩니다.

최상위 사고력 **4**

배수 판정법

4-1. 배수 판정법(1)

38~39쪽

1

(1)

372	□의 배수						
	2	3	4	5	6	8	9

(2)

6525	□의 배수						
	2	3	4	5	6	8	9

최상위 사고력 (1) 6532 (2) 18개

2 263016, 263376, 263736

저자 톡! 수를 직접 나누어 보지 않고 어떤 수의 배수인지 간단히 알 수 있는 방법을 '배수 판정법'이라고 합니다. 여기서는 2, 3, 4, 5, 6, 8, 9의 배수 판정법을 알아봅니다.

1 (1) 일의 자리 숫자가 짝수 ➡ 2의 배수
각 자리 숫자의 합이 $3+7+2=12$로 3의 배수 ➡ 3의 배수
끝의 두 자리 수 72가 4의 배수 ➡ 4의 배수
2의 배수이면서 3의 배수 ➡ 6의 배수
(2) 각 자리 숫자의 합이 $6+5+2+5=18$로 3의 배수 ➡ 3의 배수
일의 자리 숫자가 5 ➡ 5의 배수
각 자리 숫자의 합이 $6+5+2+5=18$로 9의 배수 ➡ 9의 배수

해결 전략
끝 자리 수, 각 자리 숫자의 합, 공배수를 이용하여 배수를 확인합니다.

2 ① 263●▲6이 9의 배수이므로 각 자리 숫자의 합이 9의 배수입니다.
$2+6+3+●+▲+6=17+●+▲$가 9의 배수가 되어야 하므로 각 자리 숫자의 합이 될 수 있는 수는 18, 27입니다.

• $17+●+▲=18$인 경우
$●+▲=1$이므로 (●, ▲)=(0, 1), (1, 0)입니다.

• $17+●+▲=27$인 경우
$●+▲=10$이므로 (●, ▲)=(1, 9), (2, 8), (3, 7), (4, 6), (5, 5), (6, 4), (7, 3), (8, 2), (9, 1)입니다.

② 위의 순서쌍 (●, ▲)를 수에 넣으면 8의 배수가 되어야 하므로 끝의 세 자리 수 ●▲6이 8의 배수가 되어야 합니다.
(●, ▲)=(0, 1), (3, 7), (7, 3)

따라서 8의 배수이면서 9의 배수인 수는 263016, 263376, 263736입니다.

해결 전략
8의 배수 판정법을 이용하면 나올 수 있는 경우가 9의 배수 판정법보다 더 많으므로 9의 배수 판정법부터 이용합니다.

보충 개념
8의 배수: 끝의 세 자리 수가 000이거나 8의 배수

최상위 사고력 (1) 네 자리 수 중에서 가장 큰 4의 배수를 구하는 것이므로 먼저 가장 높은 자리인 천의 자리와 백의 자리 순서로 큰 숫자를 놓습니다.
➡ 65□□
나머지 수 1, 2, 3, 4로 만들 수 있는 가장 큰 4의 배수는 32입니다.
➡ 6532

(2) 세 자리 수가 9의 배수이므로 세 수를 더해서 9가 되는 수의 쌍을 찾아보면 (1, 2, 6), (1, 3, 5), (2, 3, 4)로 3가지입니다.
각 수의 쌍으로 만들 수 있는 세 자리 수는 다음과 같습니다.
(1, 2, 6) ➡ 126, 162, 216, 261, 612, 621
(1, 3, 5) ➡ 135, 153, 315, 351, 513, 531
(2, 3, 4) ➡ 234, 243, 324, 342, 423, 432
따라서 수 카드로 만들 수 있는 9의 배수는 모두 18개입니다.

보충 개념
4의 배수: 끝의 두 자리 수가 00이거나 4의 배수
9의 배수: 각 자리 숫자의 합이 9의 배수

4-2. 배수 판정법(2)

40~41쪽

1 ②, ⑤

최상위 사고력 A (1) 7의 배수입니다. (2) 7의 배수입니다.

2 98989, 97999, 99979

최상위 사고력 B 1243, 1342, 2134, 2431, 3124, 3421, 4213, 4312

저자 톡! 7과 11의 배수 판정법의 원리는 수를 결합하고 분해하는데 매우 중요한 아이디어로 이용됩니다. 이번 주제에서는 7과 11의 배수 판정법을 익히며 그 숨은 원리도 간단히 알아봅니다.

1 ① 5283: $(5+8)-(2+3)=8$ ➡ 11의 배수가 아닙니다.
② 40964: $(4+9+4)-6=11$ ➡ 11의 배수입니다.
③ 176234: $(7+2+4)-(1+6+3)=3$ ➡ 11의 배수가 아닙니다.
④ 649325: $(6+9+2)-(4+3+5)=5$ ➡ 11의 배수가 아닙니다.
⑤ 86629574592:
$(8+6+9+7+5+2)-(6+2+5+4+9)=37-26=11$
➡ 11의 배수입니다.
따라서 11의 배수는 ②, ⑤입니다.

2 • 각 자리 숫자의 합이 43인 다섯 자리 수이므로 다섯 자리 수의 쌍을 구하면 (9, 9, 9, 8, 8), (9, 9, 9, 9, 7)로 2가지입니다.
• 11로 나누어떨어지므로 11의 배수입니다. 11의 배수가 되려면 홀수 자리에 모두 9가 들어가고, 짝수 자리에 8 두 개 또는 9와 7이 한 개씩 들어가야 합니다.
➡ 98989, 97999, 99979

해결 전략
$9+9+9+8+8=43$,
$9+9+9+9+7=43$입니다.

최상위 사고력 A
(1) ① $3645-6\times2=3633$
② $363-3\times2=357$
③ $35-7\times2=21$
➡ 21이 7의 배수이므로 36456이 7의 배수입니다.
(2) ① $10772-3\times2=10766$
② $1076-6\times2=1064$
③ $106-4\times2=98$
➡ 98이 7의 배수이므로 107723이 7의 배수입니다.

보충 개념
스펜스의 배수 판정법은 (오른쪽 끝 한 자리 수를 없앤 수)−(오른쪽 끝 한 자리 수)×2의 과정을 두 자리 수가 나올 때까지 반복한 후 마지막 두 자리 수가 7의 배수이면 그 수가 7의 배수입니다.

최상위 사고력 B
11의 배수는 (홀수 자리 숫자의 합)−(짝수 자리 숫자의 합)이 0이거나 11의 배수이어야 합니다.
$1+4=2+3$이므로 각 자리에 올 수 있는 숫자의 쌍을 구합니다.
천의 자리와 십의 자리에 올 수 있는 숫자의 쌍 ➡ (1, 4), (2, 3)
백의 자리와 일의 자리에 올 수 있는 숫자의 쌍 ➡ (2, 3), (1, 4)
➡ 1243, 1342, 2134, 2431, 3124, 3421, 4213, 4312

보충 개념
0은 모든 수의 배수입니다.

4-3. 배수 판정법의 활용

42~43쪽

1 527040 **2** 86544원

최상위 사고력 ㉮ 정확하지 않습니다. 공책 3권의 값과 연필 6자루의 값은 3의 배수인데 그 합이 3의 배수가 아니기 때문입니다.

저자 톡! 이 단원에서는 배수 판정법을 활용하여 일부분이 지워진 영수증이나 잘못된 계산과 같은 실생활 소재의 문제를 해결해 봅니다. 배수 판정법과 관련된 실생활 문제는 배수 판정법을 이용하기에 앞서 이 문제가 어떤 수의 배수 판정법을 사용해야 하는 문제인지를 판단하는 것이 중요합니다. 배수 판정법이 이용되는 다양한 상황을 통해 수학의 유용성을 느낄 수 있도록 합니다.

1 ① 5의 배수가 되어야 하므로 일의 자리 숫자는 5 또는 0입니다.
이 중 더 작은 수를 만들 수 있는 0을 일의 자리에 씁니다.
➡ 527□□0

② 3의 배수가 되어야 하므로 각 자리 숫자의 합을 구합니다.
$5+2+7+\square+\square+0=14+\square+\square$가 3의 배수가 되어야 하므로 $\square+\square$는 1, 4, 7, 10, 13, 16이 됩니다.

③ 4의 배수가 되어야 하므로 끝의 두 자리 수가 4의 배수가 되도록 십의 자리에 수를 써넣습니다. 수를 써넣을 때는 위의 ②를 만족하도록 합니다.
$\square+\square=1$일 때: 527100
$\square+\square=4$일 때: 527220, 527040, 527400
$\square+\square=7$일 때: 527160, 527340, 527520……

이 수 중에서 가장 작은 수는 527040입니다.

해결 전략
주어진 수를 527□□□라 하고 5의 배수 판정법, 3의 배수 판정법, 4의 배수 판정법 순서로 이용합니다.

2 $72=8\times9$이므로 72는 8과 9의 공배수입니다.
준서가 사탕을 사고 낸 돈을 ㉠654㉡이라고 하면 다음과 같습니다.

① ㉠654㉡은 8의 배수입니다.
끝의 세 자리 수 54㉡이 8의 배수이어야 하므로
㉡$=4$입니다.

② ㉠6544는 9의 배수입니다.
각 자리 숫자의 합 ㉠$+6+5+4+4=19+$㉠이
9의 배수가 되어야 하므로 ㉠$=8$입니다.

따라서 준서가 산 사탕의 금액은 86544원입니다.

해결 전략
㉠654㉡은 사탕 한 개의 값의 72배이므로 ㉠654㉡은 72의 배수가 되어야 합니다.

최상위 사고력 (공책 3권)$+$(볼펜 2자루)$+$(연필 6자루)$+$(지우개 7개)
$=$(공책 3권)$+3900\times2+$(연필 6자루)$+600\times7$
$=$(공책 3권)$+7800+$(연필 6자루)$+4200=29000$,
➡ (공책 3권)$+$(연필 6자루)$=17000$

공책 3권의 값도 3의 배수이고, 연필 6자루의 값도 3의 배수인데 합인 17000원은 3의 배수가 아닙니다.
따라서 명주가 낸 돈은 정확하지 않습니다.

해결 전략
먼저 볼펜과 지우개의 가격을 제외한 공책 3권과 연필 6자루의 합을 구합니다.

최상위 사고력

1 495, 405

2 193개

3 ⓔ 주어진 수들의 최대공약수는 111이고, 111은 37의 배수이므로 주어진 수들은 모두 37의 배수입니다.

4 288

1 첫 번째 조건에 의해 찾는 수를 4□□라고 합니다.
두 번째 조건에 의해 첫 번째 조건을 동시에 만족하는 수는 4□0 또는 4□5입니다.
세 번째 조건에 의해 3의 배수이므로 각 자리 숫자의 합이 3의 배수이어야 합니다.
➡ 420, 450, 480, 405, 435, 465, 495
이 중에서 가장 큰 수는 495, 가장 작은 수는 405입니다.

해결 전략
첫 번째, 두 번째, 세 번째 조건 순서로 생각합니다.

2 세 자리 수의 개수는 100부터 999까지이므로 $999-99=900$(개)입니다.
① 세 자리 수 중에서 4의 배수의 개수를 구합니다.
$900 \div 4=225$(개)
② 세 자리 수 중에서 4와 7의 공배수인 28의 배수의 개수를 구합니다.
$900 \div 28=32 \cdots 4$ ➡ 32(개)
따라서 세 자리 수 중에서 4의 배수이지만 7의 배수가 아닌 수는 $225-32=193$(개)입니다.

해결 전략
4의 배수 중에서 7의 배수가 아닌 수는 4의 배수 중에서 4와 7의 공배수를 제외한 수입니다.

3 $333=111 \times 3$, $888=111 \times 8$, $777777=111 \times 7007$, $555999=111 \times 5009$, $666666666=111 \times 6006006$
333, 888, 777777, 555999, 666666666의 최대공약수는 111입니다.
$111=3 \times 37$이므로 333, 888, 777777, 555999, 666666666은 모두 111의 배수이고, 111은 37의 배수이므로 333, 888, 777777, 555999, 666666666은 모두 37의 배수입니다.

해결 전략
333과 888의 최대공약수를 먼저 찾습니다.

4 ① 각 자리 숫자의 합이 9일 때 각 자리 숫자는 모두 짝수일 수 없습니다.
② 각 자리 숫자의 합이 18일 때 각 자리 숫자가 짝수인 수의 쌍을 찾으면 다음과 같습니다.
- 두 자리 수인 경우는 (9, 9)이므로 각 자리 숫자가 짝수일 수 없습니다.
- 세 자리 수: (2, 8, 8), (4, 6, 8), (6, 6, 6)……
- 네 자리 수: (2, 0, 8, 8), (2, 2, 6, 8), (2, 4, 4, 8)……

➡ 가장 작은 수: 288
③ 각 자리 숫자의 합이 27일 때 각 자리 숫자는 모두 짝수일 수 없습니다.
따라서 가장 작은 9의 배수는 288입니다.

해결 전략
각 자리 숫자가 짝수이면서 각 자리 숫자의 합이 9의 배수인 것을 찾습니다.

5-1. 에라토스테네스의 체

46~47쪽

1 25개

2 311

최상위 사고력 A 137, 751

최상위 사고력 B 2, 97

저자 톡! 소수(素數)는 1과 자기 자신 이외에 약수가 없는 수를 말하는데 '소(素)'는 바탕이라는 뜻으로 모든 수의 기본이 되는 중요한 수입니다. '에라토스테네스의 체'를 이용하여 1부터 100까지의 소수를 찾아보고, 세 자리 소수를 찾아봅니다.

1 에라토스테네스의 체로 소수를 찾는 방법은 다음과 같습니다.

① 소수가 아닌 1을 지웁니다.

② 2만 남기고 2의 배수들을 모두 지웁니다.

③ 3만 남기고 3의 배수들을 모두 지웁니다.

④ 5만 남기고 5의 배수들을 모두 지웁니다.

⑤ 이와 같은 방법으로 가장 작은 소수는 남기고 그 수의 배수를 모두 지우면 남아 있는 수가 모두 소수가 됩니다.

~~1~~	2	3	~~4~~	5	~~6~~	7	~~8~~	~~9~~	~~10~~	11	~~12~~	13	~~14~~	~~15~~	~~16~~	17	~~18~~	19	~~20~~
~~21~~	~~22~~	23	~~24~~	~~25~~	~~26~~	~~27~~	~~28~~	29	~~30~~	31	~~32~~	~~33~~	~~34~~	~~35~~	~~36~~	37	~~38~~	~~39~~	~~40~~
41	~~42~~	43	~~44~~	~~45~~	~~46~~	47	~~48~~	~~49~~	~~50~~	~~51~~	~~52~~	53	~~54~~	~~55~~	~~56~~	~~57~~	~~58~~	59	~~60~~
61	~~62~~	~~63~~	~~64~~	~~65~~	~~66~~	67	~~68~~	~~69~~	~~70~~	71	~~72~~	73	~~74~~	~~75~~	~~76~~	~~77~~	~~78~~	79	~~80~~
~~81~~	~~82~~	83	~~84~~	~~85~~	~~86~~	~~87~~	~~88~~	89	~~90~~	~~91~~	~~92~~	~~93~~	~~94~~	~~95~~	~~96~~	97	~~98~~	~~99~~	~~100~~

> **보충 개념**
> 자연수들을 마치 체로 걸러내듯 소수만 남기고 지우기 때문에 '에라토스테네스의 체'라고 불립니다. 이 방법은 작은 수 중에서 소수를 찾는 가장 쉽고 간편한 방법으로 기원전 200년경에 발견된 것입니다.

2 294는 2의 배수이므로 소수가 아닙니다.

175는 5의 배수이므로 소수가 아닙니다.

519는 3의 배수이므로 소수가 아닙니다.

143은 11의 배수이므로 소수가 아닙니다.

311은 1과 311 이외에는 약수가 없으므로 소수입니다.

> **보충 개념**
> 1보다 큰 자연수 중에서 1과 자기 자신만을 약수로 가지는 수를 소수(prime number)라 하고, 소수가 아닌 수를 합성수(composite number)라 합니다.

최상위 사고력 A 수 카드 세 장을 뽑는 방법은 (1, 3, 5), (1, 3, 7), (1, 5, 7), (3, 5, 7)입니다.

이 중에서 (1, 3, 5)와 (3, 5, 7)은 각 자리 숫자의 합이 $1+3+5=9$, $3+5+7=15$로 모두 3의 배수이므로 소수를 만들 수 없습니다.

- (1, 3, 7)인 경우

  가장 작은 세 자리 수부터 만들면 137, 173, 317, 371, 713, 731입니다.

  이 중에서 137은 $12\times12=144$이므로 12보다 작은 소수로 나누어떨어지는지 확인합니다.

  137은 어떤 수로도 나누어떨어지지 않으므로 가장 작은 세 자리 소수입니다.

> **해결 전략**
> 배수 판정법을 이용하여 소수가 되는지 판단합니다.

• (1, 5, 7)인 경우

가장 작은 세 자리 수부터 만들면 157, 175, 517, 571, 715, 751입니다.

가장 작은 세 자리 소수는 137이므로 가장 큰 세 자리 소수를 찾아봅니다.

751은 $28\times28=784$이므로 28보다 작은 소수로 나누어떨어지는지 확인합니다.

751은 어떤 수로도 나누어떨어지지 않으므로 가장 큰 세 자리 소수입니다.

최상위 사고력 B 99는 홀수입니다.

두 수를 더하여 홀수가 되려면 (짝수)+(홀수)꼴이 되어야 합니다.

소수 중에서 짝수는 2 하나뿐이므로 $99=2+97$입니다.

따라서 두 소수는 2와 97입니다.

> 보충 개념
> 소수 중에서 짝수는 2뿐이고, 나머지는 모두 홀수입니다.

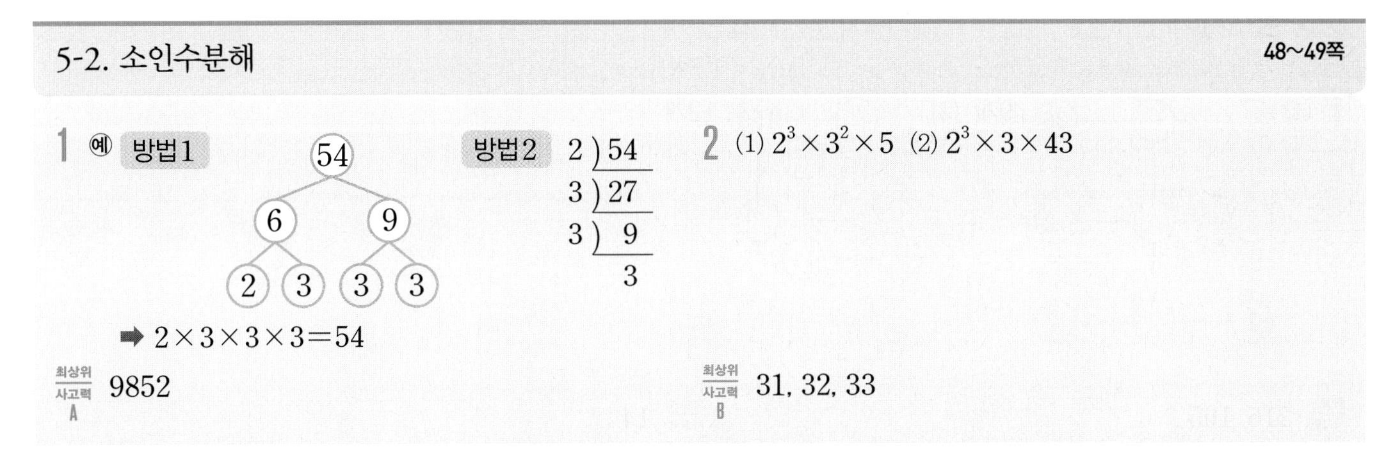

저자 톡! 소인수분해를 하는 두 가지 방법과 그 결과를 간단하게 나타내는 거듭제곱에 대해 학습합니다. 이어서 소인수분해를 이용하는 간단한 문제를 해결해 봅니다. 소인수분해는 공약수와 공배수에 있어서 핵심적인 개념이므로 소인수분해를 능숙하게 할 수 있도록 연습하도록 합니다.

2 (1)

$$\begin{array}{r|l} 2 & 360 \\ 2 & 180 \\ 2 & 90 \\ 3 & 45 \\ 3 & 15 \\ & 5 \end{array}$$

➡ $360=2\times2\times2\times3\times3\times5$
$=2^3\times3^2\times5$

(2)

$$\begin{array}{r|l} 2 & 1032 \\ 2 & 516 \\ 2 & 258 \\ 3 & 129 \\ & 43 \end{array}$$

➡ $1032=2\times2\times2\times3\times43$
$=2^3\times3\times43$

> 보충 개념
> 자연수 A에 대하여 A^2, A^3, A^4, ……을 A의 거듭제곱이라고 하며 각각 A의 제곱, A의 세제곱, A의 네제곱, ……이라고 읽습니다.

최상위 사고력 A

$$\begin{array}{r|l} 2 & 720 \\ 2 & 360 \\ 2 & 180 \\ 2 & 90 \\ 3 & 45 \\ 3 & 15 \\ & 5 \end{array}$$

➡ $2\times2\times2\times2\times3\times3\times5=720$

720의 소인수를 사용하여 만들 수 있는 네 자리 수 중에서 가장 큰 수를 만듭니다.

천의 자리에 9가 올수록 큰 수가 되므로 소인수분해한 수로 만든 9를 천의 자리에 놓습니다.

$2\times\underbrace{2\times2\times2}_{8}\times\underbrace{3\times3}_{9}\times5=720$

➡ $2\times8\times9\times5$ ➡ 9852

해결 전략
먼저 720을 소인수분해합니다.

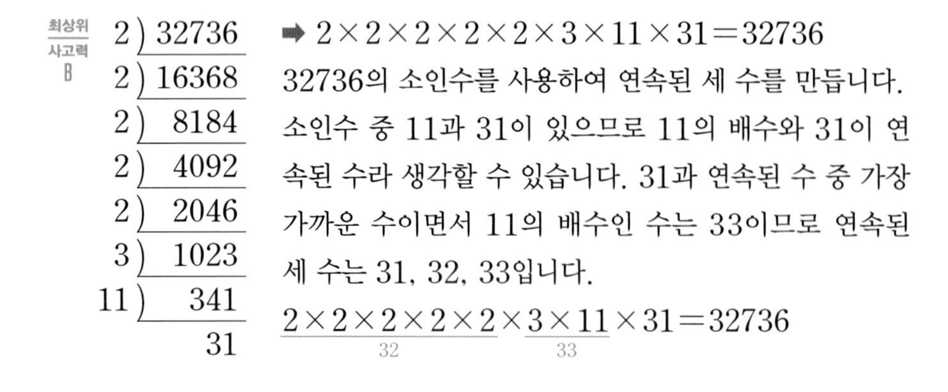

최상위 사고력 B

$$\begin{array}{r|l} 2 & 32736 \\ 2 & 16368 \\ 2 & 8184 \\ 2 & 4092 \\ 2 & 2046 \\ 3 & 1023 \\ 11 & 341 \\ & 31 \end{array}$$

➡ $2\times2\times2\times2\times2\times3\times11\times31=32736$

32736의 소인수를 사용하여 연속된 세 수를 만듭니다.

소인수 중 11과 31이 있으므로 11의 배수와 31이 연속된 수라 생각할 수 있습니다. 31과 연속된 수 중 가장 가까운 수이면서 11의 배수인 수는 33이므로 연속된 세 수는 31, 32, 33입니다.

$\underbrace{2\times2\times2\times2\times2}_{32}\times\underbrace{3\times11}_{33}\times31=32736$

해결 전략
먼저 32736을 소인수분해합니다.

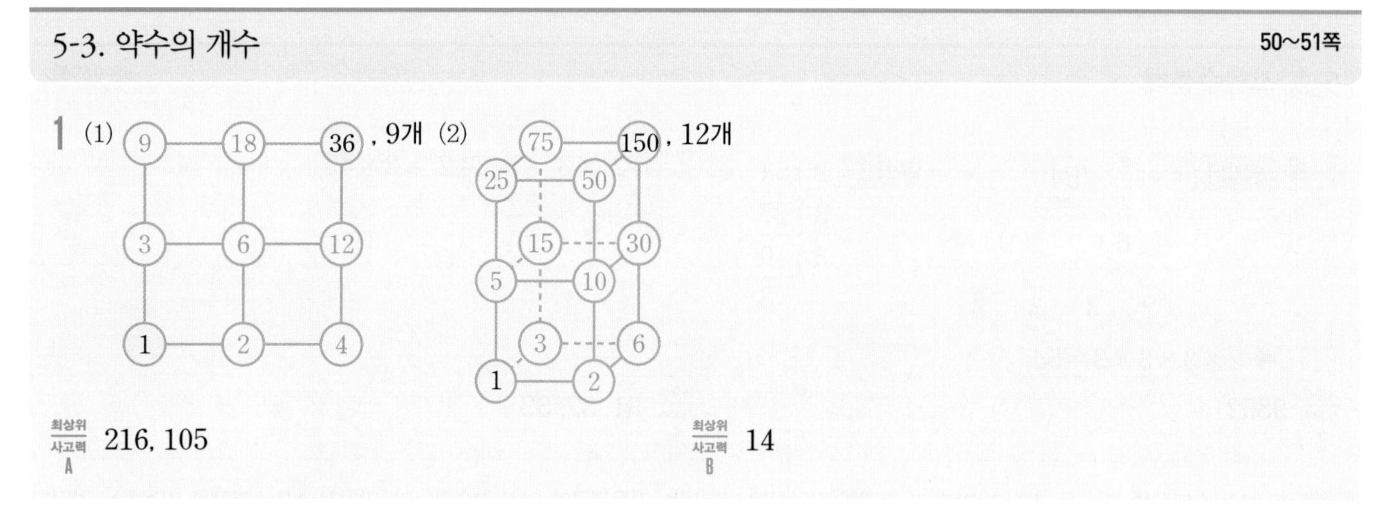

5-3. 약수의 개수

50~51쪽

1 (1) 9개 (2) 12개

최상위 사고력 A 216, 105

최상위 사고력 B 14

저자 톡! 주어진 수를 소인수분해하여 거듭제곱으로 나타낸 식을 이용하여 약수의 개수를 구할 수 있습니다. 약수의 개수를 구하는 또 다른 방법인 '하세 다이어그램'과 비교하여 공식이 나오게 된 원리도 알 수 있도록 합니다.

1 (1) 36의 약수의 개수 ➡ 9개

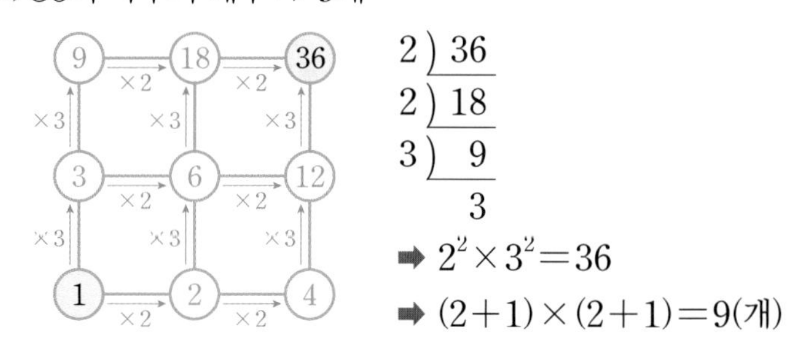

$$\begin{array}{r|l} 2 & 36 \\ 2 & 18 \\ 3 & 9 \\ & 3 \end{array}$$

➡ $2^2\times3^2=36$

➡ $(2+1)\times(2+1)=9$(개)

해결 전략
하세 다이어그램의 규칙에 맞게 가로줄로는 2배씩, 세로줄로는 3배씩 한 수를 써넣습니다.

(2) 150의 약수의 개수 ➡ 12개

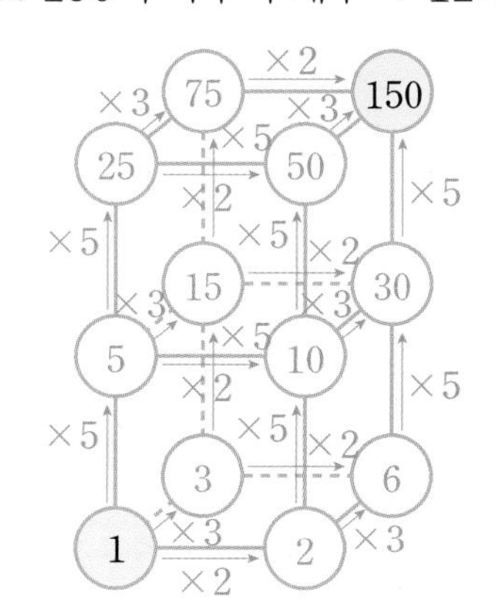

$$\begin{array}{r|l} 2 & 150 \\ \hline 3 & 75 \\ \hline 5 & 25 \\ \hline & 5 \end{array}$$

➡ $2 \times 3 \times 5^2 = 150$

➡ $(1+1) \times (1+1) \times (2+1) = 12$(개)

해결 전략

입체도형으로 하세 다이어그램을 그리는 경우 입체의 가로로 2배, 세로로 3배, 높이로 5배씩 한 수를 써넣습니다.

최상위 사고력 A

• 105의 약수의 개수

$$\begin{array}{r|l} 3 & 105 \\ \hline 5 & 35 \\ \hline & 7 \end{array}$$

➡ $3 \times 5 \times 7 = 105$

➡ $(1+1) \times (1+1) \times (1+1) = 8$(개)

• 200의 약수의 개수

$$\begin{array}{r|l} 2 & 200 \\ \hline 2 & 100 \\ \hline 2 & 50 \\ \hline 5 & 25 \\ \hline & 5 \end{array}$$

➡ $2^3 \times 5^2 = 200$

➡ $(3+1) \times (2+1) = 12$(개)

• 216의 약수의 개수

$$\begin{array}{r|l} 2 & 216 \\ \hline 2 & 108 \\ \hline 2 & 54 \\ \hline 3 & 27 \\ \hline 3 & 9 \\ \hline & 3 \end{array}$$

➡ $2^3 \times 3^3 = 216$

➡ $(3+1) \times (3+1) = 16$(개)

• 320의 약수의 개수

$$\begin{array}{r|l} 2 & 320 \\ \hline 2 & 160 \\ \hline 2 & 80 \\ \hline 2 & 40 \\ \hline 2 & 20 \\ \hline 2 & 10 \\ \hline & 5 \end{array}$$

➡ $2^6 \times 5 = 320$

➡ $(6+1) \times (1+1) = 14$(개)

$8 < 12 < 14 < 16$이므로 약수의 개수가 가장 많은 수는 216이고, 가장 적은 수는 105입니다.

보충 개념

●^{A} × ▲^{B}

➡ 약수의 개수: $(A+1) \times (B+1)$

최상위 사고력 B

약수가 4개인 수는 A^3 또는 $A \times B$의 형태로 소인수분해되는 수입니다.
$A=2$ 또는 3, $B=3$, 5, 7인 경우를 작은 수부터 차례로 곱해보면
$2^3=8$, $2 \times 3=6$, $2 \times 5=10$, $2 \times 7=14$, $3 \times 5=15$입니다.
작은 수부터 차례로 쓰면 6, 8, 10, 14, 15이므로 네 번째로 작은 수는 14입니다.

해결 전략

약수가 4개인 수 중에서 작은 수부터 네 번째 수이므로 A와 B에 작은 수부터 넣어 봅니다.

최상위 사고력

52~53쪽

1 28
2 91
3 12개
4 10개

1 30보다 작은 두 자리 수 중에서 소수를 제외한 수의 약수를 찾고, 자신을 제외한 약수의 합을 구합니다.

수	자신을 제외한 약수	약수의 합	수	자신을 제외한 약수	약수의 합
12	1, 2, 3, 4, 6	16	22	1, 2, 11	14
14	1, 2, 7	10	24	1, 2, 3, 4, 6, 8, 12	36
15	1, 3, 5	9	25	1, 5	6
16	1, 2, 4, 8	15	26	1, 2, 13	16
18	1, 2, 3, 6, 9	21	27	1, 3, 9	13
20	1, 2, 4, 5, 10	22	28	1, 2, 4, 7, 14	28
21	1, 3, 7	11			

보충 개념

과잉수: 자신을 제외한 약수를 모두 더한 수가 자신보다 큰 수

부족수: 자신을 제외한 약수를 모두 더한 수가 자신보다 작은 수

2 $314-41=273$이고, 273을 소인수의 곱으로 나타내면
$273=3\times7\times13$입니다.
273의 약수는 1, 3, 7, 13, 21, 39, 91, 273입니다.
이 중에서 314를 나누어서 나머지가 41이 나올 수 있는 두 자리 수는 41보다 큰 수인 91입니다.

해결 전략

314에서 41 작은 수는 어떤 두 자리 수의 배수입니다.

보충 개념

나머지는 나누는 수보다 작습니다.

3 3) 675 ➡ $3^3\times5^2=675$
3) 225 ➡ $(3+1)\times(2+1)=12$(개)
3) 75
5) 25
5

4 • A^7인 경우
$2^7=128$ ➡ 100보다 큰 수이므로 조건에 맞지 않습니다.
• $A\times B^3$인 경우
$2\times3^3=54$, $3\times2^3=24$, $5\times2^3=40$,
$7\times2^3=56$, $11\times2^3=88$ ➡ 5개
• $A\times B\times C$인 경우
$2\times3\times5=30$, $2\times3\times7=42$, $2\times3\times11=66$,
$2\times3\times13=78$, $2\times5\times7=70$ ➡ 5개
따라서 1부터 100까지의 수 중에서 약수가 8개인 수는 모두
$5+5=10$(개)입니다.

해결 전략

약수가 8개인 수는 $1\times8=8$, $2\times4=8$, $2\times2\times2=8$이므로 A^7 또는 $A\times B^3$, $A\times B\times C$의 형태로 소인수분해되는 수입니다.

6-1. 제곱수

54~55쪽

1 ②, ④ 2 6 최상위 사고력 27, 6, 18

저자 톡! 제곱수는 같은 수를 두 번 곱한 수입니다. 제곱수를 소인수분해하여 나타내었을 때의 특징을 이용하여 어떤 수가 제곱수인지, 제곱수를 만들기 위해서는 어떤 수를 곱해야 하는지 알아보도록 합니다.

1 ① $236=2\times2\times59$이므로 236은 제곱수가 아닙니다.

② $441=3\times3\times7\times7$
$=(3\times7)\times(3\times7)$
$=21\times21$

➡ 441은 제곱수입니다.

③ 제곱수의 일의 자리 숫자는 반드시 0, 1, 4, 5, 6, 9 중의 하나이므로 853은 제곱수가 아닙니다.

④ $576=2\times2\times2\times2\times2\times2\times3\times3$
$=(2\times2\times2\times3)\times(2\times2\times2\times3)$
$=24\times24$

➡ 576은 제곱수입니다.

⑤ $2904=2\times2\times2\times3\times11\times11$이므로 2904는 제곱수가 아닙니다.

따라서 제곱수는 ②, ④입니다.

해결 전략
제곱수는 소인수분해했을 때 소인수가 모두 짝수 개씩 있어야 합니다.

2 $150=2\times3\times5^2$이므로 소인수 2와 3을 곱하면 소수가 모두 짝수 개씩 됩니다.

➡ $150\times2\times3=2^2\times3^2\times5^2$
$=(2\times3\times5)\times(2\times3\times5)$
$=30\times30=900$

따라서 150에 어떤 수를 곱하여 제곱수를 만들 수 있는 가장 작은 수는 6입니다.

해결 전략
제곱수는 같은 소인수가 모두 짝수 개씩 있어야 합니다.

최상위 사고력 ① $54\times▲=2\times3^3\times▲$가 제곱수가 되려면 홀수 번 곱해져 있는 2와 3을 각각 한 번씩 더 곱해주면 되므로 곱하는 수 $▲=2\times3=6$입니다.

➡ $54\times▲=2\times3^3\times▲=2\times3^3\times(2\times3)=2^2\times3^4$

② $12\times●=2^2\times3\times●$가 제곱수가 되려면 홀수 번 곱해져 있는 3을 짝수 번이 되도록 더 곱해주면 됩니다.

①에 의해서

$12\times●=2^2\times3\times●=2^2\times3^4$이므로 $●=3^3=27$입니다.

③ $54\times▲=2^2\times3^4=■\times■$이고,

$2^2\times3^4=(2\times3^2)\times(2\times3^2)=18\times18$이므로 $■=18$입니다.

따라서 $●=27$, $▲=6$, $■=18$입니다.

해결 전략
주어진 식 $12\times●=54\times▲=■\times■$에서 $12\times●$와 $54\times▲$가 각각 제곱수가 되어야 합니다. 먼저 큰 수의 곱 $54\times▲$가 제곱수가 되기 위한 방법을 살펴봅니다.

6-2. 사물함 열고 닫기

56~57쪽

1 1번, 4번, 9번

2 43개

최상위 사고력 A 25, 100, 169

최상위 사고력 B 4개

저자 톡! 사물함 열고 닫기 문제는 약수의 개수를 이용하는 대표적인 문제입니다. 약수의 개수가 짝수 개인지 홀수 개인지에 따라 다른 상황이 벌어지는 문제에서 제곱수의 성질을 이용하여 문제를 해결할 수 있습니다.

1 첫번 째 학생이 모든 사물함을 열고, 그 다음 학생부터는 자기 순서의 배수 번호 사물함의 문을 열린 것은 닫고, 닫힌 것은 엽니다. 따라서 번호의 약수의 개수가 짝수 개인 사물함은 닫히고, 번호의 약수의 개수가 홀수 개인 사물함은 열립니다. 약수의 개수가 홀수 개인 수는 제곱수입니다.
1부터 10까지의 수 중에서 제곱수는 1, 4, 9이므로 열려 있는 사물함은 1번, 4번, 9번입니다.

해결 전략
열려 있는 사물함은 약수의 개수가 홀수 개인 번호를 가진 사물함입니다.

2 방석에 적힌 수의 약수의 개수만큼 뒤집힙니다. 홀수 번 뒤집은 방석은 방석에 적힌 수의 약수의 개수가 홀수 개이므로 제곱수입니다.
1부터 50까지의 수 중에서 제곱수는 1, 4, 9, 16, 25, 36, 49로 모두 7개입니다.
따라서 전체 방석 중에서 제곱수가 적힌 방석의 수를 빼면
파란색이 보이는 방석은 모두 $50-7=43$(개)입니다.

해결 전략
빨간색이 보이는 방석은 홀수 번 뒤집은 것이고, 파란색이 보이는 방석은 짝수 번 뒤집은 것입니다.

최상위 사고력 A
① 첫 번째와 두 번째 조건에서 200보다 작은 제곱수임을 알 수 있습니다.
➡ 1, 4, 9, 16, 25, 36, 49, 64, 81, 100, 121, 144, 169, 196
② ①의 수 중에서 서로 다른 제곱수의 합으로 나타낼 수 있는 수를 찾습니다.
➡ $9+16=25$, $36+64=100$, $25+144=169$

보충 개념
제곱수는 약수의 개수가 홀수 개입니다.

최상위 사고력 B
100보다 작은 제곱수 중에서 약수가 3개인 수를 찾습니다.
① 100보다 작은 제곱수: 1, 4, 9, 16, 25, 36, 49, 64, 81
② ①의 수 중에서 약수가 3개인 수는 같은 소수의 곱으로 나타낼 수 있는 수입니다.
➡ 4의 약수: 1, 2, 4
9의 약수: 1, 3, 9
25의 약수: 1, 5, 25
49의 약수: 1, 7, 49
따라서 4, 9, 25, 49로 모두 4개입니다.

해결 전략
약수가 3개인 수는 약수가 홀수 개인 수이므로 제곱수 중에 있습니다.

6-3. 0의 개수

58~59쪽

1 (1) 3개 (2) 3개 (3) 3개 2 200 최상위 사고력 24개

저자 톡! 수의 일의 자리부터 연속된 0의 개수는 수를 소인수분해하였을 때 나오는 (2×5)의 개수를 보고 알 수 있습니다. 2와 5를 하나씩 짝지을 때마다 0이 하나씩 생기는 것을 이용하여 문제를 해결합니다.

1 (1) $8\times12\times125=2^5\times3\times5^3$ ➡ 2가 5개, 5가 3개 있으므로 2와 5를 짝지어 만들 수 있는 10은 모두 3개입니다.
(2) $16\times25\times35=2^4\times5^3\times7$ ➡ 2가 4개, 5가 3개 있으므로 2와 5를 짝지어 만들 수 있는 10은 모두 3개입니다.
(3) $4\times36\times750=2^5\times3^3\times5^3$ ➡ 2가 5개, 5가 3개 있으므로 2와 5를 짝지어 만들 수 있는 10은 모두 3개입니다.

해결 전략
소인수분해했을 때 소인수 중에서 짝지을 수 있는 2와 5의 개수를 확인합니다.

2 $175=5\times5\times7$, $72=2\times2\times2\times3\times3$, $225=5\times5\times3\times3$이고, 0을 하나 만들기 위해서는 2, 5가 각각 하나씩 곱해져야 합니다.
주어진 곱에서 5가 4개, 2가 3개 있으므로 곱을 계산했을 때 일의 자리부터 연속된 0의 개수는 3개입니다.
곱해지는 수 중에 5가 2개, 2가 3개 더 있으면 0이 3개 더 만들어집니다.
따라서 □ 안에 알맞은 가장 작은 수는 $2\times2\times2\times5\times5=200$입니다.

해결 전략
소인수분해했을 때 소인수 중에서 짝지을 수 있는 2와 5의 개수가 6개가 되도록 합니다.

최상위 사고력 1부터 100까지의 모든 짝수는 2의 배수이므로
2의 배수보다 개수가 적은 5의 배수의 개수를 구해 봅니다.
• 5의 배수의 개수: 20개
• 25의 배수의 개수: 4개
따라서 일의 자리부터 연속된 0의 개수는 24개입니다.

최상위 사고력

60~61쪽

1 3 2 0
3 3136 4 961

1 곱으로만 연결된 식 중에서 $1\times2\times3\times4\times5$부터는 $2\times5=10$이 되어 곱의 일의 자리 숫자는 모두 0이 됩니다.
주어진 식의 일의 자리 숫자는
$1+1\times2+1\times2\times3+1\times2\times3\times4=1+2+6+24=33$이므로 3입니다.
따라서 계산 결과를 10으로 나눈 나머지는 3입니다.

해결 전략
10으로 나눈 나머지는 계산 결과에서 일의 자리 숫자를 말합니다.

2 $7, 7^2, 7^3, 7^4, 7^5, 7^6$……의 일의 자리 숫자는 7, 9, 3, 1, 7, 9……로 7의 거듭제곱의 일의 자리 숫자는 네 개의 숫자가 반복됩니다.
주어진 식에서 일의 자리 숫자 7, 9, 3, 1은 $100\div4=25$이므로 4개씩 25묶음이 나옵니다.
4개의 숫자를 더하면 $7+9+3+1=20$으로 일의 자리 숫자가 0이므로 계산 결과의 일의 자리 숫자는 0이 됩니다.

해결 전략
7의 거듭제곱에서 일의 자리 숫자를 생각합니다.

3 제곱수의 일의 자리 숫자는 반드시 0, 1, 4, 5, 6, 9 중의 하나이므로 35□2, 3□57은 제곱수가 될 수 없습니다.
3□36의 일의 자리 숫자가 6이므로 두 번 곱해야 하는 어떤 수의 일의 자리 숫자는 4 또는 6인 두 자리 수입니다.
어떤 수의 십의 자리의 숫자는 5 또는 6이므로 어떤 수는 54, 56, 64, 66 중에 될 수 있고, $56\times56=3136$이므로 제곱수는 3□36의 □ 안에 1을 써넣은 3136입니다.

해결 전략
제곱수 1, 4, 9, 16, 25……를 보고 제곱수의 일의 자리 숫자의 공통점을 찾습니다.

4 약수가 3개인 수는 같은 소수의 곱으로 나타낼 수 있는 제곱수입니다.
① 소수: 2, 3, 5, 7, 11, 13, 17, 19, 23, 29, 31……
② ①의 수 중 두 번 곱하여 만들 수 있는 가장 큰 세 자리 수는
$31\times31=961$입니다.

해결 전략
약수가 3개인 수는 약수가 홀수 개이므로 제곱수입니다.

최상위 사고력 7

최대공약수와 최소공배수

7-1. 유클리드 호제법

62~63쪽

1 (1) 풀이 참조, 2 (2) 풀이 참조, 18 2 13 최상위 사고력 19권, 47자루

저자 톡! 유클리드 호제법은 두 자연수의 최대공약수를 구하는 방법 중 하나입니다. 큰 수일수록 공약수로 나누거나 소인수분해하여 구하는 방법보다 유클리드 호제법이 더 편리함을 느껴보도록 합니다.

1 (1) 방법1 소인수분해하여 구하기

$72=2\times2\times2\times3\times3$
$34=2\times17$
2

➡ 72와 34의 최대공약수는 2입니다.

방법2 공약수로 구하기

2) 72 34
36 17

(2) 방법1 소인수분해하여 구하기

$$36=2\times2\times3\times3$$
$$54=2\times3\times3\times3$$
$$2\times3\times3$$

➡ 36과 54의 최대공약수는 $2\times3\times3=18$입니다.

방법2 공약수로 구하기

$$\begin{array}{r|rr} 2 & 36 & 54 \\ 3 & 18 & 27 \\ 3 & 6 & 9 \\ & 2 & 3 \end{array}$$

2 방법1 소인수분해하여 구하기

$$1872=2\times2\times2\times2\times3\times3\times13$$
$$455=5\times7\times13$$
$$13$$

따라서 1872와 455의 최대공약수는 13입니다.

방법2 공약수로 구하기

$$\begin{array}{r|rr} 13 & 1872 & 455 \\ & 144 & 35 \end{array}$$

지도 가이드

큰 수의 공약수를 찾기 어려울 때 이용하는 방법이 고대 그리스 수학자 유클리드가 만들어낸 유클리드 호제법입니다. 유클리드 호제법은 A를 B로 나눈 나머지가 C일 때 (A와 B의 최대공약수)=(B와 C의 최대공약수)라는 사실을 이용하는 방법입니다. 즉, 처음에 구하려고 했던 수의 크기를 점점 줄여 간단하게 만든 다음 최대공약수를 구하는 방법입니다.

$1872\div455=4\cdots52$

$455\div52=8\cdots39$

$52\div39=1\cdots13$

$39\div13=3$

최상위 사고력 $1927\div779=2\cdots369$

$779\div369=2\cdots41$

$369\div41=9$

41이 779와 1927의 최대공약수이므로 공책과 연필을 41명에게 나누어 준 것입니다. 따라서 한 사람이 받게 되는 공책은 $779\div41=19$(권), 연필은 $1927\div41=47$(자루)입니다.

해결 전략

공책과 연필은 모든 학생들에게 남김없이 최대로 나누어 주어야 하므로 최대공약수를 이용합니다.

7-2. 최대공약수와 최소공배수의 관계

64~65쪽

1 (1) 3 (2) 21 (3) 14400

2 4가지

최상위 사고력 A 12, 15

최상위 사고력 B 4가지

저자 톡! 최대공약수와 최소공배수가 조건으로 주어진 문제를 최대공약수와 최소공배수의 합 또는 곱의 관계를 이용하여 구하는 문제입니다. 최대공약수와 최소공배수의 관계를 알아보도록 합니다.

1 (1) $216=$(최대공약수)$\times72$ ➡ (최대공약수)$=216\div72=3$

(2) $63=3\times$(최소공배수) ➡ (최소공배수)$=63\div3=21$

(3) (두 수의 곱)$=60\times240=14400$

해결 전략

(두 수의 곱)=(최대공약수)×(최소공배수)

2 두 수 A, B의 최대공약수를 G라고 하면 두 수를 $A=a\times G$, $B=b\times G$라고 할 수 있습니다. 이때 a와 b의 최대공약수는 1이고, (최소공배수)$\div$(최대공약수)$=(a\times b\times G)\div G=a\times b$이므로 $1440\div12=120$입니다.
따라서 $a<b$라 하면 $(a, b)=(1, 120)$, $(3, 40)$, $(5, 24)$, $(8, 15)$이므로 두 수로 가능한 쌍은 $(A, B)=(12, 1440)$, $(36, 480)$, $(60, 288)$, $(96, 180)$로 4가지입니다.

보충 개념
$G\,)\underline{\,A\quad B\,}$
$\quad\;\; a\quad b$
(단, a와 b의 최대공약수는 1입니다.)
(최소공배수)$=G\times a\times b$

최상위 사고력 A 두 수의 합 27은 최대공약수의 배수이므로 최대공약수는 3 또는 9입니다.
① 최대공약수가 3일 때 두 수는 $3\times a$, $3\times b$로 생각할 수 있습니다.
(두 수의 곱)$=3\times(a\times b\times3)=3\times60=180$, $a\times b=20$
(두 수의 합)$=27=3\times(a+b)$, $a+b=9$
➡ $(a, b)=(4, 5)$, 두 수는 $4\times3=12$, $5\times3=15$입니다.
② 최대공약수가 9일 때 두 수는 $9\times a$, $9\times b$로 생각할 수 있습니다.
(두 수의 곱)$=9\times(a\times b\times9)=9\times60=540$
$a\times b$의 값을 구할 수 없으므로 최대공약수는 9가 아닙니다.

해결 전략
(두 수의 합)=(최대공약수의 배수),
(두 수의 곱)=(최대공약수)×(최소공배수)

최상위 사고력 B 최대공약수가 12이므로 두 수는 $12\times a$, $12\times b$로 생각할 수 있습니다.
(두 수의 합)$=360=12\times a+12\times b=12\times(a+b)$, $a+b=30$
$a<b$라 하면 조건을 만족하는 $(a, b)=(1, 29)$, $(7, 23)$, $(11, 19)$, $(13, 17)$입니다.
따라서 두 수는 $(12, 348)$, $(84, 276)$, $(132, 228)$, $(156, 204)$로 4가지입니다.

해결 전략
(두 수의 합)=(최대공약수의 배수),
(두 수의 곱)=(최대공약수)×(최소공배수)

7-3. 최대공약수와 최소공배수의 활용 66~67쪽

1 (1) 4 cm (2) 6 cm　　최상위 사고력 12개

1 (1) 직사각형을 덮을 수 있는 가장 큰 정사각형의 한 변의 길이는 직사각형의 가로와 세로의 최대공약수입니다.
$$\begin{array}{r|rr} 2 & 12 & 20 \\ 2 & 6 & 10 \\ \hline & 3 & 5 \end{array}$$
➡ 최대공약수: $2\times2=4$
(2) 직사각형으로 만들 수 있는 가장 작은 정사각형의 한 변의 길이는 직사각형의 가로와 세로의 최소공배수입니다.
따라서 가장 작은 정사각형의 한 변의 길이는 2와 3의 최소공배수인 6 cm입니다.

최상위 사고력

구하는 간격은 세 변의 길이를 같은 간격으로 나눌 수 있는 최대 길이이므로 18, 36, 24의 최대공약수 6 m가 기둥 사이의 간격입니다.

$$\begin{array}{r|rrr} 2 & 18 & 36 & 24 \\ \hline 3 & 9 & 18 & 12 \\ \hline & 3 & 6 & 4 \end{array}$$

➡ 최대공약수: $2\times3=6$

6 m 간격으로 기둥을 세울 때 가장 마지막 기둥이 벽에 붙게 되므로 벽에 붙는 1개를 제외한 총 기둥의 개수는 $3+6+4-1=12$(개)입니다.

보충 개념

세 수의 최대공약수도 두 수의 최대공약수를 구하는 방법과 같은 방법으로 구할 수 있습니다.

최상위 사고력

68~69쪽

1 14

2 11288

3 6월, 10일

4 (1) 10, 12 (2) 48개

1 ① (☆◎4)=28에서 ☆은 28의 약수이고, 4와의 최소공배수가 28이므로 ☆의 값이 될 수 있는 수는 7, 14, 28입니다.

② (☆※8)=2에서 ☆은 2로 한 번만 나누어떨어지는 수입니다.

①, ②의 조건을 동시에 만족하는 수는 14입니다.

해결 전략

4와의 최소공배수가 28이고, 8과의 최대공약수가 2인 수를 구합니다.

2 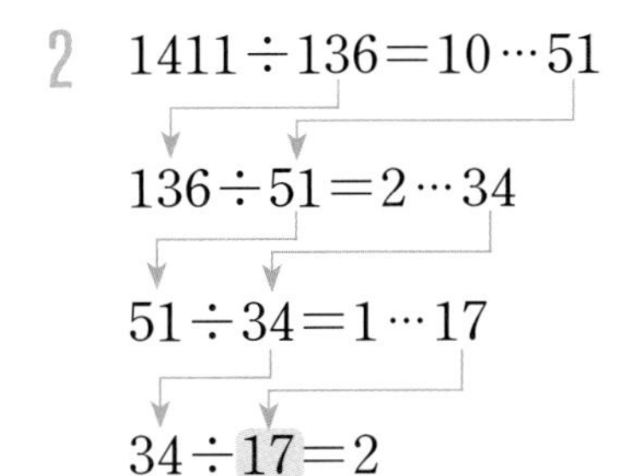

1411과 136의 최대공약수는 17입니다.

(두 수의 곱)÷(최대공약수)=(최소공배수)이므로

191896÷17=11288입니다.

해결 전략

두 수의 곱이 주어질 때 최소공배수를 구하는 것이므로

(두 수의 곱)÷(최대공약수)=(최소공배수)의 관계를 이용합니다.

3 월에 약수가 많을수록 서로소인 날이 적습니다.

1부터 12까지의 수 중 약수가 많은 수는 6, 10, 12이므로 6월, 10월, 12월의 조건에 맞는 날짜를 계산합니다.

6월: 2의 배수 또는 3의 배수인 날이 $15+10-5=20$(일)이므로 $30-20=10$(일)이 서로소의 날입니다.

10월: 2의 배수 또는 5의 배수인 날이 $15+6-3=18$(일)이므로 $31-18=13$(일)이 서로소의 날입니다.

12월: 2의 배수 또는 3의 배수인 날이 $15+10-5=20$(일)이므로 $31-20=11$(일)이 서로소의 날입니다.

따라서 6월에 서로소의 날이 10일로 가장 적습니다.

해결 전략

서로소의 날이 적으려면 월과 일 사이에 1 이외의 공약수가 있는 날이 많아야 합니다.

보충 개념

6월은 30일까지 있으므로

2의 배수인 날은 30÷2=15(일),

3의 배수인 날은 30÷3=10(일),

2와 3의 최소공배수인 6의 배수인 날은 30÷6=5(일)입니다.

따라서 6월에서 2의 배수 또는 3의 배수인 날은 15+10−5=20(일)입니다.

4 (1) 직접 당구공이 지나가는 길을 그려 보면 다음과 같습니다.

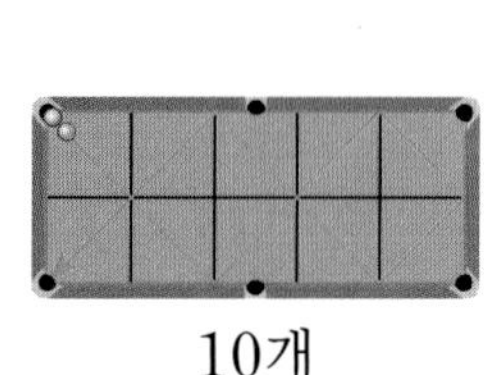

10개

12개

(2) 공이 지나가는 정사각형 격자의 개수는 가로 격자의 개수와 세로 격자의 개수의 최소공배수와 같습니다.

$$\begin{array}{r|rr} 2 & 12 & 16 \\ \hline 2 & 6 & 8 \\ \hline & 3 & 4 \end{array}$$

➡ 최소공배수: $2\times2\times3\times4=48$

Review II 수(1)

70~72쪽

1 25, 49

2 24, 32

3 예 $10=\boxed{3}+\boxed{7}$ $12=\boxed{5}+\boxed{7}$ $14=\boxed{7}+\boxed{7}$

$16=\boxed{5}+\boxed{11}$ $18=\boxed{5}+\boxed{13}$ $20=\boxed{3}+\boxed{17}$

$22=\boxed{5}+\boxed{17}$ $24=\boxed{7}+\boxed{17}$ $26=\boxed{7}+\boxed{19}$

$28=\boxed{11}+\boxed{17}$ $30=\boxed{11}+\boxed{19}$

4 7777777777

5 12개

6 37개

1 소수는 2, 3, 5, 7, 11, 13, 17, 19, 23, 29, 31……입니다.
위에서 찾은 소수 중 두 번 곱하여 만들 수 있는 가장 작은 두 자리 수는 $5\times5=25$입니다.
위에서 찾은 소수 중 두 번 곱하여 만들 수 있는 가장 큰 두 자리 수는 $7\times7=49$입니다.
따라서 가장 작은 두 자리 수는 25, 가장 큰 두 자리 수는 49입니다.

> 해결 전략
> 약수가 3개인 수는 같은 소수의 곱으로 나타낼 수 있는 제곱수입니다.

2 두 수 A, B의 최대공약수가 8이므로 두 수를 $A=a\times8$, $B=b\times8$이라고 할 수 있습니다.
이때 a와 b의 최대공약수는 1이고,
(최소공배수)÷(최대공약수)$=(a\times b\times G)\div G=a\times b$이므로
$96\div8=12$입니다.
$a>b$라 하면 $(a, b)=(4, 3)$인 경우만 주어진 조건을 만족하므로
$A=4\times8=32$, $B=3\times8=24$
따라서 두 수는 24, 32입니다.

3 이외에도 다양하게 나타낼 수 있습니다.

$12=5+7$, $14=3+11$, $16=3+13$, $18=7+11$,
$20=7+13$, $22=11+11=3+19$,
$24=5+19=11+13$, $26=13+13=3+23$,
$28=5+23$, $30=13+17=7+23$

4 $77=7\times11$, $777=7\times111$, $7777=7\times1111$……로 나타낼 수 있습니다.

이 중 63으로 나누어떨어질 수 있는 가장 작은 수는 $63=3^2\times7$이므로 $777\cdots777=7\times a$에서 a는 $3^2=9$의 배수여야 합니다. 9의 배수는 각 자리 숫자의 합이 9의 배수이므로 a는 111111111입니다.

따라서 가장 작은 수는 777777777입니다.

해결 전략

$63=7\times9$이므로 주어진 수는 7과 9의 공배수입니다.

5 $360=2^3\times3^2\times5$

약수의 개수는 $(3+1)\times(2+1)\times(1+1)=24$(개)이고,
이 중에서 5의 배수가 아닌 수는 2와 3의 곱으로만 이루어진 수입니다.
$(2^3\times3^2)$의 약수의 개수는 $(3+1)\times(2+1)=12$(개)이므로
5의 배수의 개수는 $24-12=12$(개)입니다.

6 곱을 소인수의 곱으로 나타내었을 때 2의 개수가 5의 개수보다 많으므로 2의 개수를 구하지 않고 5의 개수만 구합니다.

5의 배수: 30개, 25의 배수: 6개, 125의 배수: 1개

➡ 곱을 계산했을 때 나오는 5의 개수: $30+6+1=37$(개)

따라서 짝지어 만들 수 있는 10의 개수는 37개이므로 연속된 0의 개수는 37개입니다.

해결 전략

일의 자리부터 연속된 0의 개수는 (2×5)의 개수로 정해집니다.

Ⅲ 규칙

지금까지 규칙 찾기는 변하는 하나의 양에만 관심을 두었다면 이번 단원에서는 변하는 두 양 사이의 대응 관계에 주목하여 학습하게 됩니다.

8 규칙과 대응에서는 규칙적으로 배열되어 있는 도형에서 각 단계에 따라 변하는 수 사이에 대응 관계를 알아보고, 이를 □를 사용한 식으로 나타내며 그 식의 의미를 이해하게 됩니다. 또한 원 안에 직선을 하나씩 그어 보며 직선의 교점과 직선으로 나누어지는 영역이 최대가 될 때의 규칙을 찾아보고, 이어서 문장제 문제를 직접 해보기, 그림 그리기 등의 다양한 방법을 통하여 규칙을 찾아 문제를 해결하게 됩니다.

9 약속 찾기에서는 우리가 알고 있는 사칙연산(덧셈, 뺄셈, 곱셈, 나눗셈) 이외에 이미 약속되지 않은 다양한 연산 기호들과 규칙에 관한 문제들을 학습하게 됩니다. 수학은 사칙연산의 학문이라는 고정관념에서 벗어나 규칙과 논리를 다루며 다양한 문제해결력을 길러주는 훌륭한 학문이라는 인식을 갖는 계기가 될 수 있습니다.

또한 대응 관계의 개념은 이후 중학교의 함수 학습과 직접적으로 연계되므로 대응 관계에 있는 여러 가지 상황을 정확히 이해할 수 있도록 합니다.

최상위 사고력 8 규칙과 대응

8-1. 도형의 개수

74~75쪽

1 풀이 참조　　2 101개　　최상위 사고력 108칸

저자 톡! 각 단계마다 놓이는 도형의 배열에서 규칙을 찾아 □번째에 놓이는 도형의 개수를 구하는 내용입니다. 각 단계의 도형의 개수를 표로 나타낸 후 일정하게 늘어나거나 줄어드는 수의 관계를 이용하여 문제를 해결합니다. 수의 관계를 잘 알 수 없는 경우에는 이전 단계와 비교해서 변화하는 부분을 □를 사용한 식으로 나타내면 표를 그리지 않고도 쉽게 해결할 수 있습니다.

1 ① 식: $1+2\times21=43$(개)

방법: 처음에 성냥개비를 1개 놓으면 삼각형을 1개씩 만들 때마다 성냥개비가 2개씩 필요하므로 삼각형 21개를 만드는 데 성냥개비는 $2\times21=42$(개) 더 필요합니다.

② 식: $3+2\times20=43$(개)

방법: 처음 삼각형을 만들기 위해 성냥개비를 3개 놓습니다. 삼각형을 1개씩 더 만들려면 성냥개비가 2개씩 필요하므로 삼각형 21개를 만드는 데 성냥개비는 $2\times20=40$(개) 더 필요합니다.

③ 식: $3\times11+10=43$(개)

방법: 삼각형이 21개이므로 아래에 놓이는 삼각형은 11개, 위에 놓이는 삼각형은 10개입니다. 먼저 아래에 놓이는 삼각형 11개를 만들려면 성냥개비가 $3\times11=33$(개)가 필요하고,

위에 있는 삼각형 10개를 만들려면 성냥개비가 1개씩 더 필요하므로 10개가 필요합니다.

2

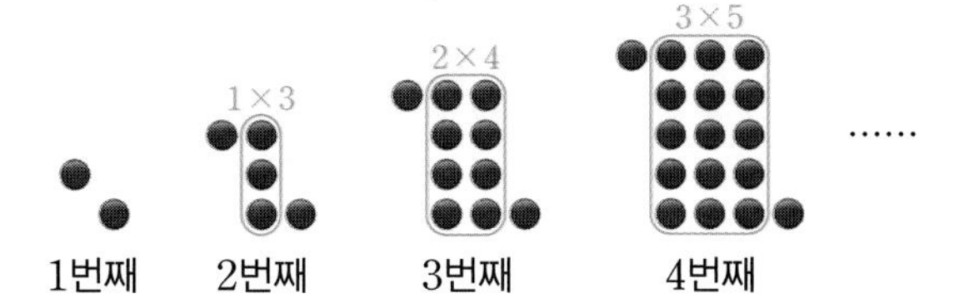

1번째: 2

2번째: $1\times3+2$

3번째: $2\times4+2$

4번째: $3\times5+2$

⋮

□번째: $(\square-1)\times(\square+1)+2$

따라서 10번째에 나오는 바둑돌의 개수는 $9\times11+2=101$(개)입니다.

해결 전략

각 단계별 변하는 바둑돌의 개수의 규칙을 찾아 식을 세워 봅니다.

다른 풀이

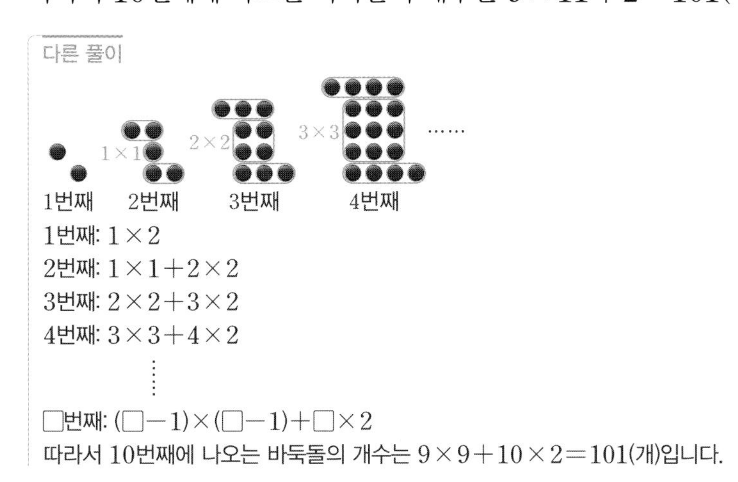

1번째: 1×2

2번째: $1\times1+2\times2$

3번째: $2\times2+3\times2$

4번째: $3\times3+4\times2$

⋮

□번째: $(\square-1)\times(\square-1)+\square\times2$

따라서 10번째에 나오는 바둑돌의 개수는 $9\times9+10\times2=101$(개)입니다.

최상위 사고력 각 단계별로 전체 칸의 수와 색칠된 칸의 수를 식으로 나타내어 봅니다.

	1번째	2번째	3번째	4번째	5번째
전체 칸의 수	3×3	5×5	7×7	9×9	11×11
색칠된 칸의 수	1	1+4	1+4+8	1+4+8+12	1+4+8+12+16

□번째 전체 칸의 수는 $(\square\times2+1)\times(\square\times2+1)$(칸)이고,

□번째에 색칠된 칸의 수는

$1+1\times4+2\times4+3\times4+\cdots\cdots+(\square-1)\times4$(칸)입니다.

6번째 모양의 전체 칸은 $13\times13=169$(칸)이고,

색칠된 작은 칸은 $1+4+8+12+16+20=61$(칸)입니다.

따라서 색칠하고 남은 칸은 $169-61=108$(칸)입니다.

보충 개념

차가 일정한 수열에서 □번째 수는 (첫 번째 수)+(일정하게 더하는 수)×(□−1)로 구합니다.

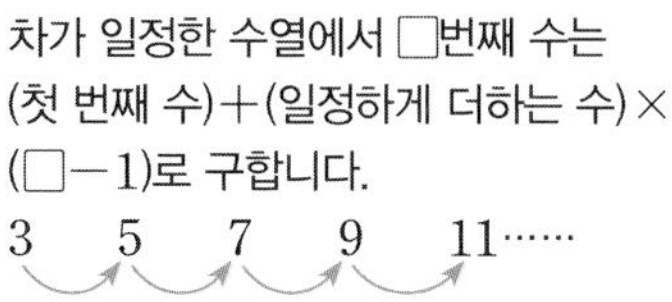

➡ (□번째 수)$=3+2\times(\square-1)$
$=3+2\times\square-2$
$=\square\times2+1$

➡ (6번째 전체 칸의 수)
$=6\times2+1=13$

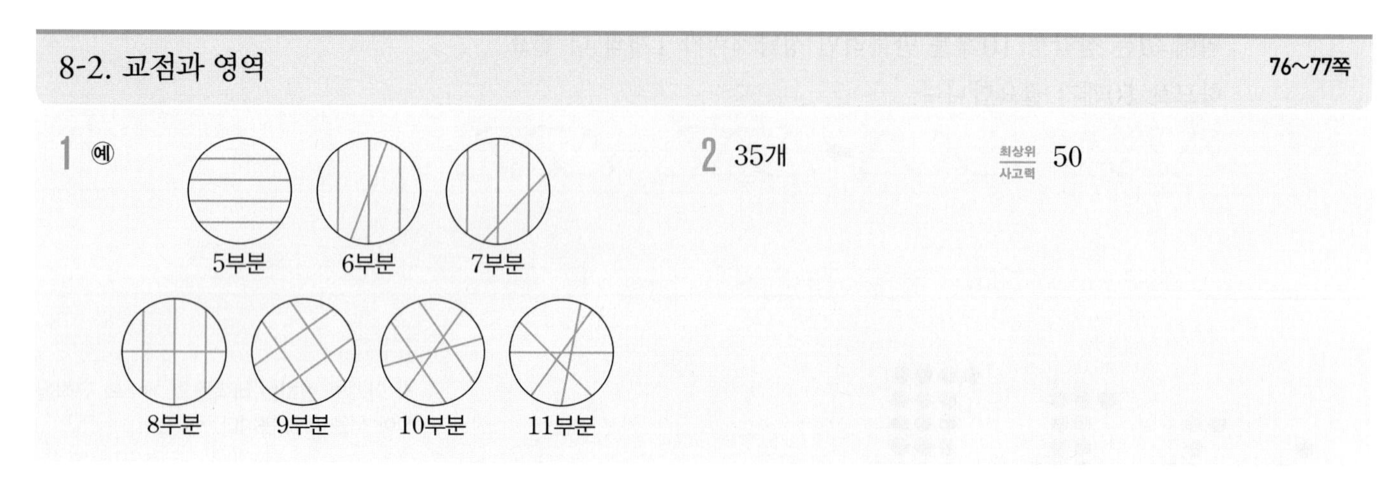

저자 톡! 원에 몇 개의 직선을 그었을 때 생기는 교점과 영역의 최대 개수를 구하는 내용입니다. 앞에서 학습한 도형의 개수 규칙과 같이 원에 직접 직선을 하나씩 그어 가며 개수의 규칙을 찾습니다.

1 원 안에서 교점이 1개씩 늘어날 때마다 영역의 개수도 1개씩 많아집니다.

2

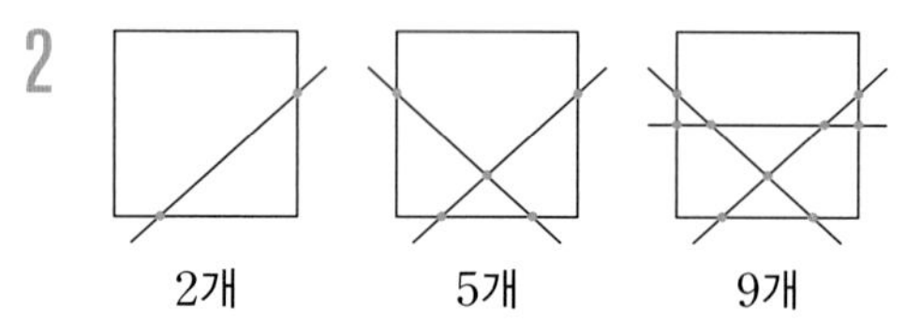

해결 전략
교점의 개수의 규칙을 찾을 때 직선과 사각형의 교점, 직선과 직선의 교점으로 나누어 찾아봅니다.

사각형에 직선 1개를 더 그을 때마다 사각형과 두 점에서 반드시 만납니다.

또한 직선끼리의 교점의 개수가 최대가 되려면 직선을 그을 때마다 전에 그은 직선과 모두 만나도록 그어야 합니다.

직선의 개수(개)	1	2	3	4	5	6	
직선과 사각형의 교점의 개수(개)	2	4	6	8	10	12	→ 2씩 늘어남
직선끼리의 교점의 개수(개)	0	1	3	6	10	15	→ 1, 2, 3, 4……씩 늘어남
늘어나는 교점의 개수(개)	2	5	9	14	20	27	→ 3, 4, 5, 6……씩 늘어남

직선끼리의 교점의 개수는 1개, 2개, 3개, 4개……씩 늘어나므로

0개, 1개, (1+2)개, (1+2+3)개, (1+2+3+4)개……가 됩니다.

□번째 직선을 그었을 때 교점의 최대 개수는 □×2+(1+2+3+……+(□−1))입니다.

(□×2: 직선과 사각형의 교점의 개수, (1+2+3+……+(□−1)): 직선끼리의 교점의 개수)

따라서 사각형에 직선 7개를 그으면 교점은 최대

$7\times2+(1+2+3+4+5+6)=14+21=35$(개)가 생깁니다.

최상위 사고력 그림을 그려 규칙을 찾고, 규칙에 맞게 표로 나타내어 직선 7개로 자르는 최대 조각의 개수와 교점의 최대 개수의 합을 구합니다.

해결 전략
원에 직접 직선을 하나씩 그어 가며 규칙을 찾아봅니다.

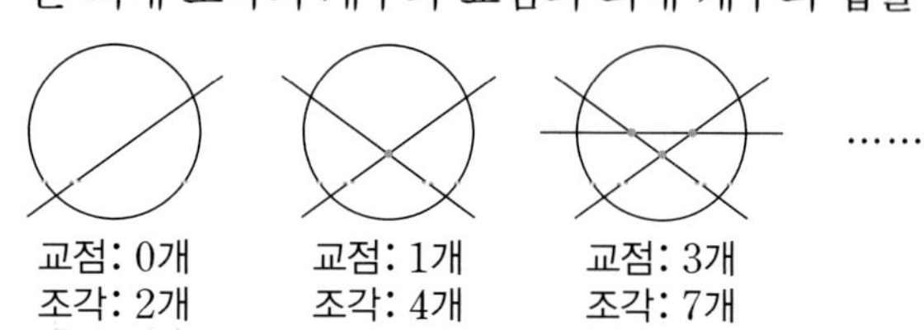

……

직선의 개수(개)	1	2	3	4	5	6	7	
교점의 최대 개수(개)	0	1	3	6	10	15	21	→ 1, 2, 3, 4……씩 늘어남
최대 조각의 개수(개)	2	4	7	11	16	22	29	→ 2, 3, 4, 5……씩 늘어남
교점과 조각의 개수의 합	2	5	10	17	26	37	50	→ 3, 5, 7, 9……씩 늘어남

따라서 자르는 선들의 교점의 개수와 원의 나누어진 조각의 개수의 합이 최대가 될 때의 값은 50입니다.

8-3. 규칙 찾아 문제 해결하기

78~79쪽

1 19번　　2 64번　　최상위 사고력 8

저자 톡! 앞에서는 주어진 도형을 이용하여 규칙을 찾아 도형의 개수를 구하는 문제를 다루었습니다. 이번에는 문장제를 이용한 규칙 찾기 문제를 학습합니다. 문제를 해결하기 위해서는 앞에서와 같이 직접 해 보기, 표나 그림 그리기, 예상하고 확인하기 등 규칙 찾기 전략이 사용됩니다.

1 1번과 12번이 마주 보게 되므로 마주 보는 두 사람의 번호의 차는 $12-1=11$입니다.
따라서 8번과 마주 보는 학생의 등 번호는 $8+11=19$(번)입니다.

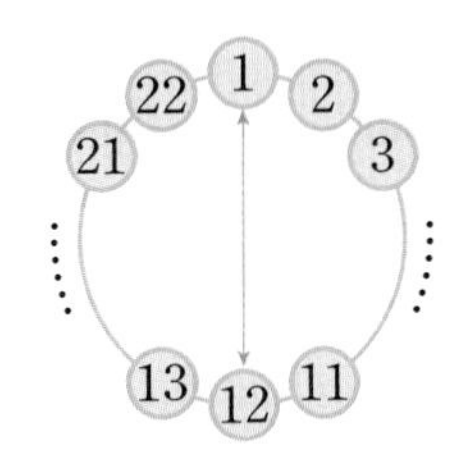

다른 풀이
마주 보는 두 사람 사이에는 양쪽으로 각각 $(22-2)\div2=10$(명)이 있습니다.
8번과 마주 보는 사람 사이에도 10명의 사람이 있으므로 8번과 마주 보는 사람의 번호는 $8+10+1=19$(번)입니다.

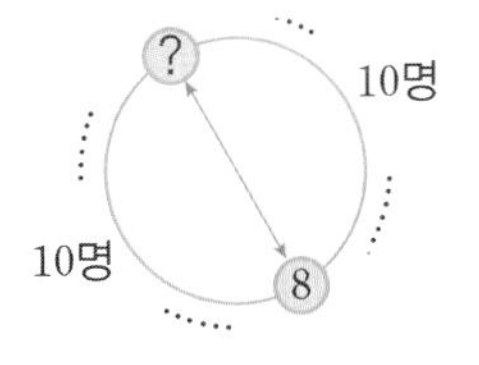

해결 전략
마주 보는 두 사람의 등 번호의 차를 구합니다.

2 ① 1번을 포함하여 1명씩 건너서 빼므로 짝수 번째 사람들만 남습니다.
⇒ 1, 2, 3, 4, 5, 6…… 61, 62, 63, 64
② 2번을 포함하여 2번부터 1명씩 건너서 빼므로 번호가 4의 배수인 사람들만 남습니다.
⇒ 2, 4, 6, 8, 10, 12…… 58, 60, 62, 64
③ 4번을 포함하여 4번부터 1명씩 건너서 빼므로 번호가 8의 배수인 사람들만 남습니다.
⇒ 4, 8, 12, 16, 20…… 56, 60, 64
④ 8번을 포함하여 8번부터 1명씩 건너서 빼므로 번호가 16의 배수인 사람들만 남습니다.
⇒ 8, 16, 24, 32, 40, 48, 56, 64
⑤ 16번을 포함하여 16번부터 1명씩 건너서 빼므로 번호가 32의 배수인 사람들만 남습니다.
⇒ 16, 32, 48, 64
따라서 64번이 배에 탈 사람으로 뽑히게 됩니다.

해결 전략
직접 규칙에 따라 몇 번 해 보며 규칙을 찾습니다.

최상위 사고력 1부터 0까지의 수가 반복되므로 1부터 200까지 수를 순서대로 쓰고, 홀수 번째 수를 모두 지운 다음 다시 홀수 번째 수를 모두 지우는 것을 반복하였을 때 마지막에 남는 수의 일의 자리 숫자를 구하는 문제로 바꾸어 다음과 같이 생각합니다.

① 1을 포함하여 홀수 번째 수를 지우므로 짝수만 남습니다. ➡ 1, 2, 3, 4, 5, 6 …… 197, 198, 199, 200

② 2를 포함하여 홀수 번째 수를 지우므로 4의 배수만 남습니다.
➡ 2, 4, 6, 8, 10, 12 …… 194, 196, 198, 200

③ 4를 포함하여 홀수 번째 수를 지우므로 8의 배수만 남습니다.
➡ 4, 8, 12, 16, 20, 24 …… 188, 192, 196, 200

④ 8을 포함하여 홀수 번째 수를 지우므로 16의 배수만 남습니다.
➡ 8, 16, 24, 32, 40, 48 …… 176, 184, 192, 200

⑤ 16을 포함하여 홀수 번째 수를 지우므로 32의 배수만 남습니다.
➡ 16, 32, 48, 64, 80, 96, 112, 128, 144, 160, 176, 192

⑥ 32를 포함하여 홀수 번째 수를 지우므로 64의 배수만 남습니다. ➡ 32, 64, 96, 128, 160, 192

⑦ 64를 포함하여 홀수 번째 수를 지우므로 128의 배수만 남습니다. ➡ 64, 128, 192

따라서 마지막 남은 수 128의 일의 자리 숫자는 8이므로 마지막에 남는 수는 8입니다.

최상위 사고력

80~81쪽

1 40 m
2 12개, 78개
3 306개
4 21, 22

1

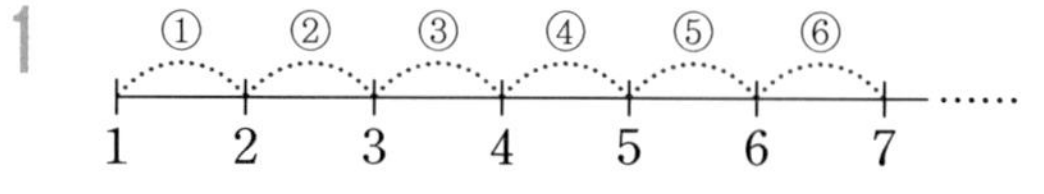

1번부터 2번, 3번, 4번…… 사이의 간격 수는 1개, 2개, 3개……로 (학생 사이의 간격 수)=(번호의 차)의 규칙이 있습니다.
1번부터 7번까지의 간격은 6개이고, 1번부터 25번까지의 간격은 24개입니다.
따라서 6개의 간격이 10 m이므로 24개의 간격은
$24 \div 6 \times 10 = 40$(m)입니다.

해결 전략
먼저 1번부터 7번까지의 간격 수와 1번부터 25번까지의 간격 수를 구해 봅니다.

2 • 최소 개수

직선의 개수와 조각의 최대 개수를 표로 나타내어 봅니다.

직선의 개수(개)	1	2	3	4	5	6	7	8	9	10	11	12
조각의 개수(개)	2	4	7	11	16	22	29	37	46	56	67	79
늘어난 조각의 개수(개)		+2	+3	+4	+5	+6	+7	+8	+9	+10	+11	+12

➡ 직선의 개수가 1개씩 늘어날 때마다 조각의 최대 개수는 2개, 3개, 4개……씩 늘어납니다.
따라서 그을 수 있는 직선의 최소 개수는 12개입니다.

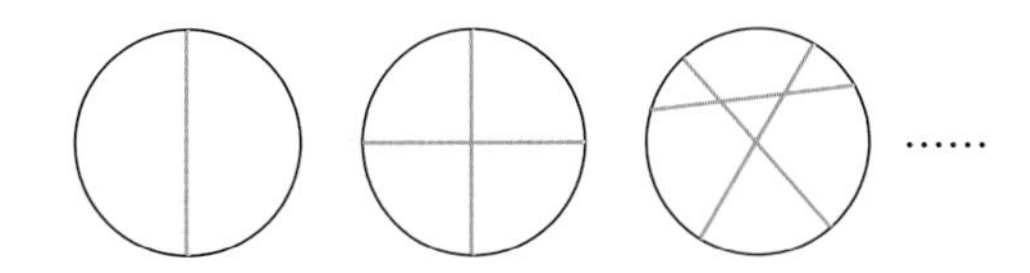

• 최대 개수

직선의 개수에 따라 조각의 최소 개수는 항상 선의 개수보다 1개 더 많습니다.
따라서 그을 수 있는 직선의 최대 개수는 $79-1=78$(개)입니다.

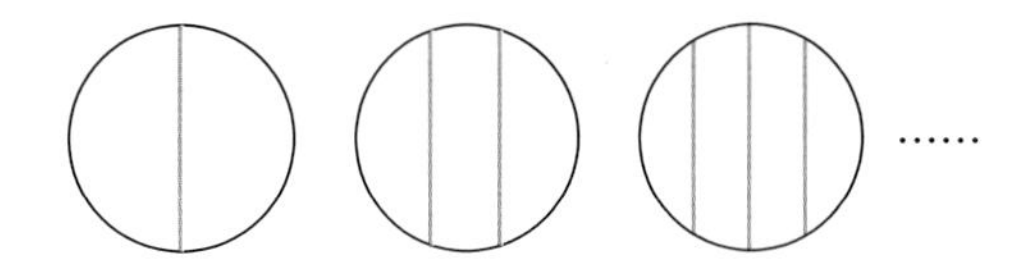

3 흰 바둑돌과 검은 바둑돌의 규칙을 각각 구합니다.

흰 바둑돌의 개수(개)	1×1	2×2	3×3	4×4	5×5
검은 바둑돌의 개수(개)	0	1×2	$(1+2)\times2$	$(1+2+3)\times2$	$(1+2+3+4)\times2$

□번째 흰 바둑돌의 개수는 □×□(개),
검은 바둑돌의 개수는 (0+1+2+……+(□−2)+(□−1))×2(개)입니다.
따라서 □×□=324, □=18이므로
18번째 검은 바둑돌의 개수는 $(0+1+2+\cdots\cdots+16+17)\times2=306$(개)입니다.
└$(0+17)\times18\div2=153$

4 직접 종이를 접어 보면 다음과 같은 3가지 규칙을 찾을 수 있습니다.
① 한 번 접을 때마다 칸의 수는 64칸부터 반씩 줄어듭니다.
64칸 → 32칸 → 16칸 → 8칸 → 4칸 → 2칸 → 1칸
② 다음에 색칠한 칸에 보이는 수는 종이의 아래쪽에 있는 수입니다.
③ 종이의 아래쪽에 있는 수는 ①과 같이 반씩 줄어들며 왼쪽, 오른쪽, 왼쪽, 오른쪽……으로 교대로 나타나게 됩니다.
이와 같은 규칙을 이용하여 종이의 위·아래에 보이는 수를 찾습니다.

해결 전략
직접 접은 모양을 생각하여 그려 보며 규칙을 찾아봅니다.

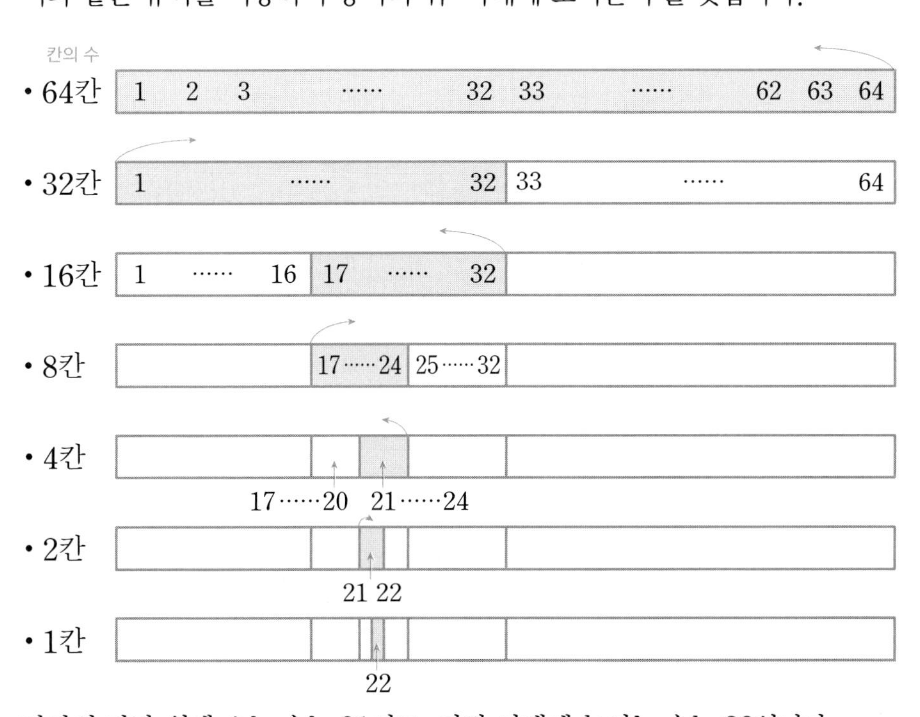

따라서 가장 위에 오는 수는 21이고, 가장 아래에 놓이는 수는 22입니다.

9-1. 관계 규칙

82~83쪽

1 19

2 (1) 16 (2) 40

최상위 사고력 A 7

최상위 사고력 B 24

저자 톡! 일정한 연산 규칙만 있다면 새로운 연산 약속을 만들 수 있습니다. 이 단원에서는 새로운 연산 기호를 이용한 몇 가지 예들을 통하여 연산 규칙을 찾고 규칙에 맞게 계산하는 학습을 합니다.

1 민호가 대답한 수는 수지가 부른 수보다 크거나 같으므로 사칙연산 중에서 덧셈 또는 곱셈을 생각합니다.
수지가 부른 수에 한 가지 연산만을 사용하면 민호가 대답한 수가 나오지 않으므로 2가지 이상의 연산을 사용하여 연산 규칙을 찾아봅니다.
$1\times3-2=1$, $5\times3-2=13$, $2\times3-2=4$, $6\times3-2=16$, $8\times3-2=22$이므로 (수지가 부른 수)$\times3-2=$(민호가 대답한 수)입니다.
따라서 수지가 부른 수가 7일 때 민호가 대답한 수는 $7\times3-2=19$입니다.

해결 전략
㉠×(어떤 수)+㉡ 또는
㉠×(어떤 수)−㉡을 이용해 봅니다.

2 앞의 수와 뒤의 수의 곱에 뒤의 수를 더하는 규칙입니다.
➡ ㉠♣㉡=㉠×㉡+㉡
(1) 3♣4=$3\times4+4=16$
(2) 7♣5=$7\times5+5=40$

다른 풀이
앞의 수에 1을 더한 수와 뒤의 수를 곱하는 규칙입니다.
➡ ㉠♣㉡=(㉠+1)×㉡
(1) 3♣4=$(3+1)\times4=16$ (2) 7♣5=$(7+1)\times5=40$

보충 개념
2♣1=$2\times1+1=3$
3♣2=$3\times2+2=8$
5♣2=$5\times2+2=12$
2♣3=$2\times3+3=9$
1♣4=$1\times4+4=8$

최상위 사고력 A 앞의 수와 뒤의 수의 곱에서 뒤의 수를 빼는 규칙입니다.
➡ ㉠●㉡=㉠×㉡−㉡
4●□=4×□−□=3×□에서 3×□=21, □=7입니다.
따라서 □ 안에 알맞은 수는 7입니다.

다른 풀이
앞의 수에서 1을 뺀 수와 뒤의 수를 곱하는 규칙입니다.
➡ ㉠●㉡=(㉠−1)×㉡
4●□=(4−1)×□=3×□에서 3×□=21, □=7입니다.
따라서 □ 안에 알맞은 수는 7입니다.

보충 개념
3●2=$3\times2-2=4$
2●4=$2\times4-4=4$
6●2=$6\times2-2=10$
3●5=$3\times5-5=10$

최상위 사고력 B

㉣=(㉠과 ㉢의 차)×㉡
□=$(6-3)\times8=24$

해결 전략
삼각형의 세 꼭짓점에 있는 수를 이용하여 가운데 수를 만들어 봅니다.

9-2. 혼합 계산 규칙

84~85쪽

1 38

2 (1) 11 (2) 11

최상위 사고력 (1) 15, 39 (2)

저자 톡! 이 단원에서는 여러 가지 연산 기호와 괄호가 섞인 식을 학습합니다. 사칙연산의 계산에서 계산 순서가 중요했던 것처럼 새로운 연산기호가 사용된 식에서도 괄호가 있는 경우 괄호부터 먼저 계산합니다.

1 5▲(3●(6▲4))

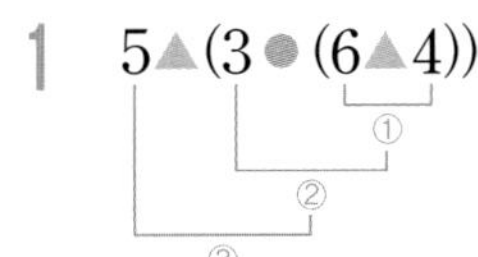

① 6▲4=6+4+1=11

② 3●11=3×11−1=32

③ 5▲32=5+32+1=38

보충 개념
사칙연산의 혼합 계산과 같이 괄호를 먼저 계산합니다.

2 ◆, ▼, ◎ 3가지 연산은 다음과 같은 규칙이 있습니다.

> ㉠◆㉡=(㉠+㉡)÷2
> ㉠▼㉡=(㉠, ㉡ 중 큰 수)+(㉠, ㉡ 중 작은 수)×2
> ㉠◎㉡=㉠÷㉡의 나머지

(1) (3▼2)◆(7▼4)

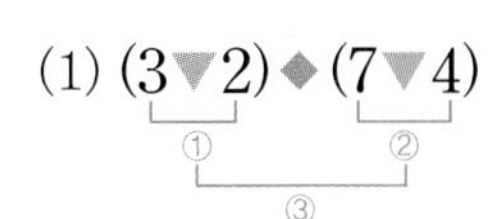

① 3▼2=3+2×2=7

② 7▼4=7+4×2=15

③ 7◆15=(7+15)÷2=11

(2) 23◎(3▼(8◆4))

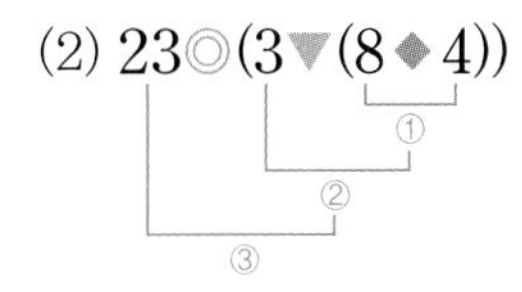

① 8◆4=(8+4)÷2=6

② 3▼6=6+3×2=12

③ 23◎12=11 — 23÷12=1⋯11

최상위 사고력 다음과 같은 3가지 규칙을 찾을 수 있습니다.

> ① □는 3을 나타냅니다.
> ② □를 옆으로 그리면 □의 수만큼 더합니다.
> ③ □를 포함하게 그리면 □의 수만큼 곱합니다.

(1) ➡ 3×3+3+3=15

➡ (3+3+3)×3+(3×3)+3=39

(2) 먼저 36과 60에 가장 가까운 수를 □를 최소로 그려 나타내어 보고, □를 더 적게 사용할 수 없는지 생각해 봅니다.

• $36=12\times3=(3\times3+3)\times3$

➡ 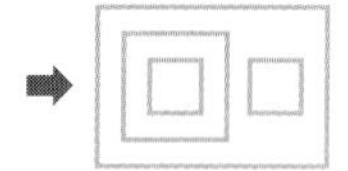

• $60=54+6=18\times3+6=(3+3)\times3\times3+3+3$

➡ ▢▢▢▢

보충 개념

보통 곱셈이 덧셈보다 계산 결과가 더 크다고 생각하기 쉽습니다. 그러나 경우에 따라 주어진 수를 더 적게 사용하여 큰 수를 만드는 데에 덧셈이 사용됩니다.

예 18은 $9+9=18$이고, $3\times3=9$이므로 3 네 개($18=3\times3+3\times3$)로 만드는 것으로 생각하기 쉽지만 3 세 개 ($18=(3+3)\times3$)로 만들 수 있습니다.

9-3. 처음 수 구하기

86~87쪽

1 16 　 2 7, 9, 10, 12, 16 　 최상위 사고력 104, 112, 120, 128, 145, 153, 161, 169, 177

저자 톡! 어떤 규칙에 따라 나온 수를 보고 원래의 수를 구하는 내용입니다. 이런 경우 결과로부터 거꾸로 거슬러 올라가서 처음 수를 찾는 방법인 '거꾸로 풀기 방법'을 이용하도록 합니다.

1 16부터 수를 나열하면 다음과 같습니다.

$16\rightarrow7\rightarrow14\rightarrow5\rightarrow10\rightarrow1\rightarrow2\rightarrow4\rightarrow8\rightarrow16\rightarrow7\rightarrow14\rightarrow\cdots\cdots$

16부터 8까지 9개의 수가 반복됩니다.

$100\div9=11\cdots1$이므로 100번째 수는 16입니다.

해결 전략

규칙에 따라 수를 나열한 후 반복되는 수를 찾습니다.

2 상자에 넣은 수가 홀수인 경우는 (넣은 수)-1이 나오는 규칙이고, 짝수인 경우는 (넣은 수)$\div2$가 나오는 규칙입니다.

마지막 수 1부터 거꾸로 계산하며 상자에 넣은 수가 짝수일 때와 홀수일 때로 나누어 찾아봅니다.

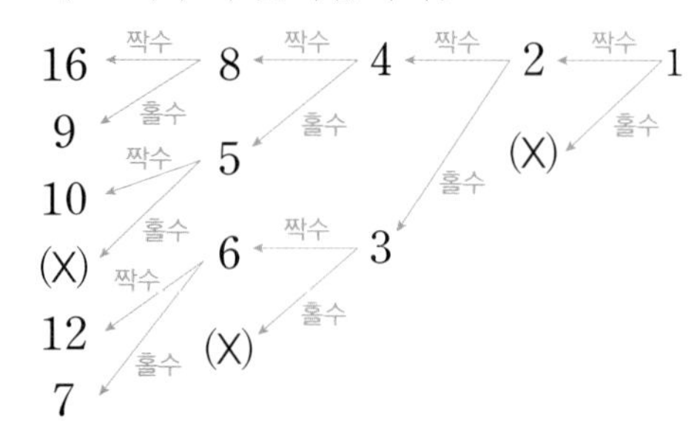

따라서 어떤 수로 가능한 수는 7, 9, 10, 12, 16입니다.

해결 전략

넣은 수가 홀수인 경우와 짝수인 경우로 나누어 구해 봅니다.

보충 개념

거꾸로 생각하여 처음 수를 구할 때에는 덧셈은 뺄셈으로, 뺄셈은 덧셈으로, 곱셈은 나눗셈으로, 나눗셈은 곱셈으로 바꾸어 계산합니다.

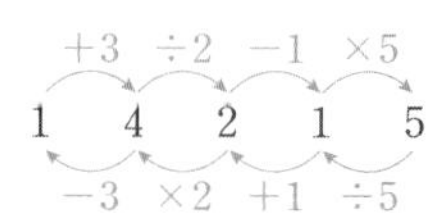

최상위 사고력 계산기의 규칙은 어떤 수를 누른 후 [=] 버튼을 누르면 어떤 수의 각 자리 숫자 중 이웃한 두 수의 합이 차례로 나오는 것입니다. 이 규칙을 이용하여 200보다 작은 세 자리 수 중에서 [=] 버튼을 눌러 5가 나오는 수를 찾아야 합니다.
다음과 같이 5에서부터 이 규칙을 거꾸로 생각하여 200보다 작은 세 자리 수를 모두 찾아봅니다.

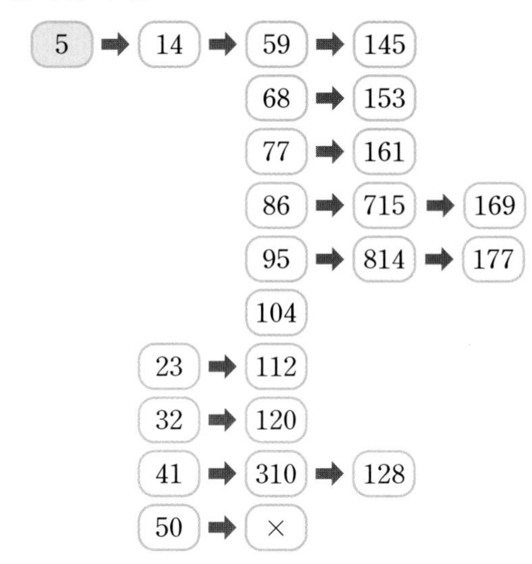

따라서 바뀐 수가 5가 되는 세 자리 수 중 200보다 작은 세 자리 수는 104, 112, 120, 128, 145, 153, 161, 169, 177입니다.

> 해결 전략
> 먼저 계산기의 규칙을 찾은 다음 규칙을 이용하여 5에서부터 거꾸로 찾아봅니다.

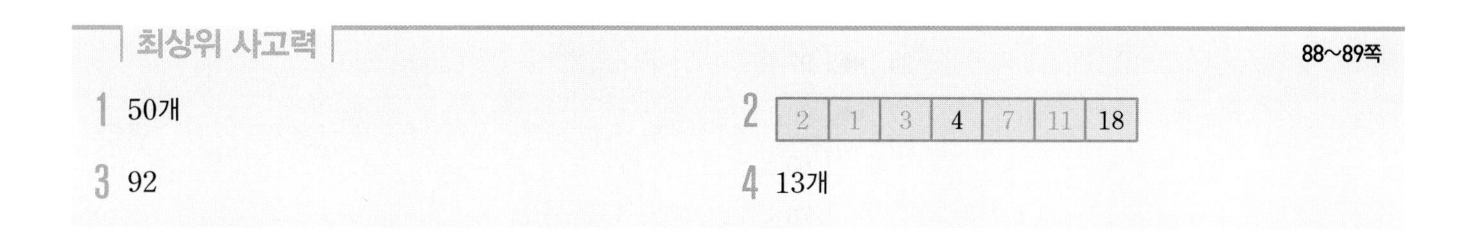

1 할머니가 호랑이에게 떡의 절반과 3개를 더 주었으므로 거꾸로 계산할 때에는 남은 떡의 개수에 3개를 더한 후 2배합니다.

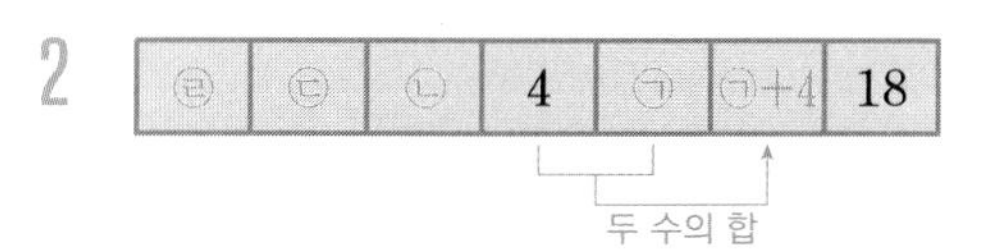

> 해결 전략
> 거꾸로 계산하여 해결합니다.

2

㉣	㉢	㉡	4	㉠	㉠+4	18

두 수의 합

① ㉠+(㉠+4)=18, ㉠×2=14, ㉠=7
② ㉡+4=7, ㉡=3
③ ㉢+3=4, ㉢=1
④ ㉣+1=3, ㉣=2

> 해결 전략
> 거꾸로 계산하여 해결합니다.

3 〈51〉 ➡ 51×3÷7 ➡ 6, 〈52〉 ➡ 52×3÷7 ➡ 2,
〈53〉 ➡ 53×3÷7 ➡ 5, 〈54〉 ➡ 54×3÷7 ➡ 1,
〈55〉 ➡ 55×3÷7 ➡ 4, 〈56〉 ➡ 56×3÷7 ➡ 0,
〈57〉 ➡ 57×3÷7 ➡ 3, 〈58〉 ➡ 58×3÷7 ➡ 6,
〈59〉 ➡ 59×3÷7 ➡ 2, 〈60〉 ➡ 60×3÷7 ➡ 5,
〈61〉 ➡ 61×3÷7 ➡ 1, 〈62〉 ➡ 62×3÷7 ➡ 4,
〈63〉 ➡ 63×3÷7 ➡ 0, 〈64〉 ➡ 64×3÷7 ➡ 3 ……
➡ 6, 2, 5, 1, 4, 0, 3이 반복됩니다.
〈51〉부터 〈80〉까지 모두 30개의 수가 있고, 30÷7=4···2입니다.
따라서 (6, 2, 5, 1, 4, 0, 3) 묶음이 4개이고,
나머지 2개의 수 6, 2가 있습니다.
따라서 식의 계산 결과는
(6+2+5+1+4+0+3)×4+6+2=92입니다.

해결 전략
〈51〉부터 〈80〉까지 나머지가 반복되는 규칙을 찾습니다.

보충 개념
다음과 같이 계산할 수도 있습니다.
〈51〉=(7×7+2)×3÷7=6 (2×3=6)
└ 7의 배수이므로 7로 나누었을 때 나머지가 없습니다.
〈52〉=(7×7+3)×3÷7=2 (3×3=9)
〈53〉=(7×7+4)×3÷7=5 (4×3=12)
〈54〉=(7×7+5)×3÷7=1 (5×3=15)
〈55〉=(7×7+6)×3÷7=4 (6×3=18)
〈56〉=(7×8)×3÷7=0

4 6부터 거꾸로 생각하여 두 자리 수를 모두 찾아봅니다.
이때 십의 자리 숫자가 1, 2, 3……인 경우로 나누어 찾습니다.

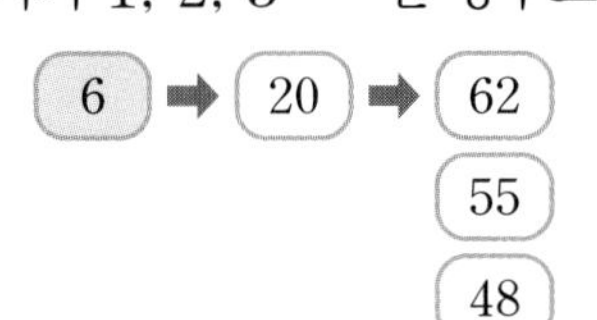

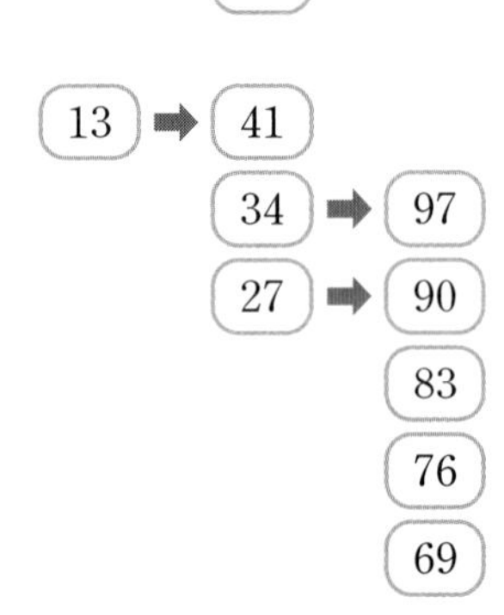

따라서 구하는 수는 13, 20, 27, 34, 41, 48, 55, 62, 69, 76, 83, 90, 97로 모두 13개입니다.

해결 전략
거꾸로 계산하여 해결합니다.

Review III 규칙

90~92쪽

1 (1) 36 (2) 57
2 18
3 3
4 49, 66, 79, 88, 94, 97
5 92개
6 6

1 ●와 수가 나타내는 규칙은 1부터 그 수까지의 합입니다.

(1) $\overset{\bullet}{5}+\overset{\bullet}{6}=(5+4+3+2+1)+(6+5+4+3+2+1)=36$

(2) $\overset{\bullet}{20}-\overset{\bullet}{17}=(20+19+18+17+16+\cdots\cdots+3+2+1)$
$-(17+16+\cdots\cdots+3+2+1)$
$=20+19+18=57$

> 주의
> 뺄셈의 경우 주어진 기호를 모든 수의 합으로 나타내지 않고, 약속의 의미를 생각하며 간단히 나타냅니다.

2 24개의 수를 원 둘레에 일정한 간격으로 순서대로 놓았을 때 마주 보는 수의 양옆에는 $(24-2)\div2=11$(개)의 수가 있게 됩니다.
따라서 6과 마주 보는 수 사이에도 11개의 수가 있으므로 6과 마주 보는 수는 $6+11+1=18$입니다.

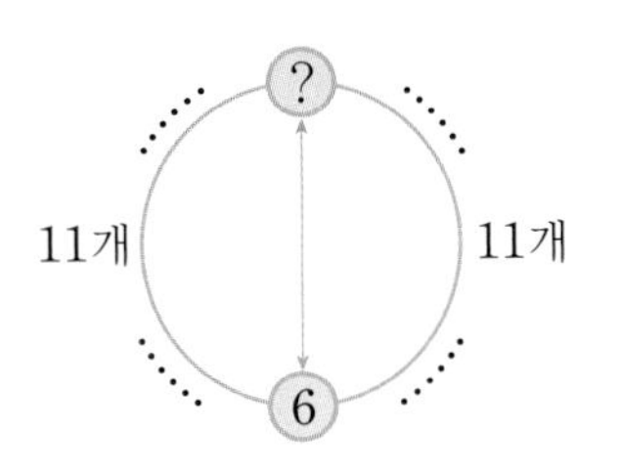

> 해결 전략
> 6과 마주 보는 수의 양옆에 놓이는 수의 개수는 같습니다.

3 가운데 수는 대각선에 있는 두 수의 곱의 차를 나타냅니다.

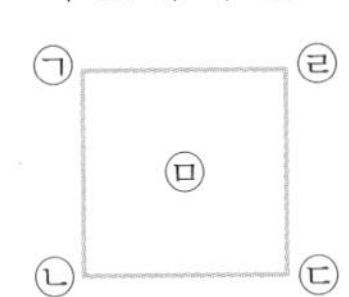

➡ ㉤=㉠×㉢과 ㉡×㉣의 차
따라서 □ 안에 알맞은 수는 $3\times5-2\times6=3$입니다.

4 8부터 거꾸로 생각하여 3단계를 거쳐 두 자리 수를 모두 찾아봅니다.

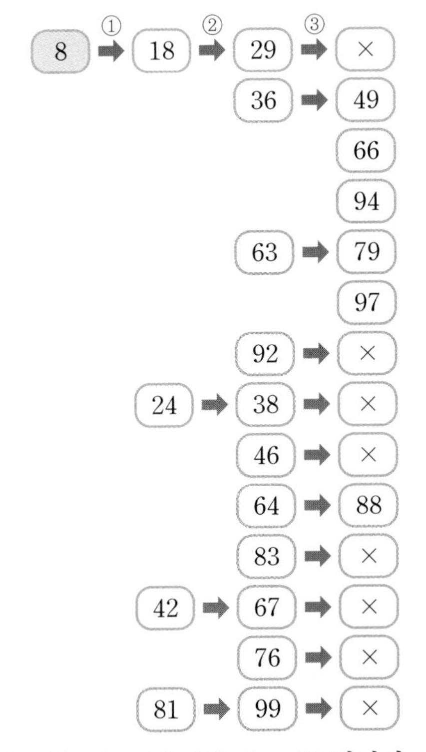

따라서 구하는 수는 49, 66, 79, 88, 94, 97입니다.

> 해결 전략
> 거꾸로 계산하여 해결합니다.

5

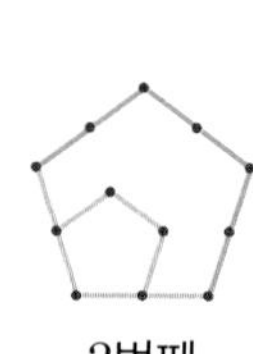
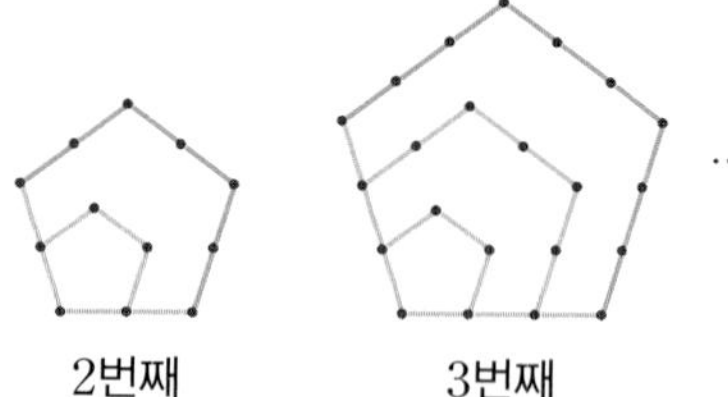

1번째: 5개
2번째: $(5+7)$개
3번째: $(5+7+10)$개
4번째: $(5+7+10+13)$개
5번째: $(5+7+10+13+16)$개
6번째: $(5+7+10+13+16+19)$개
7번째: $(5+7+10+13+16+19+22)$개
따라서 7번째 모양을 만드는 데 필요한 점의 개수는
$5+7+10+13+16+19+22=92$(개)입니다.

다른 풀이

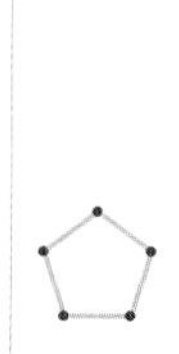
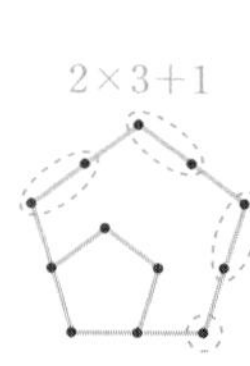
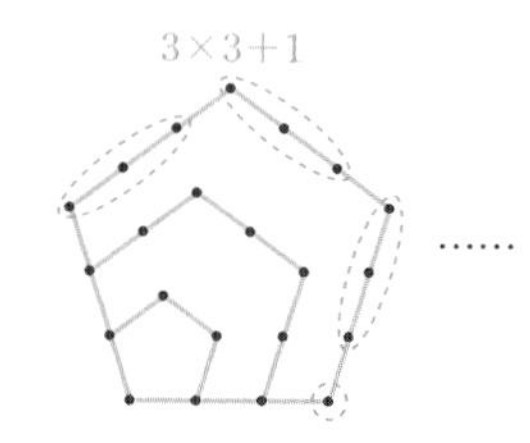

1번째: 5개
2번째: $(5+(2\times3+1))$개
3번째: $(5+(2\times3+1)+(3\times3+1))$개
4번째: $(5+(2\times3+1)+(3\times3+1)+(4\times3+1))$개
⋮
□번째: $(5+(2\times3+1)+(3\times3+1)+(4\times3+1)+\cdots\cdots+(\square\times3+1))$개
따라서 7번째 모양을 만드는 데 필요한 점의 개수는
$(5+(2\times3+1)+(3\times3+1)+(4\times3+1)+\cdots\cdots+(7\times3+1))$
$=5+7+10+13+16+19+22=92$(개)입니다.

해결 전략
각 단계별 점의 개수를 확인합니다.

6 8◆(4◆□)=72에서 (4◆□)을 하나의 수(☆)로 생각하여 앞에서부터 계산합니다.
8◆☆=72, $8\times(☆-3)=72$, $☆-3=9$, $☆=12$
☆=4◆□=12를 약속에 맞게 나타냅니다.
4◆□=12, $4\times(\square-3)=12$, $\square-3=3$, $\square=6$
따라서 □ 안에 알맞은 수는 6입니다.

해결 전략
먼저 (4◆□)이 나타내는 수를 구해 봅니다.

Ⅳ 수(2)

분자가 1인 분수를 단위분수라고 하는데 이집트에서는 단위분수만을 사용하여 분수를 나타내었습니다. 예를 들어 $\frac{3}{4}$을 $\frac{1}{2}+\frac{1}{4}$로 나타내었습니다. 이집트인들은 왜 이렇게 분수를 나타내었을까요?

10 이집트 분수에서는 이집트인들이 단위분수를 사용하게 된 이유인 분배 방식에 대해 학습하고 이어서 분수를 단위분수로 나타내는 여러 가지 방법을 알아봅니다.

11 분수의 계산에서는 통분을 사용하지 않고 분수의 크기를 비교하는 방법과 분수의 덧셈·뺄셈을 간단히 계산하는 방법을 학습합니다.

최상위 사고력 10 이집트 분수

10-1. 이집트의 분배 방식

94~95쪽

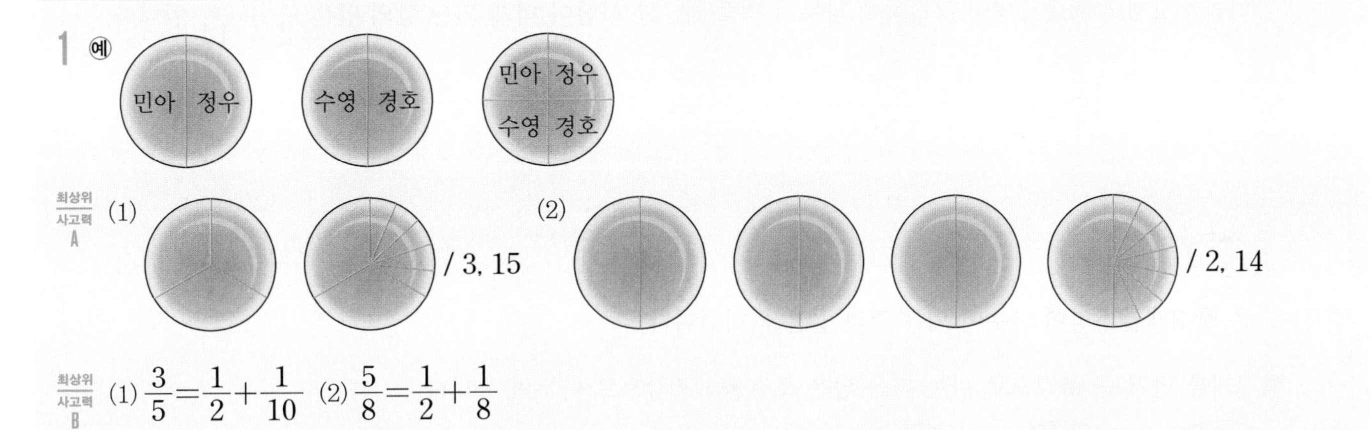

저자 톡! 고대 이집트인들은 공동생활을 하고 있었기 때문에 생산한 것을 똑같이 나누는 일은 매우 중요하였습니다. 빵 몇 개를 나누더라도 크기 뿐만 아니라 조각의 수, 모양까지도 똑같이 분배하기를 원했던 것입니다. 이집트인들과 같이 동그란 모양의 빵을 공평하게 나누어 보고 이를 단위분수로 나타내는 경험을 해 봅니다.

1 빵의 모양과 크기가 모두 똑같도록 나누어 봅니다.

지도 가이드

3을 4로 나누는 것을 $\frac{3}{4}$으로 표시하는 것을 고대 이집트인들은 $\frac{3}{4}=\frac{1}{2}+\frac{1}{4}$과 같이 단위분수의 합으로 나타내었습니다.

4명이 피자 3판을 나누어 먹을 때 한 사람이 $\frac{3}{4}$씩 먹으면 3명은 잘리지 않은 피자를 먹지만 1명은 3조각으로 잘라진 피자를 먹게 됩니다. 이집트인들은 이를 불공평하다고 생각했으며 한 사람이 $\left(\frac{1}{2}+\frac{1}{4}\right)$씩 먹어야 모든 사람들이 공평하다고 생각했습니다.

주의

이집트인들은 다음과 같이 나눈 경우는 빵의 양은 같지만 모양이 다르므로 불공평하다고 생각했습니다.

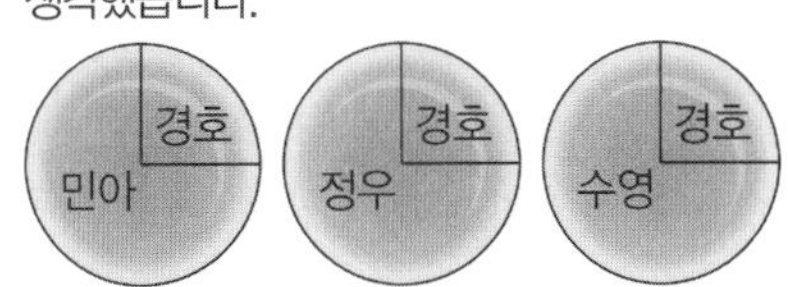

최상위 사고력 A

(1) ① 빵 2개를 5명이 똑같이 가져갈 수 있도록 큰 조각으로 나눕니다.

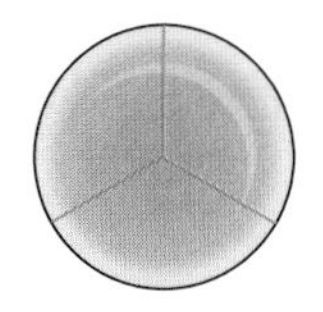 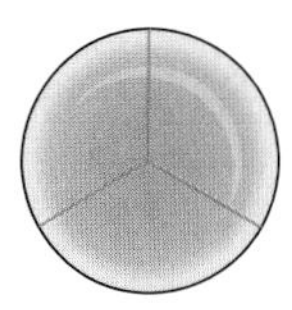

② 남은 조각을 5명이 똑같이 가져갈 수 있도록 작은 조각으로 나눕니다.

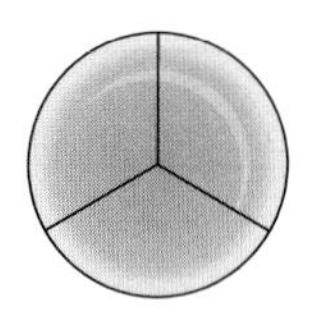 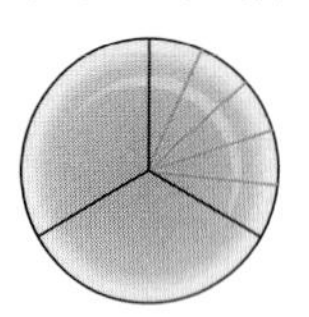

따라서 2개의 빵을 5명이 공평하게 나누어 먹을 때 한 사람이 먹게 되는 빵의 양은 $\frac{1}{3}+\frac{1}{15}$ 입니다.

(2) ① 빵 4개를 7명이 똑같이 가져갈 수 있도록 큰 조각으로 나눕니다.

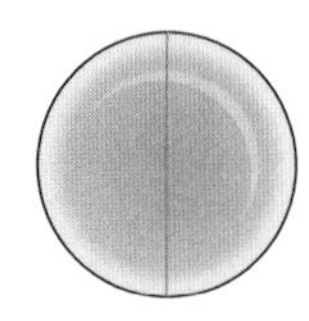 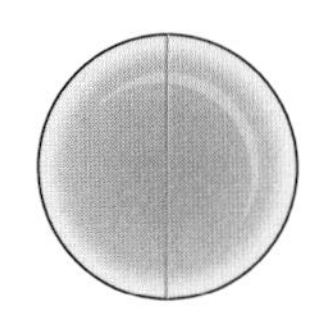 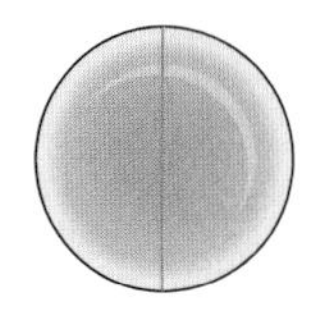 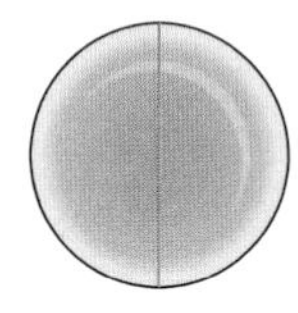

② 남은 조각을 7명이 똑같이 가져갈 수 있도록 작은 조각으로 나눕니다.

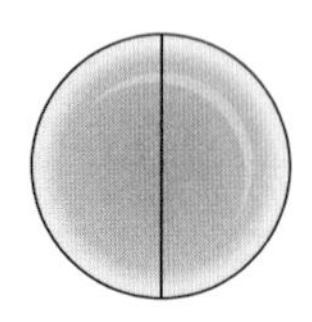 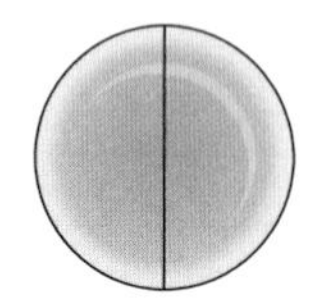 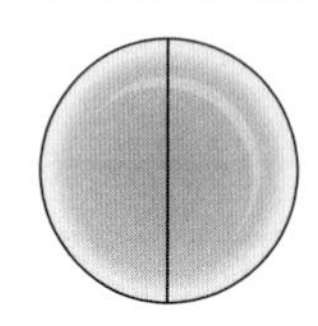 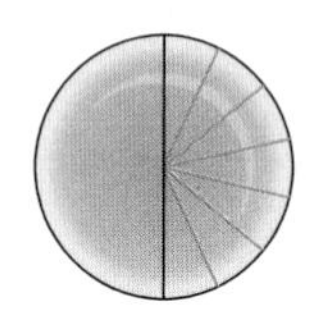

따라서 4개의 빵을 7명이 공평하게 나누어 먹을 때, 한 사람이 먹게 되는 빵의 양은 $\frac{1}{2}+\frac{1}{14}$ 입니다.

최상위 사고력 B

(1) $\frac{3}{5}$ 은 빵 3개를 5명이 나누어 먹는 것과 같은 의미입니다.

빵 3개를 먼저 큰 조각으로 나눈 다음 남은 조각을 5조각으로 나누어 봅니다.

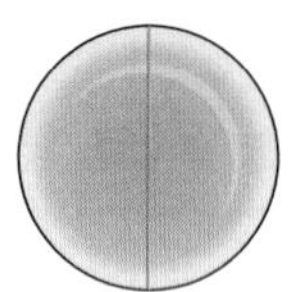 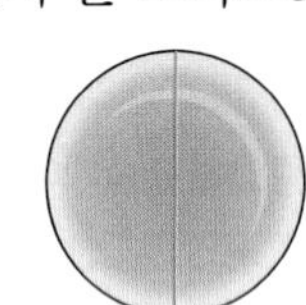 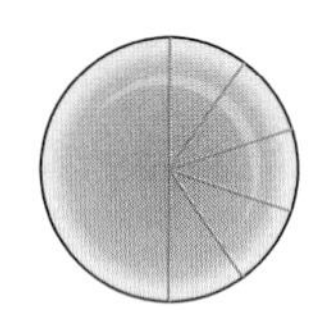

따라서 $\frac{3}{5}=\frac{1}{2}+\frac{1}{10}$ 로 나타낼 수 있습니다.

(2) $\frac{5}{8}$ 는 빵 5개를 8명이 나누어 먹는 것과 같은 의미입니다.

빵 5개를 먼저 큰 조각으로 나눈 다음 남은 조각을 8조각으로 나누어 봅니다.

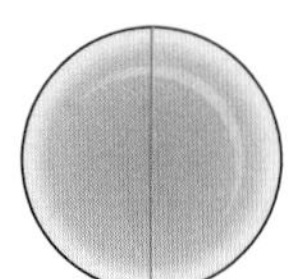 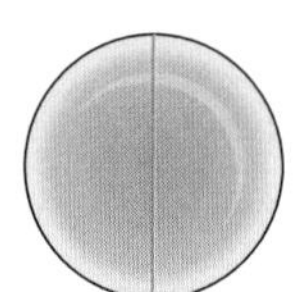 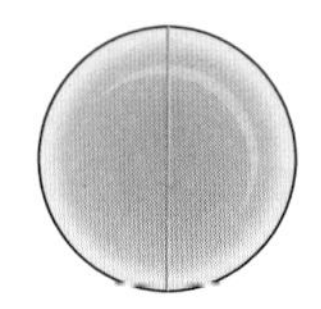 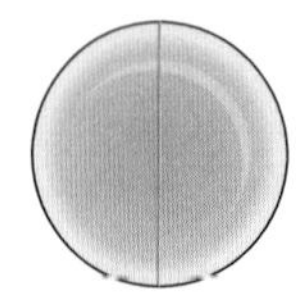 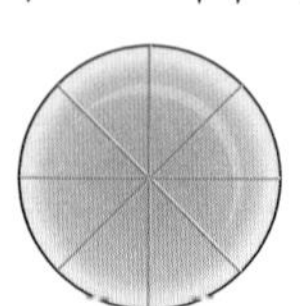

따라서 $\frac{5}{8}=\frac{1}{2}+\frac{1}{8}$ 로 나타낼 수 있습니다.

10-2. 약수로 단위분수 나타내기 96~97쪽

1 (1) $\frac{3}{8}=\frac{1}{4}+\frac{1}{8}$ (2) $\frac{8}{12}=\frac{1}{3}+\frac{1}{4}+\frac{1}{12}$ 또는 $\frac{8}{12}=\frac{1}{2}+\frac{1}{6}$

2 예 $\frac{4}{7}=\frac{1}{2}+\frac{1}{14}$

최상위 사고력 (1) 4, 7 (2) 2, 3, 9

저자 톡! 앞에서는 이집트인들의 분배 방식에 초점을 맞추어 그림을 그려 단위분수로 나타내는 방법을 학습하였습니다. 이 단원에서는 더 간단한 방법인 분모의 약수의 합으로 분자를 나타내어 단위분수로 나타내는 방법을 알아봅니다.

1 (1) ① 8의 약수: 1, 2, 4, 8

② $1+2=3$

③ $\frac{3}{8}=\frac{1}{8}+\frac{2}{8}=\frac{1}{4}+\frac{1}{8}$

(2) ① 12의 약수: 1, 2, 3, 4, 6, 12

방법1

② $1+3+4=8$

③ $\frac{8}{12}=\frac{1}{12}+\frac{3}{12}+\frac{4}{12}=\frac{1}{3}+\frac{1}{4}+\frac{1}{12}$

방법2

② $2+6=8$

③ $\frac{8}{12}=\frac{2}{12}+\frac{6}{12}=\frac{1}{2}+\frac{1}{6}$

2 7의 약수에서 합이 4가 되는 수를 구할 수 없으므로, $\frac{4}{7}$를 분모가 14인 크기가 같은 분수로 바꾸어 생각합니다.

$\frac{4}{7}=\frac{8}{14}$

① 14의 약수: 1, 2, 7, 14

② $1+7=8$

③ $\frac{8}{14}=\frac{1}{14}+\frac{7}{14}=\frac{1}{2}+\frac{1}{14}$

이외에도 분모에 따라 여러 가지 답이 있습니다.

해결 전략
주어진 분모의 약수의 합으로 분자를 나타낼 수 없는 경우에는 크기가 같은 분수로 바꾸어 생각합니다.

다른 풀이
$\frac{4}{7}=\frac{24}{42}$
① 42의 약수: 1, 2, 3, 6, 7, 14, 21, 42
② $3+7+14=24$
③ $\frac{24}{42}=\frac{3}{42}+\frac{7}{42}+\frac{14}{42}$
$=\frac{1}{3}+\frac{1}{6}+\frac{1}{14}$

최상위 사고력 (1) $\frac{6}{14}=\frac{12}{28}$

① 28의 약수: 1, 2, 4, 7, 14, 28

② $1+4+7=12$

③ $\frac{12}{28}=\frac{1}{28}+\frac{4}{28}+\frac{7}{28}=\frac{1}{4}+\frac{1}{7}+\frac{1}{28}$

(2) $1=\frac{18}{18}$

① 18의 약수: 1, 2, 3, 6, 9, 18

② $1+2+6+9=18$

③ $\frac{18}{18}=\frac{1}{18}+\frac{2}{18}+\frac{6}{18}+\frac{9}{18}=\frac{1}{2}+\frac{1}{3}+\frac{1}{9}+\frac{1}{18}$

해결 전략
1을 분모가 18인 분수로 나타냅니다.

10-3. 여러 가지 방법으로 단위분수 나타내기

98~99쪽

1 (1) $\frac{4}{9}=\frac{1}{3}+\frac{1}{9}$ (2) $\frac{23}{36}=\frac{1}{2}+\frac{1}{8}+\frac{1}{72}$

최상위 사고력 A (1) 18, 63 (2) 60, 100, 150

최상위 사고력 B (1) $\frac{2}{35}=\frac{1}{5\times6}+\frac{1}{6\times7}=\frac{1}{30}+\frac{1}{42}$ (2) $\frac{2}{7}=\frac{1}{1\times4}+\frac{1}{4\times7}=\frac{1}{4}+\frac{1}{28}$

저자 톡! 단위분수로 나타내는 방법 중에는 앞에서 학습한 약수를 이용하는 방법 이외에도 여러 가지가 있습니다. 수학자 피보나치가 사용했던 방법을 따라서 해 보고, 또 다른 방법들에 대해서는 규칙을 발견하여 그 방법대로 단위분수로 나타내어 봅니다.

1 (1) ① $\frac{1}{3}<\frac{4}{9}<\frac{1}{2}$ ➡ 가장 큰 단위분수: $\frac{1}{3}$

② 주어진 분수와의 차 ➡ $\frac{4}{9}-\frac{1}{3}=\frac{1}{9}$

보충 개념
$\frac{4}{9}-\frac{1}{3}=\frac{4}{9}-\frac{3}{9}=\frac{1}{9}$

따라서 $\frac{4}{9}=\frac{1}{3}+\frac{1}{9}$입니다.

(2) ① $\frac{1}{2}<\frac{23}{36}<1$ ➡ 가장 큰 단위분수: $\frac{1}{2}$

② 주어진 분수와의 차 ➡ $\frac{23}{36}-\frac{1}{2}=\frac{5}{36}$

보충 개념
$\frac{23}{36}-\frac{1}{2}=\frac{23}{36}-\frac{18}{36}=\frac{5}{36}$

③ $\frac{1}{8}<\frac{5}{36}<\frac{1}{7}$ ➡ 가장 큰 단위분수: $\frac{1}{8}$

④ $\frac{5}{36}$와의 차 ➡ $\frac{5}{36}-\frac{1}{8}=\frac{1}{72}$

보충 개념
$\frac{5}{36}-\frac{1}{8}=\frac{10}{72}-\frac{9}{72}=\frac{1}{72}$

따라서 $\frac{23}{36}=\frac{1}{2}+\frac{1}{8}+\frac{1}{72}$입니다.

최상위 사고력 A 단위분수의 분모를 소수의 곱으로 나타낸 다음 곱에 사용된 수의 합을 분모와 분자에 각각 곱합니다. 그 다음 약분하여 단위분수의 합으로 나타내는 방법입니다.

(1) $\frac{1}{14}=\frac{1}{2\times7}=\frac{2+7}{2\times7\times(2+7)}=\frac{2+7}{2\times7\times9}$

$=\frac{2}{2\times7\times9}+\frac{7}{2\times7\times9}$

$=\frac{1}{18}+\frac{1}{63}$

(2) $\frac{1}{30}=\frac{1}{2\times3\times5}=\frac{2+3+5}{2\times3\times5\times(2+3+5)}=\frac{2+3+5}{2\times3\times5\times10}$

$=\frac{2}{2\times3\times5\times10}+\frac{3}{2\times3\times5\times10}+\frac{5}{2\times3\times5\times10}$

$=\frac{1}{60}+\frac{1}{100}+\frac{1}{150}$

최상위 사고력 B

$$\frac{2}{(\text{작은 홀수})\times(\text{큰 홀수})}=\frac{1}{(\text{작은 홀수})\times(\text{중간수})}+\frac{1}{(\text{중간수})\times(\text{큰 홀수})}$$

(1) $\frac{2}{35}=\frac{2}{5\times7}=\frac{1}{5\times6}+\frac{1}{6\times7}=\frac{1}{30}+\frac{1}{42}$

(2) $\frac{2}{7}=\frac{2}{1\times7}=\frac{1}{1\times4}+\frac{1}{4\times7}=\frac{1}{4}+\frac{1}{28}$

해결 전략

분모를 만드는 두 홀수의 곱을 구한 뒤 (작은 홀수)×(중간수), (중간수)×(큰 홀수)의 곱을 이용하여 단위분수를 나타내는 방법입니다.

참고

이집트인들은 분모에 대해서만 고민했기 때문에 분수의 사용이 자유롭지 못했습니다. 그런데 1200년경 이탈리아의 수학자 레오나르도 피보나치는 어떤 단위분수라도 단위분수의 합으로 나타낼 수 있는 공식을 발견했습니다.

$$\frac{1}{■}=\frac{1}{■+1}+\frac{1}{■\times(■+1)}$$

최상위 사고력

100~101쪽

1 예 $\frac{18}{24}=\frac{1}{2}+\frac{1}{4}=\frac{1}{3}+\frac{1}{4}+\frac{1}{6}=\frac{1}{2}+\frac{1}{8}+\frac{1}{12}+\frac{1}{24}=\frac{1}{3}+\frac{1}{6}+\frac{1}{8}+\frac{1}{12}+\frac{1}{24}$

2 9, 56, 72

3 (1) $\frac{1}{7}+\frac{1}{10}=\frac{17}{70}$, $\frac{1}{110}+\frac{1}{30}+\frac{1}{6}=\frac{23}{110}$

(2) 예 ⊐○ |||, 예 ⊐○ ||| |||

1 24의 약수 1, 2, 3, 4, 6, 8, 12, 24를 이용해 봅니다.

2개의 단위분수의 합

6+12=18이므로

$\frac{18}{24}=\frac{6}{24}+\frac{12}{24}=\frac{1}{2}+\frac{1}{4}$입니다.

3개의 단위분수의 합

예 4+6+8=18이므로

$\frac{18}{24}=\frac{4}{24}+\frac{6}{24}+\frac{8}{24}=\frac{1}{3}+\frac{1}{4}+\frac{1}{6}$입니다.

4개의 단위분수의 합

예 1+2+3+12=18이므로

$\frac{18}{24}=\frac{1}{24}+\frac{2}{24}+\frac{3}{24}+\frac{12}{24}=\frac{1}{2}+\frac{1}{8}+\frac{1}{12}+\frac{1}{24}$입니다.

5개의 단위분수의 합

1+2+3+4+8=18이므로

$\frac{18}{24}=\frac{1}{24}+\frac{2}{24}+\frac{3}{24}+\frac{4}{24}+\frac{8}{24}$

$=\frac{1}{3}+\frac{1}{6}+\frac{1}{8}+\frac{1}{12}+\frac{1}{24}$입니다.

다른 풀이

- 3개의 단위분수의 합

  2+4+12=18이므로

  $\frac{2}{24}+\frac{4}{24}+\frac{12}{24}=\frac{1}{2}+\frac{1}{6}+\frac{1}{12}$입니다.
- 4개의 단위분수의 합

  1+3+6+8=18이므로

  $\frac{1}{24}+\frac{3}{24}+\frac{6}{24}+\frac{8}{24}$

  $=\frac{1}{3}+\frac{1}{4}+\frac{1}{8}+\frac{1}{24}$입니다.

2 단위분수의 분모보다 1 큰 수를 단위분수의 분모와 분자에 각각 곱한 다음 분자를 1과 나머지 수의 합으로 나타냅니다. 그 다음 단위분수가 아닌 분수는 약분하여 단위분수로 나타냅니다.

$$\frac{1}{7}=\frac{1\times8}{7\times8}=\frac{8}{56}=\frac{1}{56}+\frac{7}{56}=\frac{1}{8}+\frac{1}{56}$$

$$\frac{1}{8}=\frac{1\times9}{8\times9}=\frac{9}{72}=\frac{1}{72}+\frac{8}{72}=\frac{1}{9}+\frac{1}{72}$$

➡ $\frac{1}{7}=\frac{1}{8}+\frac{1}{56}=\frac{1}{9}+\frac{1}{72}+\frac{1}{56}=\frac{1}{9}+\frac{1}{56}+\frac{1}{72}$

3 (2) $\frac{5}{6}$

① 6의 약수: 1, 2, 3, 6

② $2+3=5$

③ $\frac{5}{6}=\frac{2}{6}+\frac{3}{6}=\frac{1}{2}+\frac{1}{3}$ ➡ 𓂋 ||, 𓂋 |||

이외에도 분모에 따라 여러 가지 답이 있습니다.

$\frac{8}{12}$

① 12의 약수: 1, 2, 3, 4, 6, 12

② $2+6=8$

③ $\frac{8}{12}=\frac{2}{12}+\frac{6}{12}=\frac{1}{2}+\frac{1}{6}$ ➡ 𓂋 ||, 𓂋 ||||||

보충 개념

다음과 같이 나타낼 수도 있습니다.

② $1+3+4=8$

③ $\frac{8}{12}=\frac{1}{12}+\frac{3}{12}+\frac{4}{12}$
$=\frac{1}{3}+\frac{1}{4}+\frac{1}{12}$

➡ 𓂋 |||, 𓂋 ||||, 𓂋 ∩||

지도 가이드

고대 이집트에서는 주변에서 자주 볼 수 있는 모양을 본떠서 다음과 같이 숫자를 만들었습니다.

수	기호	이름
1	𓏺	: 수직막대기
10	∩	: 말굽형 멍에
100	𓍢	: 나선
1000	𓆼	: 연꽃

그 다음 기호의 개수만큼 기호를 붙여서 수를 나타냈습니다.

||=2, ∩∩∩|=31, 𓍢𓍢𓍢𓍢∩|||||=415

최상위 사고력 **11** **분수의 계산**

11-1. 분수의 크기 비교하기

102~103쪽

1 (위에서부터) $\frac{20}{23}$ / $\frac{20}{23}$, $\frac{52}{64}$ / $\frac{8}{16}$, $\frac{20}{23}$, $\frac{52}{64}$, $\frac{13}{19}$ **2** <

최상위 사고력 $\frac{154}{303}$, $\frac{77}{152}$, $\frac{101}{207}$, $\frac{91}{197}$, $\frac{300}{983}$

저자 톡! 분모가 크거나 분모의 최소공배수를 찾기 어려울 때 유용하게 사용할 수 있는 분수의 크기를 비교하는 방법을 몇 가지 알아봅니다. 무작정 그 방법을 암기하기보다 분수의 개념과 연관지어 원리를 이해할 수 있도록 합니다.

1

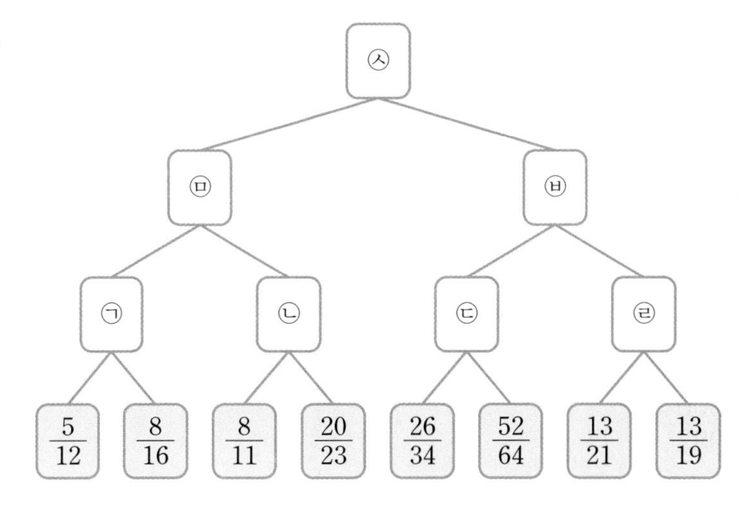

㉠ $\frac{1}{2}$을 기준으로 분수의 크기를 비교합니다. ➡ $\frac{5}{12}<\frac{8}{16}\left(=\frac{1}{2}\right)$

㉡ 분모와 분자의 차가 같은 분수는 분모와 분자가 클수록 큽니다. ➡ $\frac{8}{11}<\frac{20}{23}$

㉢ 분자가 같은 분수로 만들어 비교합니다. 이때 분모가 작을수록 큽니다. ➡ $\frac{26}{34}=\frac{52}{68}<\frac{52}{64}$

㉣ 분자가 같은 분수는 분모가 작을수록 큽니다. ➡ $\frac{13}{21}<\frac{13}{19}$

㉤ $\frac{1}{2}$을 기준으로 분수의 크기를 비교합니다. ➡ $\frac{8}{16}\left(=\frac{1}{2}\right)<\frac{20}{23}$

㉥ 분자가 같은 분수로 만들어 비교합니다. 이때 분모가 작을수록 큽니다. ➡ $\frac{13}{19}=\frac{52}{76}<\frac{52}{64}$

㉦ 분모와 분자의 차가 같은 분수는 분모와 분자가 클수록 큽니다. ➡ $\frac{20}{23}>\frac{52}{64}=\frac{13}{16}$

2 분모가 분자의 2배보다 크면 $\frac{1}{2}$보다 작고, 작으면 $\frac{1}{2}$보다 큽니다.

$\frac{2357}{4716}$에서 $2357\times2=4714<4716$이고,

$\frac{3018}{6035}$에서 $3018\times2=6036>6035$이므로

$\frac{2357}{4716}<\frac{1}{2}<\frac{3018}{6035}$입니다.

해결 전략

$\frac{1}{2}$을 기준으로 크기를 비교합니다.

최상위 사고력

① $\frac{1}{2}$과 크기를 비교합니다. ➡ $\frac{1}{2}$보다 큰 분수: $\frac{77}{152}$, $\frac{154}{303}$

$\frac{1}{2}$보다 작은 분수: $\frac{91}{197}$, $\frac{101}{207}$, $\frac{300}{983}$

② $\frac{1}{2}$보다 큰 분수 $\frac{77}{152}$, $\frac{154}{303}$의 크기를 분자의 크기를 같게 하여 비교합니다.

➡ $\frac{77}{152}=\frac{154}{304}<\frac{154}{303}$

해결 전략

$\frac{1}{2}$을 기준으로 크기를 비교합니다.

③ $\frac{1}{2}$보다 작은 분수 $\frac{91}{197}$, $\frac{101}{207}$의 크기를 분자와 분모의 차를 이용하여 비교합니다.

$197-91=106$, $207-101=106$ ➡ $\frac{91}{197}<\frac{101}{207}$

④ $\frac{1}{2}$보다 작은 분수 $\frac{91}{197}$, $\frac{300}{983}$의 크기를 분모와 분자를 서로 바꾸어 비교합니다.

$\frac{197}{91}=2\frac{15}{91}<3\frac{83}{300}=\frac{983}{300}$ ➡ $\frac{91}{197}>\frac{300}{983}$

따라서 $\frac{300}{983}<\frac{91}{197}<\frac{101}{207}<\frac{77}{152}<\frac{154}{303}$이므로 큰 수부터 차례로 쓰면 $\frac{154}{303}$, $\frac{77}{152}$, $\frac{101}{207}$, $\frac{91}{197}$, $\frac{300}{983}$입니다.

보충 개념
분모와 분자를 바꾸면 원래의 두 분수의 크기도 바뀝니다.
예 $\frac{2}{3}<\frac{4}{5}$ ➡ $\frac{3}{2}>\frac{5}{4}$

11-2. 수 카드로 분수 만들기

104~105쪽

1 $1\frac{2}{15}$, $\frac{17}{20}$ 2 $3\frac{10}{11}$, $4\frac{1}{11}$ 최상위 사고력 (1) $\frac{2}{5}$, $\frac{1}{3}$ (2) $1\frac{2}{6}$, $\frac{3}{4}$

저자 톡! 수 카드를 사용하여 분수의 합이 가장 클 때와 가장 작을 때의 값을 알아보고, 가장 가까운 두 분수를 만들어 봅니다. 수 카드를 중복하여 사용하지 않거나 분수의 크기를 이용하는 등 시행착오를 줄일 수 있는 효율적인 방법을 찾아 구할 수 있도록 합니다.

1 진분수 2개를 만들어야 하므로 5는 반드시 분모에 넣습니다.
두 진분수 중 하나의 진분수가 $\frac{1}{5}$, $\frac{3}{5}$, $\frac{4}{5}$인 경우로 나누어 두 진분수의 합을 구해 봅니다.

- $\frac{1}{5}$인 경우: $\frac{1}{5}+\frac{3}{4}=\frac{19}{20}$
- $\frac{3}{5}$인 경우: $\frac{3}{5}+\frac{1}{4}=\frac{17}{20}$
- $\frac{4}{5}$인 경우: $\frac{4}{5}+\frac{1}{3}=1\frac{2}{15}$

따라서 $\frac{17}{20}<\frac{19}{20}<1\frac{2}{15}$이므로 계산 결과가 가장 클 때는 $1\frac{2}{15}$, 가장 작을 때는 $\frac{17}{20}$입니다.

2 4보다 작은 경우와 4보다 큰 경우로 나누어 생각해 봅니다.

• 4보다 작은 경우

4보다 작은 대분수 중 4에 가장 가까운 수의 자연수 부분은 3입니다.

남은 수로 만들 수 있는 가장 큰 수는 $\frac{10}{11}$입니다.

따라서 4보다 작은 수 중 4에 가장 가까운 수는 $3\frac{10}{11}$입니다.

• 4보다 큰 경우

4보다 큰 분수 중 4에 가장 가까운 수의 자연수 부분은 4입니다.

남은 수로 만들 수 있는 가장 작은 수는 $\frac{1}{11}$입니다.

따라서 4보다 큰 수 중 4에 가장 가까운 수는 $4\frac{1}{11}$입니다.

해결 전략
4보다 작은 수 중에서 4에 가장 가까운 수와 4보다 큰 수 중에서 4에 가장 가까운 수를 만듭니다.

최상위 사고력 (1) 수 카드로 만들 수 있는 진분수는 $\frac{1}{5}$, $\frac{2}{5}$, $\frac{3}{5}$, $\frac{1}{3}$, $\frac{2}{3}$, $\frac{1}{2}$입니다.

$\frac{1}{5}<\frac{1}{3}<\frac{2}{5}<\frac{1}{2}<\frac{3}{5}<\frac{2}{3}$이므로 만들 수 있는 뺄셈식은 다음과 같습니다.

$\frac{2}{5}-\frac{1}{3}=\frac{1}{15}$, $\frac{3}{5}-\frac{1}{2}=\frac{1}{10}$, $\frac{2}{3}-\frac{1}{5}=\frac{7}{15}$입니다.

$\frac{1}{15}<\frac{1}{10}<\frac{7}{15}$이므로 가장 가까운 두 진분수는 $\frac{2}{5}$, $\frac{1}{3}$입니다.

(2) 차가 가장 작은 대분수와 진분수를 만들려면 만들 수 있는 가장 작은 대분수를 만들고, 남은 수 카드로 진분수를 만들어야 합니다.

대분수의 자연수 부분이 1일 때 분수 부분은 $\frac{2}{3}$, $\frac{2}{4}$, $\frac{3}{4}$, $\frac{2}{6}$, $\frac{3}{6}$, $\frac{4}{6}$가 될 수 있습니다.

$\frac{2}{6}<\frac{3}{6}=\frac{2}{4}<\frac{2}{3}=\frac{4}{6}<\frac{3}{4}$이므로 가장 작은 대분수는 $1\frac{2}{6}$이고, 진분수는 $\frac{3}{4}$입니다.

따라서 가장 가까운 대분수와 진분수는 $1\frac{2}{6}$, $\frac{3}{4}$입니다.

해결 전략
두 수가 가까울수록 두 수의 차가 작습니다.

보충 개념
수 카드를 한 번씩만 사용해야 하므로 다음과 같은 뺄셈식은 만들 수 없습니다.
$\frac{1}{3}-\frac{1}{5}=\frac{2}{15}$, $\frac{1}{2}-\frac{2}{5}=\frac{1}{10}$, $\frac{2}{3}-\frac{3}{5}=\frac{1}{15}$

11-3. 간단히 계산하기

106~107쪽

1 $\frac{63}{64}$ **2** $\frac{7}{18}$ 최상위 사고력 (1) $7\frac{1}{256}$ (2) $8\frac{8}{9}$ (3) $\frac{11}{23}$

저자 톡! 여러 개의 분수의 덧셈·뺄셈을 규칙을 찾아 간단히 계산하는 내용입니다. 무작정 통분을 이용하여 계산하지 말고 각 분수의 형태에 주목하여 분수를 어떻게 분해하고, 결합하면 계산이 간단해질 수 있는지를 파악하는 능력이 중요합니다.

1

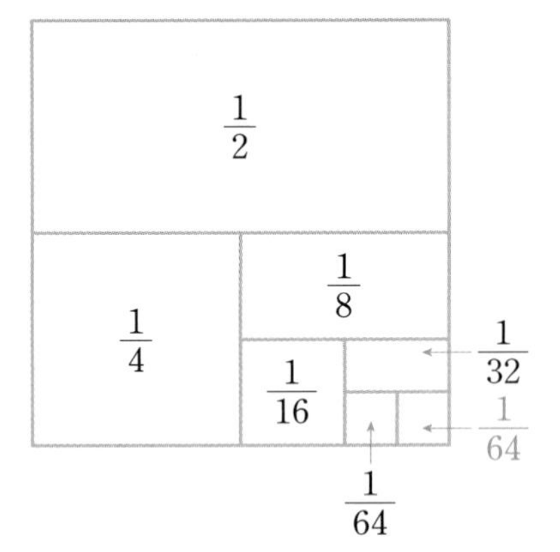

해결 전략
정사각형의 넓이는 1입니다.

주어진 그림은 각 분수가 차지하는 부분을 정사각형에 나타낸 것입니다.

주어진 식 $\frac{1}{2}+\frac{1}{4}+\frac{1}{8}+\frac{1}{16}+\frac{1}{32}+\frac{1}{64}$은 정사각형에서 오른쪽 아래 칸의 비어 있는 부분을 제외한 부분의 넓이와 같으므로

$1-\frac{1}{64}=\frac{63}{64}$입니다.

2 $\frac{1}{6}+\frac{1}{12}+\frac{1}{20}+\frac{1}{30}+\frac{1}{42}+\frac{1}{56}+\frac{1}{72}$

$=\left(\frac{1}{2}-\frac{1}{3}\right)+\left(\frac{1}{3}-\frac{1}{4}\right)+\left(\frac{1}{4}-\frac{1}{5}\right)+\left(\frac{1}{5}-\frac{1}{6}\right)+\left(\frac{1}{6}-\frac{1}{7}\right)$

$+\left(\frac{1}{7}-\frac{1}{8}\right)+\left(\frac{1}{8}-\frac{1}{9}\right)=\frac{1}{2}-\frac{1}{9}=\frac{7}{18}$

해결 전략

$\frac{1}{■\times(■+1)}=\frac{1}{■}-\frac{1}{(■+1)}$

최상위 사고력 (1) $\frac{1}{2}+\frac{3}{4}+\frac{7}{8}+\frac{15}{16}+\frac{31}{32}+\frac{63}{64}+\frac{127}{128}+\frac{255}{256}$

$=8-\left(\frac{1}{2}+\frac{1}{4}+\frac{1}{8}+\frac{1}{16}+\frac{1}{32}+\frac{1}{64}+\frac{1}{128}+\frac{1}{256}\right)$

$=8-\left(1-\frac{1}{256}\right)=8-\frac{255}{256}=7\frac{1}{256}$

보충 개념
더하는 분수의 분자는 분모보다 1씩 작으므로 $\frac{1}{2}=1-\frac{1}{2}$, $\frac{3}{4}=1-\frac{1}{4}$, $\frac{7}{8}=1-\frac{1}{8}$……과 같이 식을 바꾸어 나타낼 수 있습니다.

(2) 괄호를 생각하지 않고 같은 분수끼리 묶어서 더해 봅니다.

$$\left(1+\frac{1}{2}+\frac{1}{3}+\frac{1}{4}+\cdots\cdots+\frac{1}{8}+\frac{1}{9}\right)$$
$$+\left(\frac{1}{2}+\frac{1}{3}+\frac{1}{4}+\cdots\cdots+\frac{1}{8}+\frac{1}{9}\right)$$
$$+\left(\frac{1}{3}+\frac{1}{4}+\cdots\cdots+\frac{1}{8}+\frac{1}{9}\right)$$
$$\vdots$$
$$+\left(\frac{1}{8}+\frac{1}{9}\right)$$

$$\underbrace{1+1+\cdots\cdots+1}_{8개}+\frac{8}{9}=8\frac{8}{9}$$

(3) $\frac{1}{3}+\frac{1}{15}+\frac{1}{35}+\frac{1}{63}+\cdots\cdots+\frac{1}{483}$

$=\frac{1}{2}\times\left(1-\frac{1}{3}\right)+\frac{1}{2}\times\left(\frac{1}{3}-\frac{1}{5}\right)+\frac{1}{2}\times\left(\frac{1}{5}-\frac{1}{7}\right)+\cdots\cdots$

$+\frac{1}{2}\times\left(\frac{1}{21}-\frac{1}{23}\right)$

$=\frac{1}{2}\times\left(1-\frac{1}{3}+\frac{1}{3}-\frac{1}{5}+\frac{1}{5}+\cdots\cdots-\frac{1}{21}+\frac{1}{21}-\frac{1}{23}\right)$

$=\frac{1}{2}\times\left(1-\frac{1}{23}\right)$

$=\frac{1}{2}\times\frac{22}{23}=\frac{11}{23}$

해결 전략

$\frac{1}{■\times(■+2)}=\frac{1}{2}\times\left(\frac{1}{■}-\frac{1}{(■+2)}\right)$

최상위 사고력

108~109쪽

1 (1) 가장 큰 합

예 $9\frac{5}{6}+8\frac{2}{3}=18\frac{1}{2}$

가장 작은 합

예 $2\frac{6}{9}+3\frac{5}{8}=6\frac{7}{24}$

가장 큰 차

$9\frac{5}{6}-2\frac{3}{8}=7\frac{11}{24}$

가장 작은 차

$9\frac{2}{6}-8\frac{3}{5}=\frac{11}{15}$

(2) $\frac{53}{9}$, $5\frac{8}{9}$

2 11, 12, 13, 14, 15

3 (1) $\frac{3}{5}$ (2) $64\frac{22}{45}$ (3) 54

1 (1) • 가장 큰 합

가장 큰 합을 만들 때에는 큰 수를 대분수의 자연수 부분에 쓰고, 분모와 분자의 차가 작은 분수를 만듭니다.

• 가장 작은 합

가장 작은 합을 만들 때에는 작은 수를 대분수의 자연수 부분에 쓰고 분모와 분자의 차가 큰 분수를 만듭니다.

• 가장 큰 차

가장 큰 차를 만들 때에는 가장 큰 수와 가장 작은 수를 대분수의 자연수 부분에 씁니다.

• 가장 작은 차

가장 작은 차를 만들 때에는 차가 가장 작은 두 수를 대분수의 자연수 부분에 쓰고 남은 수 카드로 만들 수 있는 가장 작은 분수를 빼지는 수에, 가장 큰 수를 빼는 수에 씁니다.

주의

수 카드를 중복하여 사용하지 않도록 주의합니다.

보충 개념

대분수의 덧셈에서 진분수 부분의 위치를 서로 바꾸어도 계산 결과는 변하지 않습니다.

예 $1\frac{2}{5}+2\frac{1}{4}=3\frac{13}{20}$

$1\frac{1}{4}+2\frac{2}{5}=3\frac{13}{20}$

(2) • 가분수를 만드는 경우

분모가 작은 경우부터 가분수를 대분수로 고쳤을 때 6에 가까운 분수를 찾습니다.

$\frac{53}{9}=5\frac{8}{9}$이므로 $\frac{53}{9}$은 6과 $\frac{1}{9}$만큼 차이 납니다.

다른 분수들은 6과의 차가 $\frac{1}{9}$보다 더 큽니다.

• 대분수를 만드는 경우

6보다 작은 수 중 6에 가장 가까운 수와 6보다 큰 수 중 6에 가장 가까운 수를 만들고, 두 수와 6의 차를 구해 봅니다.

6보다 작은 경우 ➡ $5\frac{8}{9}$, 6보다 큰 경우 ➡ $6\frac{2}{9}$

$6-5\frac{8}{9}=\frac{1}{9}$, $6\frac{2}{9}-6=\frac{2}{9}$이므로 6에 가장 가까운 수는 $5\frac{8}{9}$입니다.

따라서 6에 가장 가까운 분수는 $\frac{53}{9}$과 $5\frac{8}{9}$입니다.

주의

수 카드 3장으로 대분수 뿐만 아니라 가분수도 만들 수 있음에 주의합니다.

2 분자가 같을 때 분모가 클수록 더 작습니다.

$\frac{4}{8}<\frac{8}{\square}<\frac{10}{13}$ ➡ $\frac{4\times10}{8\times10}<\frac{8\times5}{\square\times5}<\frac{10\times4}{13\times4}$

분모의 크기를 비교하면 $8\times10>\square\times5>13\times4$이므로 □ 안에 알맞은 수는 11, 12, 13, 14, 15입니다.

해결 전략

분자를 같게 만들어 비교해 봅니다.

3 $\frac{㉠+㉡}{㉠\times㉡}=\frac{1}{㉠}+\frac{1}{㉡}$을 이용합니다.

(1) $1-\frac{5}{6}+\frac{7}{12}-\frac{9}{20}+\frac{11}{30}-\frac{13}{42}+\frac{15}{56}-\frac{17}{72}+\frac{19}{90}$

$=1-\left(\frac{1}{2}+\frac{1}{3}\right)+\left(\frac{1}{3}+\frac{1}{4}\right)-\left(\frac{1}{4}+\frac{1}{5}\right)+\cdots\cdots-\left(\frac{1}{8}+\frac{1}{9}\right)+\left(\frac{1}{9}+\frac{1}{10}\right)=1-\frac{1}{2}+\frac{1}{10}=\frac{3}{5}$

(2) $1\frac{2}{1\times2\times3}+3\frac{2}{2\times3\times4}+5\frac{2}{3\times4\times5}+\cdots\cdots+15\frac{2}{8\times9\times10}$

$=(1+3+5+7+9+11+13+15)+\left(\frac{1}{1\times2}-\frac{1}{2\times3}+\frac{1}{2\times3}-\frac{1}{3\times4}+\cdots\cdots+\frac{1}{8\times9}-\frac{1}{9\times10}\right)$

$=64+\frac{1}{2}-\frac{1}{90}=64+\frac{44}{90}=64\frac{22}{45}$

(3) $\frac{1}{2}+\frac{2}{2}+\frac{1}{2}+\frac{1}{3}+\frac{2}{3}+\frac{3}{3}+\frac{2}{3}+\frac{1}{3}+\frac{1}{4}+\frac{2}{4}+\frac{3}{4}+\cdots\cdots+\frac{2}{10}+\frac{1}{10}$

$=\left(\frac{1}{2}+\frac{2}{2}+\frac{1}{2}\right)+\left(\frac{1}{3}+\frac{2}{3}+\frac{3}{3}+\frac{2}{3}+\frac{1}{3}\right)+\left(\frac{1}{4}+\frac{2}{4}+\frac{3}{4}+\frac{4}{4}+\frac{3}{4}+\frac{2}{4}+\frac{1}{4}\right)+\cdots\cdots$

$+\left(\frac{1}{10}+\frac{2}{10}+\cdots\cdots+\frac{1}{10}\right)$

$=2+3+4+5+6+7+8+9+10=54$

1 >

2 $9\frac{1}{5}+\frac{7}{2}=12\frac{7}{10}$, 예 $1\frac{5}{9}+\frac{2}{7}=1\frac{53}{63}$

3 4, 24

4 (1) $1\frac{63}{64}$ (2) $1\frac{1}{9}$

5 (1) $\frac{1}{42}=\frac{1}{6}-\frac{1}{7}$, $\frac{1}{90}=\frac{1}{9}-\frac{1}{10}$

(2) $\frac{7}{8}=\frac{1}{2}+\frac{1}{4}+\frac{1}{8}$, $\frac{5}{9}=\frac{1}{2}+\frac{1}{18}$ 또는 $\frac{5}{9}=\frac{1}{3}+\frac{1}{6}+\frac{1}{18}$

(3) $1=\frac{20}{20}=\frac{1}{2}+\frac{1}{4}+\frac{1}{5}+\frac{1}{20}$

1 분자와 분모를 바꾸면 원래의 두 분수의 크기도 바뀝니다.

$\frac{21}{215}$ ➡ $\frac{215}{21}=10\frac{5}{21}$, $\frac{17}{188}$ ➡ $\frac{188}{17}=11\frac{1}{17}$

따라서 $10\frac{5}{21}<11\frac{1}{17}$이므로 $\frac{21}{215}>\frac{17}{188}$입니다.

해결 전략

$\frac{b}{a}<\frac{d}{c}$ ➡ $\frac{a}{b}>\frac{c}{d}$

2 • 가장 큰 합

$9\frac{□}{□}+\frac{□}{□}=$ → $9\frac{□}{□}+\frac{7}{2}=$ → $9\frac{1}{5}+\frac{7}{2}=12\frac{7}{10}$

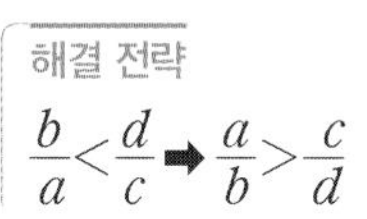

① 대분수의 자연수 부분에 가장 큰 수 9가 들어가야 합니다.

② 더하는 분수가 가장 커지도록 만들 수 있는 분수는 가분수 $\frac{7}{2}$입니다.

③ 나머지 1, 5로 진분수 $\frac{1}{5}$을 만듭니다.

• 가장 작은 합

$1\frac{□}{□}+\frac{□}{□}=$ → $1\frac{5}{9}+\frac{2}{7}=1\frac{53}{63}$ 또는 $1\frac{2}{7}+\frac{5}{9}=1\frac{53}{63}$

① 대분수의 자연수 부분에 가장 작은 수 1이 들어가야 합니다.

② 나머지 분수는 분모와 분자의 차가 크도록 진분수를 만듭니다.

3 ① 피자를 6명이 똑같이 가져갈 수 있도록 큰 조각으로 나눕니다.

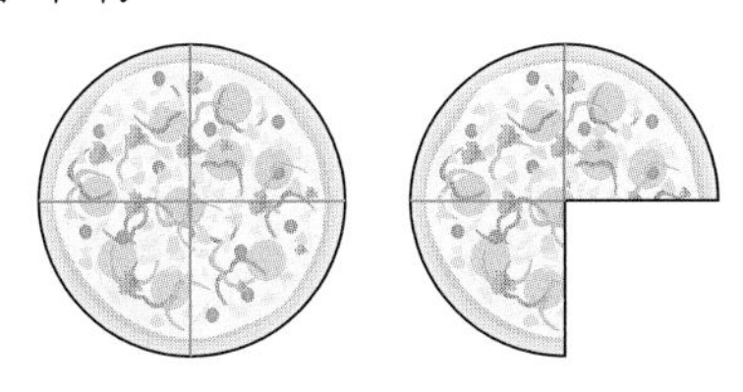

② 남은 조각을 6명이 똑같이 가져갈 수 있도록 작은 조각으로 나눕니다.

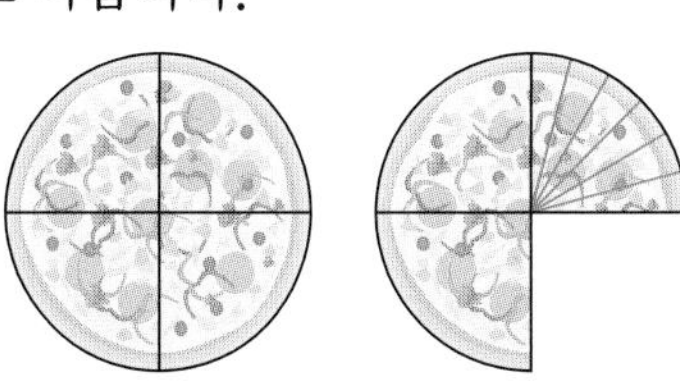

따라서 남아 있는 피자를 6명이 공평하게 나누어 먹을 때 한 사람이 먹게 되는 피자는 $\frac{1}{4}+\frac{1}{24}$입니다.

4 (1) $1+\frac{1}{2}+\frac{1}{4}+\frac{1}{8}+\frac{1}{16}+\frac{1}{32}+\frac{1}{64}=1+\left(1-\frac{1}{64}\right)=1\frac{63}{64}$

(2) $1+\frac{1}{3}-\frac{7}{12}+\frac{9}{20}-\frac{11}{30}+\frac{13}{42}-\frac{15}{56}+\frac{17}{72}$

$=1+\frac{1}{3}-(\frac{1}{3}+\frac{1}{4})+(\frac{1}{4}+\frac{1}{5})-(\frac{1}{5}+\frac{1}{6})+(\frac{1}{6}+\frac{1}{7})$

$-(\frac{1}{7}+\frac{1}{8})+(\frac{1}{8}+\frac{1}{9})$

$=1+\frac{1}{9}=1\frac{1}{9}$

해결 전략

(1) $\frac{1}{2}+\frac{1}{4}+\frac{1}{8}+\frac{1}{16}+\frac{1}{32}+\frac{1}{64}$
$=1-\frac{1}{64}$을 이용합니다.

(2) $\frac{㉠+㉡}{㉠\times㉡}=\frac{1}{㉠}+\frac{1}{㉡}$을 이용합니다.

5 (1) 주어진 분수의 차의 규칙을 살펴보면

$\frac{1}{■}-\frac{1}{(■+1)}=\frac{1}{■\times(■+1)}$의 식이 성립함을 알 수 있습니다.

따라서 $42=6\times7$이므로 $\frac{1}{42}=\frac{1}{6}-\frac{1}{7}$이고,

$90=9\times10$이므로 $\frac{1}{90}=\frac{1}{9}-\frac{1}{10}$입니다.

(2) • $\frac{7}{8}$

① 8의 약수: 1, 2, 4, 8

② $1+2+4=7$

③ $\frac{7}{8}=\frac{1}{8}+\frac{2}{8}+\frac{4}{8}=\frac{1}{2}+\frac{1}{4}+\frac{1}{8}$입니다.

• $\frac{5}{9}$

9의 약수는 1, 3, 9인데 분자 5는 약수의 합으로 나타낼 수 없으므로 크기가 같은 분수($\frac{10}{18}$)로 바꾸어 구해 봅니다.

① 18의 약수: 1, 2, 3, 6, 9, 18

② $1+9=10$ 또는 $1+3+6=10$

③ $\frac{10}{18}=\frac{1}{18}+\frac{9}{18}=\frac{1}{2}+\frac{1}{18}$ 또는

$\frac{10}{18}=\frac{1}{18}+\frac{3}{18}+\frac{6}{18}=\frac{1}{3}+\frac{1}{6}+\frac{1}{18}$입니다.

(3) ① 20의 약수: 1, 2, 4, 5, 10, 20

② $1+4+5+10=20$

③ $\frac{20}{20}=\frac{1}{20}+\frac{4}{20}+\frac{5}{20}+\frac{10}{20}=\frac{1}{2}+\frac{1}{4}+\frac{1}{5}+\frac{1}{20}$입니다.

해결 전략

주어진 분수의 차의 규칙을 살펴봅니다.

해결 전략

분자를 분모의 약수의 합으로 나타내는 규칙입니다.

V 측정

이번 단원에서는 '도형의 둘레'에 관한 주제 1가지와 '도형의 넓이'에 관한 주제 3가지를 다룹니다.

12 둘레와 넓이에서는 둘레와 넓이를 한번에 구하기 어려운 복잡하게 생긴 도형, 자르거나 붙여서 만든 도형의 둘레와 넓이를 구하는 간단한 방법을 알아봅니다. 이어서 직사각형의 둘레와 넓이의 관계에 주목하여 둘레가 일정한 직사각형에서 넓이가 최대일 때의 값을 구해 봅니다.

13 도형의 넓이에서는 복잡하게 생긴 도형이나 길이를 알 수 없는 도형의 넓이를 구하는 방법을 알아봅니다. 이어서 직사각형에 맞닿은 도형의 넓이와 겹쳐진 도형의 넓이에서는 주어진 조건만으로는 풀기 어려워 보이는 문제들을 핵심 아이디어 몇 개로 명쾌하게 해결해 봅니다.

등적변형은 넓이는 같지만 모양은 다른 것으로 원래의 도형을 바꾸는 것을 말하는데 문제에 주어진 도형 그대로의 넓이, 길이 등을 구하기 어려울 때 사용합니다.

14 등적변형 (1)에서는 도형을 똑같은 작은 조각으로 쪼개는 방법인 단위넓이가 실마리가 됩니다.

15 등적변형 (2)에서는 높이가 같은 삼각형이 문제를 푸는 실마리가 됩니다.

최상위 사고력 12 둘레와 넓이

12-1. 꺾인 도형의 둘레

114~115쪽

1

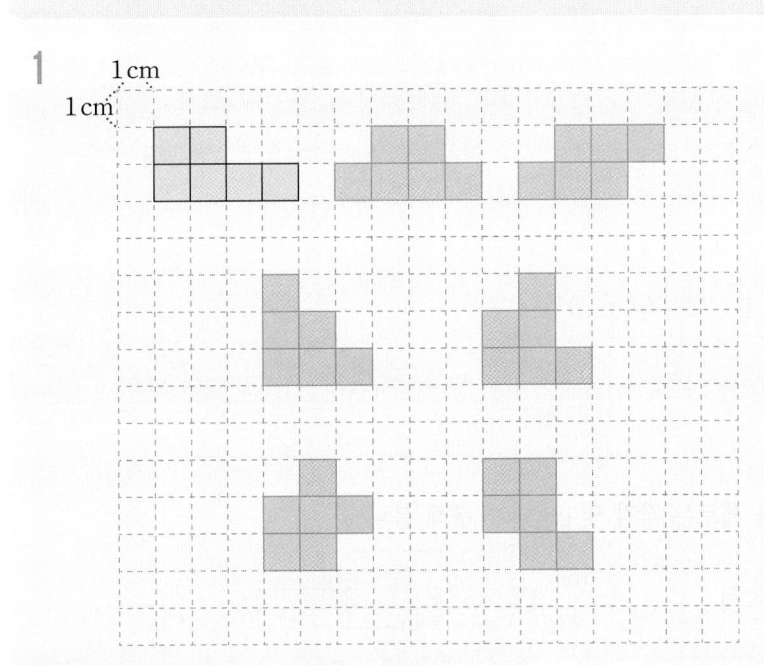

2 68cm

최상위 사고력 1200cm

저자 톡! 반듯하게 생긴 도형이 아닌 변이 여러 번 꺾인 복잡한 도형의 둘레를 구하는 내용입니다. 둘레를 구할 때는 단위길이의 수를 세는 것보다 선분을 이동하는 방법으로 간단히 구하도록 합니다.

1 둘레가 12 cm인 직사각형 모양은 다음과 같이 3가지입니다.

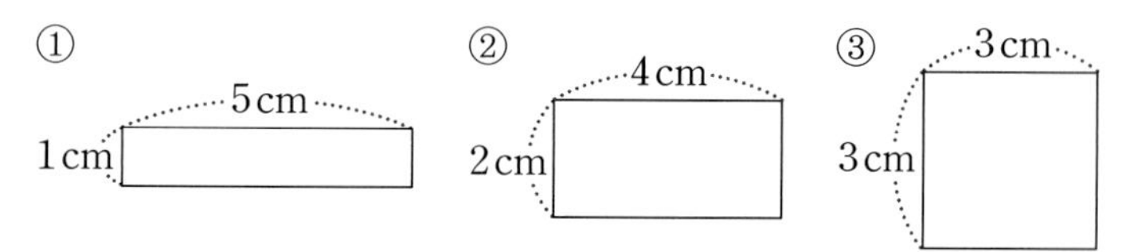

한 변이 1 cm인 정사각형 6개를 이어 붙여 ①과 둘레가 같은 도형은 만들 수 없고,
②, ③과 둘레가 같은 도형을 만들 수 있습니다.

• 둘레가 ②와 같은 경우

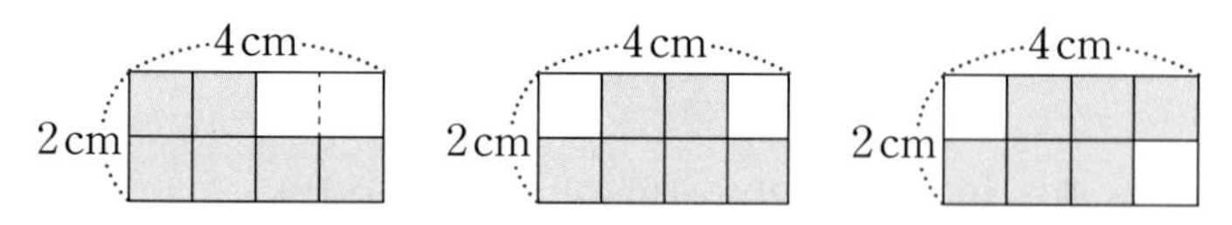

• 둘레가 ③과 같은 경우

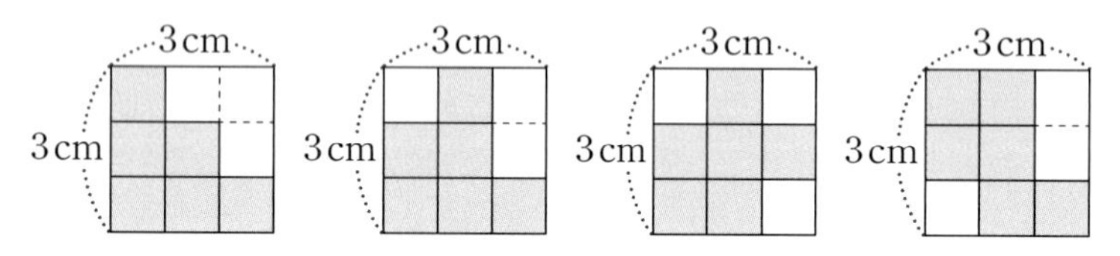

주의

다음과 같은 모양은 둘레가 12 cm인 것 같지만 길이를 이동하여 직사각형 모양을 만들었을 때 ○ 표시한 선분이 더 있으므로 둘레가 12 cm가 아닙니다.

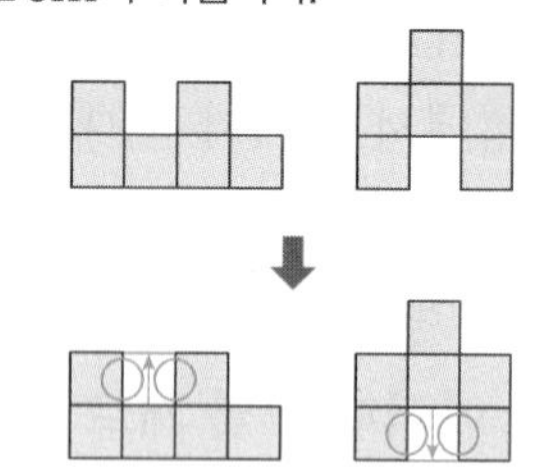

2 파란색 부분을 아래로 옮기면 주어진 도형의 가로가 되고,
빨간색 부분을 왼쪽으로 옮기면 주어진 도형의 세로가 됩니다.

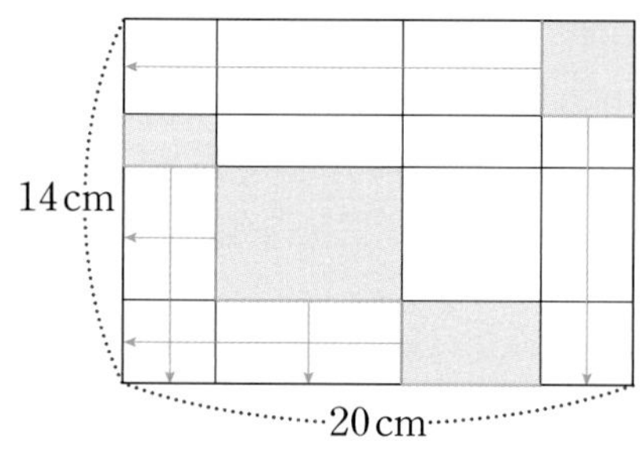

따라서 색칠한 직사각형의 둘레의 합은 $(20+14)\times2=68$(cm)입니다.

보충 개념

직사각형의 둘레
$=((\text{가로})+(\text{세로}))\times2$

최상위 사고력 이어 붙인 도형을 직사각형으로 바꾼 다음 가로와 세로는 각각 몇 cm인지 구해 봅니다.

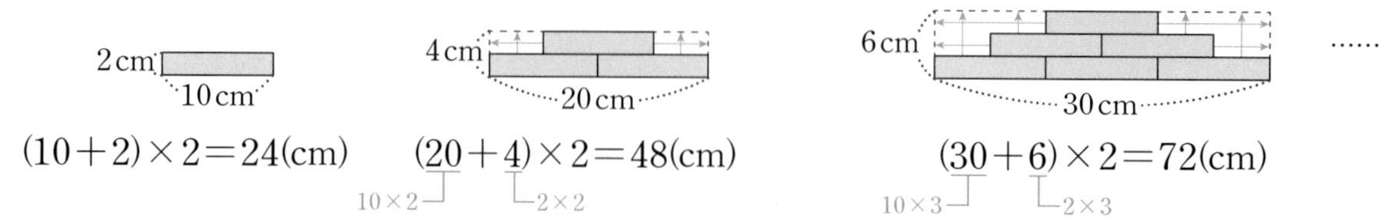

$(10+2)\times2=24$(cm) $(20+4)\times2=48$(cm) $(30+6)\times2=72$(cm)

직사각형을 50층까지 놓아 만든 도형의 둘레는 직사각형을 가로로 50개,
세로로 50개만큼 붙인 큰 직사각형의 둘레와 같습니다.
큰 직사각형의 가로는 $10\times50=500$(cm), 세로는 $2\times50=100$(cm)입니다.
따라서 직사각형을 50층까지 놓아 만든 도형의 둘레는 $(500+100)\times2=1200$(cm)입니다.

12-2. 붙여 만든 도형의 둘레

116~117쪽

1 176cm   2 92cm   최상위 사고력 88cm

저자 톡! 자르거나 붙여 만든 도형에서 도형의 둘레를 구하는 내용입니다. 변형하기 전과 후의 도형의 변의 길이의 관계에 주목하여 문제를 해결하도록 합니다.

1 가위로 자른 부분은 같은 길이의 선이 2개 생깁니다.

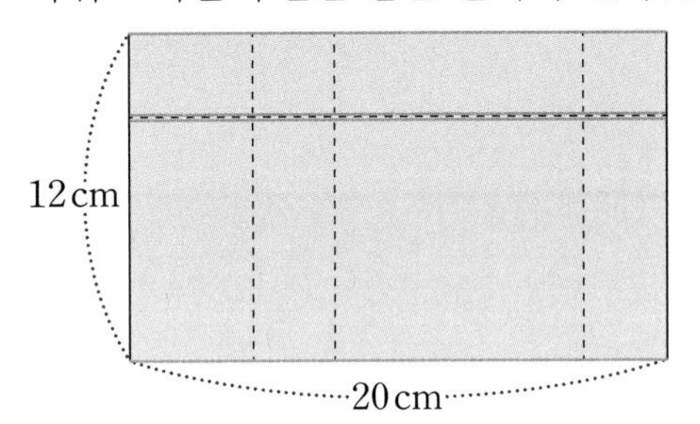

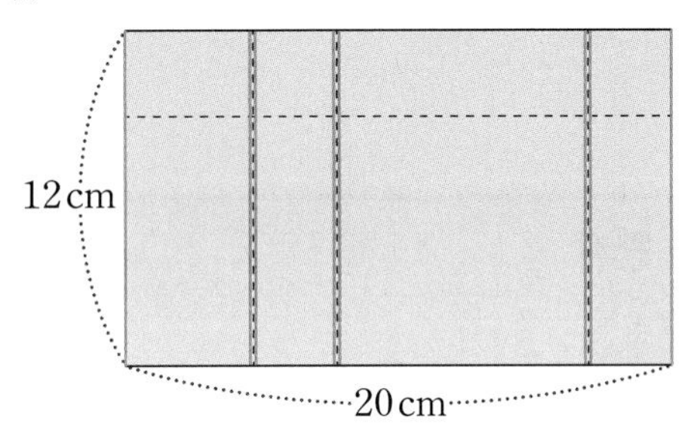

(직사각형 8개의 가로의 합)$=20\times4=80$(cm),
(직사각형 8개의 세로의 합)$=12\times8=96$(cm)
➡ (직사각형 8개의 둘레의 합)$=80+96=176$(cm)

2 작은 직사각형의 가로를 ▲ cm, 세로를 ● cm라 놓습니다.

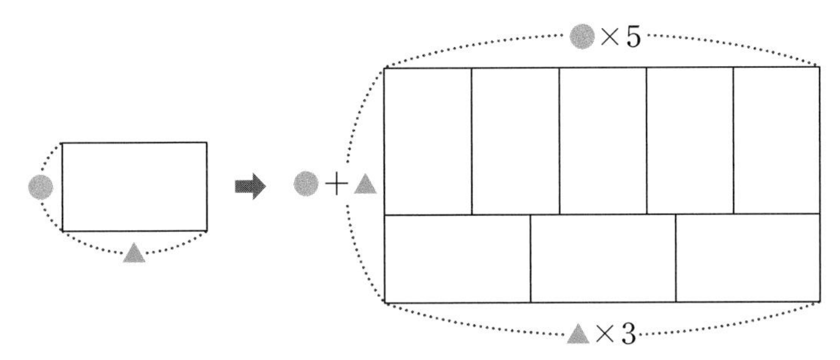

(작은 직사각형의 둘레)$=$(●$+$▲)$\times2=$●$+$▲$+$●$+$▲$=32$(cm),
●$+$▲$=16$(cm)입니다.
조건에 맞는 ●, ▲를 표로 나타내면 다음과 같습니다.

●	1	2	3	4	5	6	7	8
▲	15	14	13	12	11	10	9	8

이 중에서 ▲$\times3=$●$\times5$를 만족하는 것은 ●$=6$, ▲$=10$입니다.
따라서 큰 직사각형의 가로는 $10\times3=30$(cm), 세로는 16cm이므로
큰 직사각형의 둘레는 $(30+16)\times2=92$(cm)입니다.

보충 개념
직사각형은 마주 보는 두 변의 길이가 같으므로 ▲$\times3=$●$\times5$입니다.

최상위 사고력 ㉠의 넓이가 36cm^{2}이므로 ㉠의 한 변의 길이는 6cm이고,
㉡의 넓이가 25cm^{2}이므로 ㉡의 한 변의 길이는 5cm입니다.
①~⑤의 순서에 따라 각 정사각형의 한 변의 길이를 구합니다.

해결 전략
붙어 있는 두 정사각형의 한 변의 길이의 합 또는 차를 이용하여 다른 정사각형의 한 변의 길이를 알아봅니다.

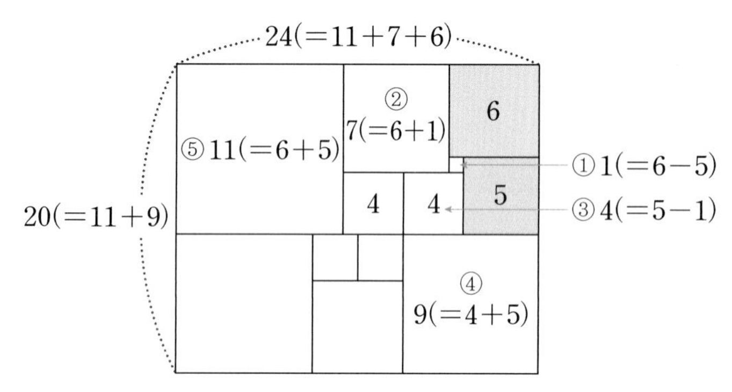

따라서 직사각형의 가로는 24 cm, 세로는 20 cm이므로 둘레는 $(24+20)\times2=88$(cm)입니다.

12-3. 둘레와 넓이의 관계

118~119쪽

1 $49\,cm^2$ 2 $36\,cm^2$ 최상위 사고력 $30\,cm^2$

저자 톡! 직시각형의 가로와 세로를 늘이면 넓이가 얼마만큼 커지는지, 직사각형의 둘레가 일정할 때 넓이가 최대가 되는 것은 어떤 경우인지, 직사각형의 둘레와 넓이의 관계에 대해 알아보는 내용입니다. 직사각형의 가로와 세로를 하나씩 정하여 그림을 그리거나 표로 나타내어 찾아보도록 합니다.

1

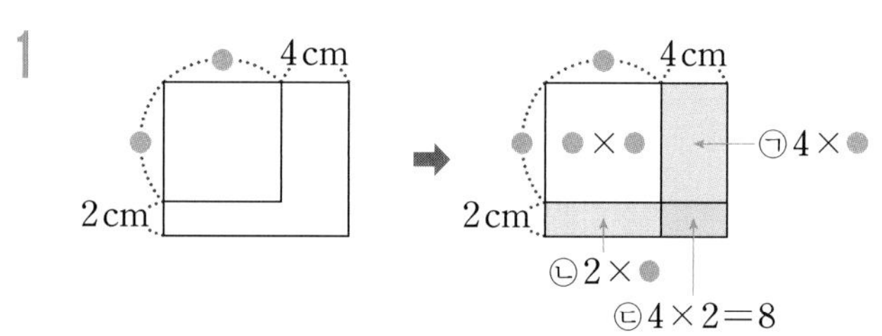

색칠한 부분의 넓이가 $50\,cm^2$이므로

$4\times●+2\times●+8=50$, $6\times●=42$, $●=7$(cm)입니다.

따라서 처음 정사각형의 넓이는 $7\times7=49(cm^2)$입니다.

해결 전략
문제의 조건에 알맞은 그림을 그려 해결해 봅니다.

2 ㉠의 넓이가 $24\,cm^2$이므로 ㉠의 가로와 세로로 가능한 길이를 구합니다.
그 다음 ㉡의 가로와 세로, ㉡의 넓이도 차례로 구합니다.

㉠의 (가로, 세로)	(3, 8)	(4, 6)	(6, 4)	(8, 3)
㉡의 (가로, 세로)	(9, 2)	(8, 4)	(6, 6)	(4, 7)
㉡의 넓이(cm^2)	18	32	36	28

따라서 ㉡의 넓이는 최대 $36\,cm^2$입니다.

해결 전략
먼저 ㉠의 가로와 세로가 될 수 있는 길이를 각각 구해 봅니다.

보충 개념
직사각형의 둘레가 일정할 때 가로와 세로의 차가 작을수록 넓이가 커집니다.

최상위 사고력 겹쳐지지 않은 정사각형 2개의 둘레의 합은 $12\times8=96$(cm)입니다.
만든 도형의 둘레가 74 cm이므로 겹쳐진 직사각형의 둘레는
$96-74=22$(cm)이고, 가로와 세로의 합은 $22\div2=11$(cm)입니다.
직사각형의 둘레가 일정할 때, 가로와 세로의 차가 작을수록 넓이가 커지므로 가로는 5 cm, 세로는 6 cm입니다.
따라서 겹쳐진 직사각형의 넓이는 최대 $5\times6=30(cm^2)$입니다.

보충 개념
가로는 6 cm, 세로는 5 cm일 때도 답은 $6\times5=30(cm^2)$로 같습니다.

최상위 사고력

120~121쪽

1 34 cm, 38 cm, 40 cm

2 121 cm^2

3 68 cm

4 143 cm^2

1 직사각형을 변을 따라 잘라내는 방법은 다음과 같이 세 가지가 있습니다.

① 꼭짓점을 잘라내는 경우 ② 가로를 움푹 들어가게 잘라내는 경우 ③ 세로를 움푹 들어가게 잘라내는 경우

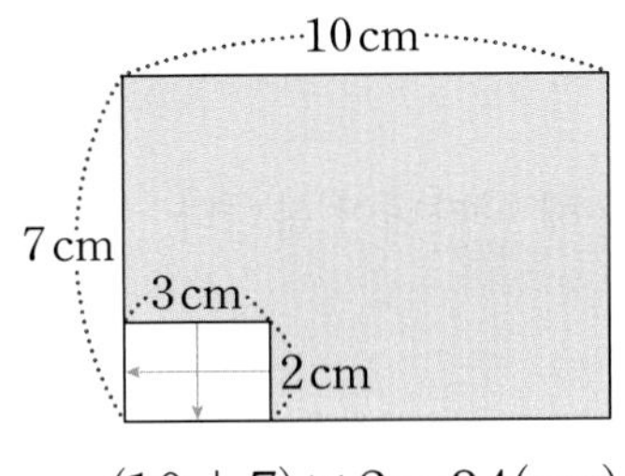

$(10+7)\times 2=34(cm)$

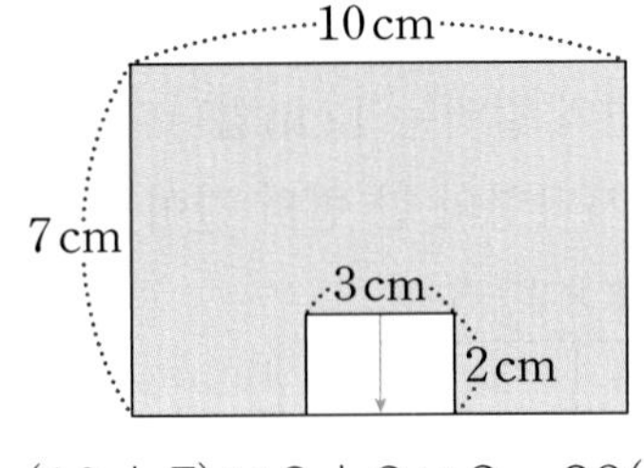

$(10+7)\times 2+2\times 2=38(cm)$

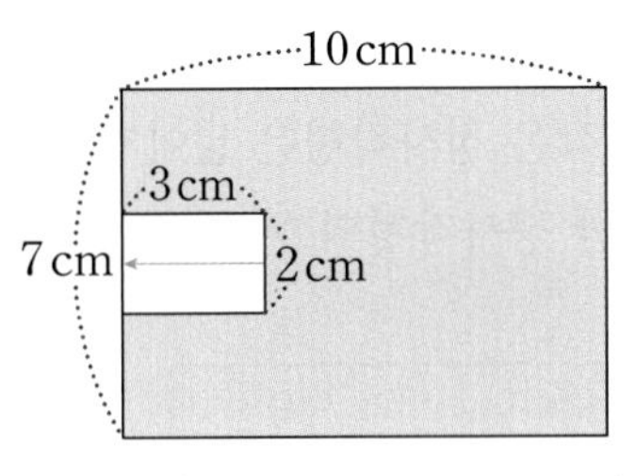

$(10+7)\times 2+3\times 2=40(cm)$

2 막대 9개의 길이의 합은 $1+2+3+\cdots\cdots+8+9=45(cm)$입니다.
직사각형의 둘레는 ((가로)+(세로))×2이므로 직사각형의 둘레는 짝수가 되어야 합니다.
1 cm 막대 1개를 뺀 나머지 8개의 막대로 둘레가 $45-1=44(cm)$이고 넓이가 가장 큰 직사각형을 만들 수 있습니다.
둘레가 44 cm인 직사각형의 가로와 세로의 합은 $44\div 2=22(cm)$입니다.
직사각형의 둘레가 일정할 때 가로와 세로의 차가 작을수록 넓이가 커지므로 직사각형의 가로와 세로의 차가 0인 경우인
(가로)=(세로)=11 cm일 때 넓이가 가장 큽니다.

해결 전략
직사각형의 넓이는 ((가로)+(세로))×2이므로 먼저 어떤 막대를 사용할 수 있을지 생각해 봅니다.

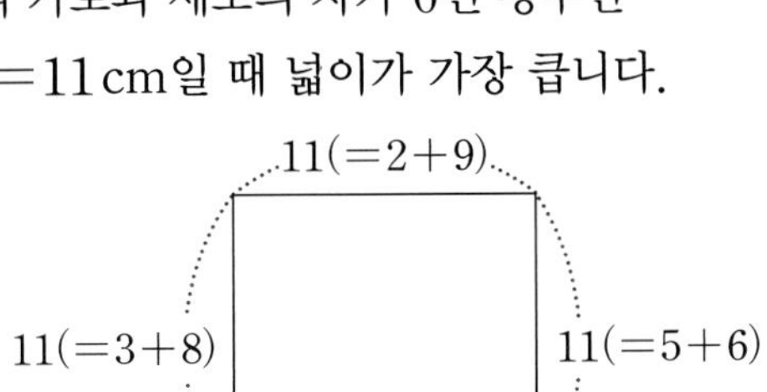

따라서 넓이가 가장 큰 직사각형의 넓이는 $11\times 11=121(cm^2)$입니다.

다른 풀이
넓이가 가장 큰 직사각형은 정사각형이므로 다음과 같이 길이가 같도록 막대를 두 개씩 짝짓습니다.

$2+9=3+8=4+7=5+6=11$
따라서 만들 수 있는 직사각형 중 넓이가 가장 큰 직사각형은 한 변의 길이가 11 cm인 정사각형이고, 넓이는 $11\times 11=121(cm^2)$입니다.

3 정사각형 3장이 겹쳐진 부분을 점선으로 나타내고, 길이를 구한 후 직사각형 모양으로 바꾸어 둘레를 구합니다.

해결 전략
정사각형 3장이 겹쳐진 부분을 그림으로 그려 봅니다.

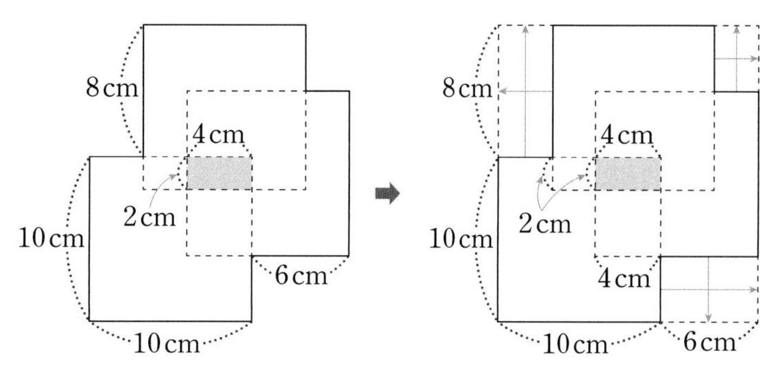

따라서 주어진 그림의 둘레는 $(10+6+10+8)\times2=68$(cm)입니다.

4 가장 작은 정사각형은 넓이가 $1\,cm^2$이므로 한 변의 길이는 1 cm입니다.
색칠한 정사각형의 한 변을 ● cm로 놓고 각 정사각형의 한 변의 길이를 ●를 사용해 나타내어 봅니다.

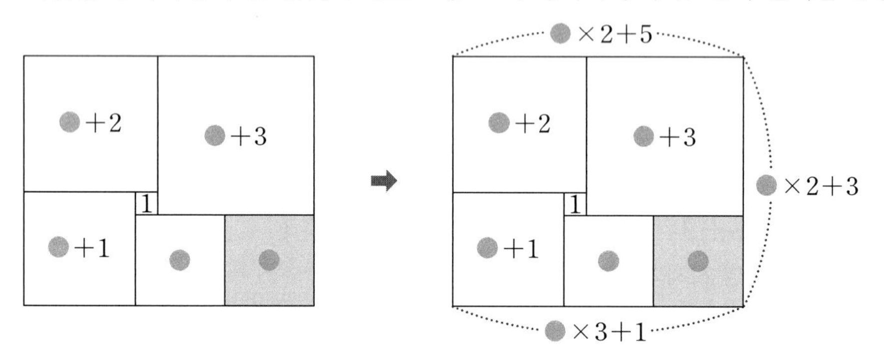

직사각형의 마주 보는 두 변의 길이는 같으므로 ●$\times2+5=$●$\times3+1$, ●$=4$입니다.
따라서 전체 직사각형의 가로는 $4\times3+1=13$(cm), 세로는 $4\times2+3=11$(cm)이므로
넓이는 $13\times11=143(cm^2)$입니다.

최상위 사고력 **13** **도형의 넓이**

13-1. 복잡한 도형의 넓이

122~123쪽

1 (1) $48\,cm^2$ (2) $81\,cm^2$　**2** $12\,cm^2$　최상위 사고력 $53\,cm^2$

저자 톡! 복잡하게 생긴 도형이나 넓이를 쉽게 알 수 없는 도형의 넓이를 구하는 내용입니다. 이런 경우 넓이를 잘 알 수 있는 기본 도형인 직사각형 또는 삼각형으로 나누어 보거나 큰 직사각형에서 작은 직사각형을 빼는 방법을 이용합니다. 넓이를 계산할 때는 주어진 변의 길이 이외에도 알 수 있는 길이를 스스로 찾을 수 있어야 합니다.

1 (1)

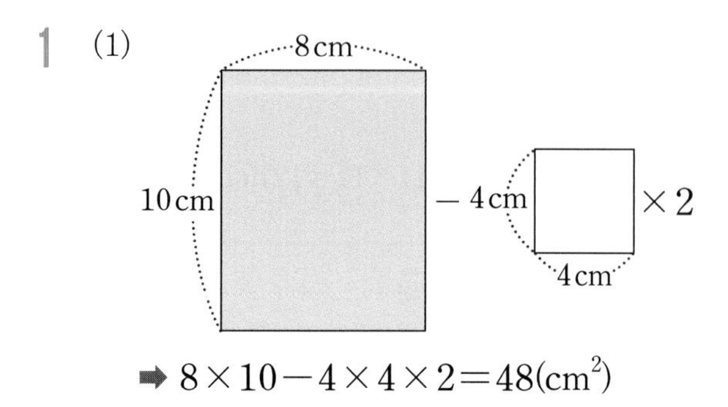

➡ $8\times10-4\times4\times2=48(cm^2)$

해결 전략
색칠한 도형을 포함하는 가장 큰 직사각형에서 색칠하지 않은 직사각형의 넓이를 뺍니다.

(2)

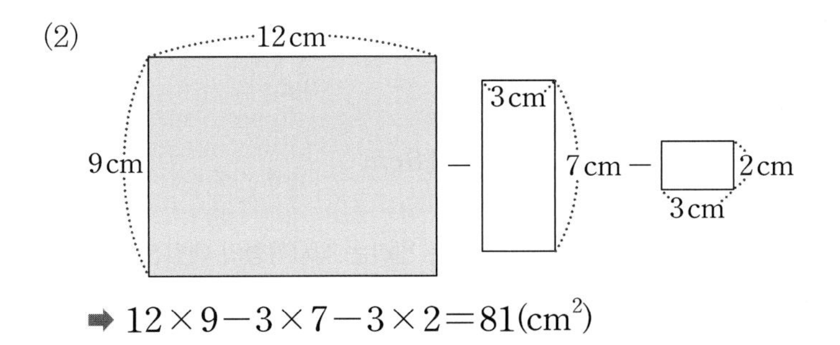

➡ $12\times9-3\times7-3\times2=81(\text{cm}^2)$

2

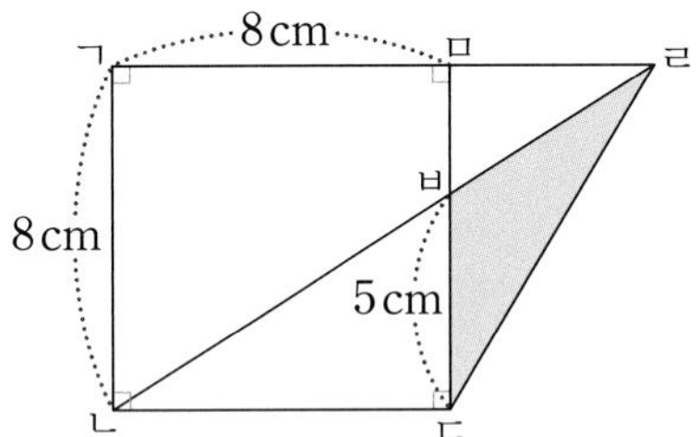

삼각형 ㄹㄴㄷ은 밑변이 8 cm, 높이가 8 cm이고 삼각형 ㅂㄴㄷ은 밑변이 8 cm, 높이가 5 cm입니다.

(색칠된 삼각형의 넓이)=(삼각형 ㄹㄴㄷ의 넓이)−(삼각형 ㅂㄴㄷ의 넓이)

$=8\times8\div2-8\times5\div2$

$=32-20$

$=12(\text{cm}^2)$

해결 전략

삼각형 ㄹㄴㄷ의 넓이에서 삼각형 ㅂㄴㄷ의 넓이를 뺍니다.

최상위 사고력

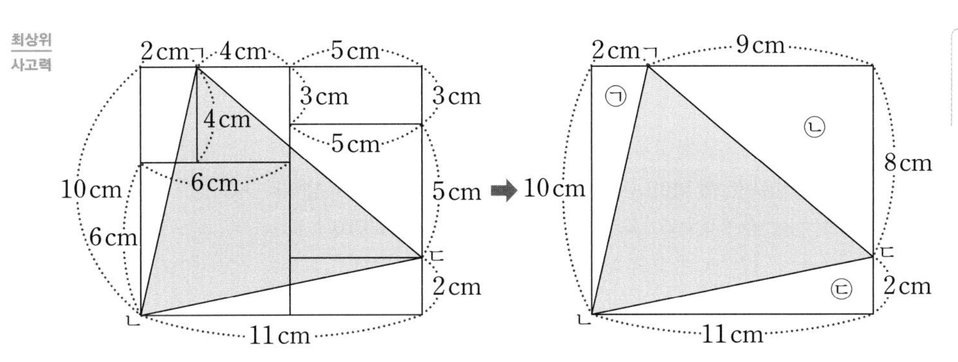

① 정사각형의 변을 연장하여 큰 직사각형을 그립니다.

② 큰 직사각형의 넓이에서 ㉠, ㉡, ㉢의 넓이를 뺍니다.

(삼각형 ㄱㄴㄷ의 넓이)

=(큰 직사각형의 넓이)−(㉠의 넓이)−(㉡의 넓이)−(㉢의 넓이)

$=11\times10-2\times10\div2-9\times8\div2-11\times2\div2$

$=110-10-36-11$

$=53(\text{cm}^2)$

해결 전략

삼각형 ㄱㄴㄷ을 포함하는 가장 작은 직사각형을 그립니다.

13-2. 직사각형을 나눈 도형의 넓이 124~125쪽

1 $32\,cm^2$ 2 $20\,cm^2$ 최상위 사고력 $16\,cm^2$

저자 톡! 직사각형 안에 맞닿아 있는 도형의 넓이를 구하는 내용입니다. 이때 핵심적으로 사용되는 원리는 직사각형의 대각선으로 나누어지는 삼각형의 넓이입니다. 선을 그어 도형을 삼각형으로 나누는 연습을 충분히 하도록 합니다.

1 색칠한 사각형을 다음과 같이 정사각형의 변과 평행한 선으로 나누어 봅니다.

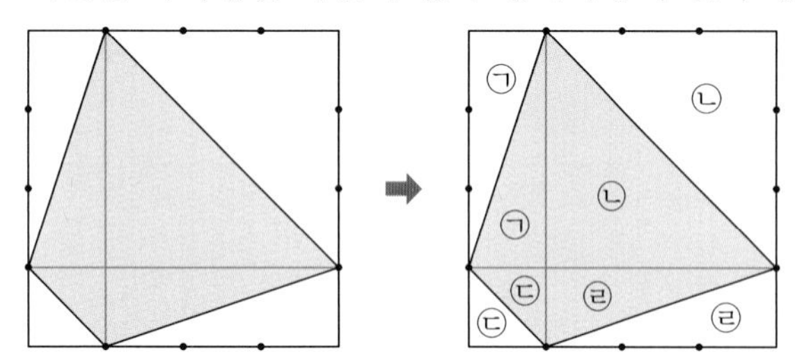

정사각형은 네 개의 직사각형으로 나누어지고,
다시 네 개의 직사각형은 넓이가 같은 2개의 삼각형으로 각각 나누어집니다.
이때 색칠한 사각형의 넓이는 큰 정사각형의 반이 되므로
$64 \div 2 = 32(cm^2)$입니다.

다른 풀이
정사각형의 넓이가 $64\,cm^2$이므로 한 변의 길이는 $8\,cm$이고,
점과 점 사이의 거리는 $8 \div 4 = 2(cm)$입니다.
정사각형에서 ㉠, ㉡, ㉢, ㉣의 넓이를 빼서 색칠한 사각형의 넓이를 구합니다.

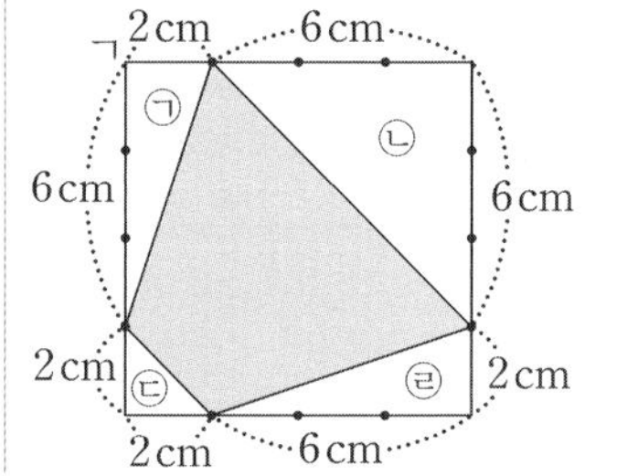

(사각형의 넓이)
$=$(정사각형의 넓이)$-$(㉠의 넓이)$-$(㉡의 넓이)$-$(㉢의 넓이)$-$(㉣의 넓이)
$= 64 - 2 \times 6 \div 2 - 6 \times 6 \div 2 - 2 \times 2 \div 2 - 6 \times 2 \div 2 = 32(cm^2)$

2 ① 색칠한 삼각형의 넓이는 직사각형 ㄱㄴㄷㄹ의 절반이므로 $10\,cm^2$입니다.

② 점 ㄷ에서 변 ㄴㄹ로 수선을 그으면 색칠한 삼각형의 넓이는 직사각형 ㄴㅁㅂㄹ의 절반이 됨을 알 수 있습니다.
색칠한 삼각형의 넓이가 $10\,cm^2$이므로 직사각형 ㄴㅁㅂㄹ의 넓이는 $20\,cm^2$입니다.

해결 전략
먼저 삼각형 ㄹㄴㄷ의 넓이를 구해 봅니다.

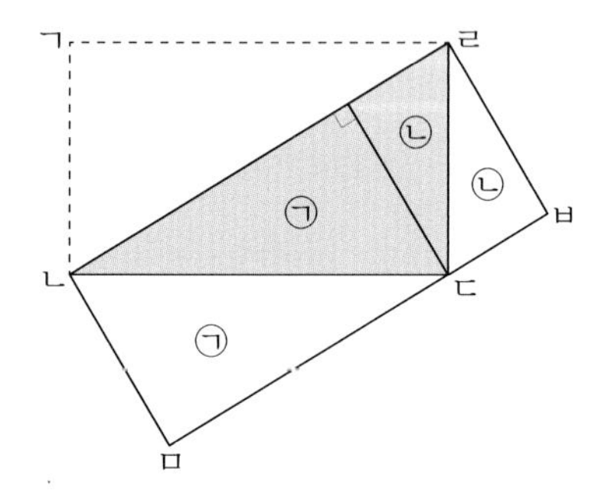

최상위 사고력 다음과 같이 점선을 그어 직사각형을 작은 직사각형 4개로 나누어 봅니다. 나누어진 작은 직사각형들은 각각 넓이가 같은 삼각형 2개로 나누어집니다.

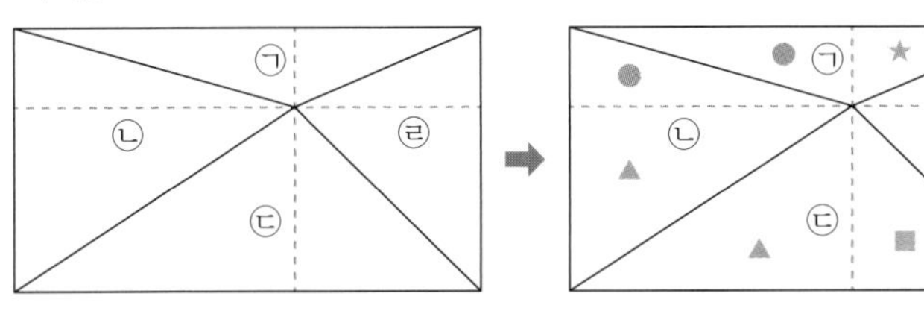

이때 (㉠+㉢의 넓이)=●+★+▲+■,

(㉡+㉣의 넓이)=●+▲+★+■이므로

(㉠+㉢의 넓이)=(㉡+㉣의 넓이)임을 알 수 있습니다.

따라서 12+28=24+(㉣의 넓이), (㉣의 넓이)=40−24,

(㉣의 넓이)=16cm^{2}입니다.

보충 개념

다음 도형의 색칠한 부분의 넓이는 큰 직사각형의 넓이의 반입니다.

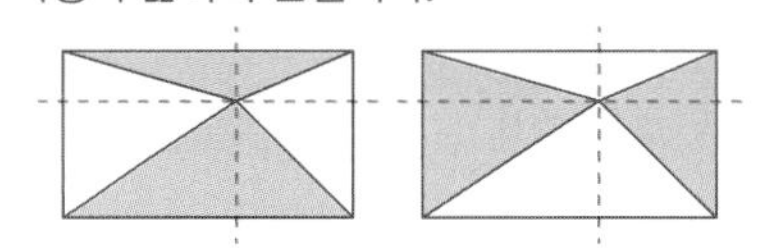

13-3. 겹쳐진 도형의 넓이

126~127쪽

1 51cm^2 2 18cm^2 최상위 사고력 3cm

저자 톡! 도형 2개를 일부분 겹쳐 놓으면 도형에는 겹쳐진 부분과 겹쳐지지 않은 부분이 생기게 됩니다. 여기서는 겹쳐지지 않은 부분의 넓이의 차에 주목하여 여러 가지 도형의 넓이와 길이를 구해 봅니다.

1 겹쳐진 부분의 넓이가 같으므로 겹쳐지지 않은 두 부분의 넓이의 차는 겹치지 않았을 때의 두 도형의 넓이의 차와 같습니다.

따라서 겹쳐지지 않은 두 부분의 넓이의 차는

$10\times10-7\times7=51$(cm^2)입니다.

보충 개념

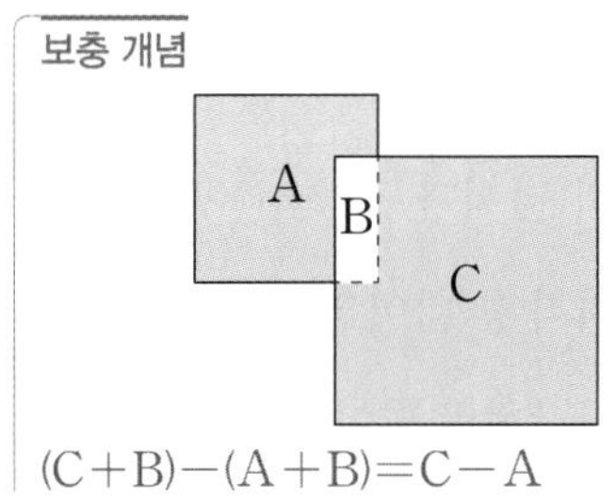

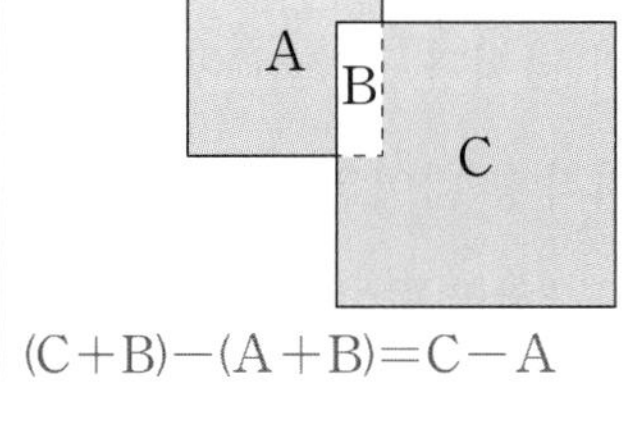

(C+B)−(A+B)=C−A

2

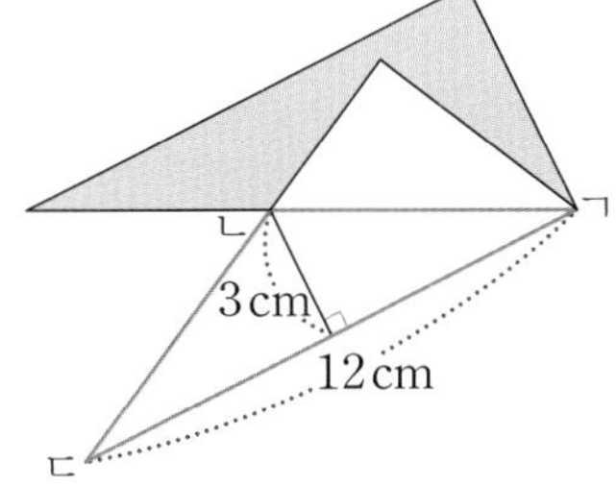

돌리기 전의 삼각형과 돌린 후의 삼각형은 같은 삼각형이므로 넓이가 같습니다. 두 삼각형의 겹쳐진 부분의 넓이가 같으므로 두 삼각형의 겹쳐지지 않은 부분도 넓이가 같아야 합니다.

따라서 (색칠한 부분의 넓이)=(삼각형 ㄱㄴㄷ의 넓이)

$=12\times3\div2=18$(cm^2)입니다.

해결 전략

색칠한 부분과 넓이가 같은 부분을 찾아봅니다.

최상위 사고력 삼각형 ㄱㄴㅂ과 삼각형 ㅁㅂㄹ의 넓이의 차는 직사각형 ㄱㄴㄷㄹ과 직각삼각형 ㅁㄴㄷ의 넓이의 차와 같습니다.

직사각형 ㄱㄴㄷㄹ의 넓이가 $12\times8=96$(cm^2)이므로

직각삼각형 ㅁㄴㄷ의 넓이는 $96-30=66$(cm^2)입니다.

(변 ㅁㄷ의 길이)$=66\times2\div12=11$(cm)이므로

선분 ㅁㄹ의 길이는 $11-8=3$(cm)입니다.

해결 전략

직사각형 ㄱㄴㄷㄹ과 직각삼각형 ㅁㄴㄷ이 겹쳐진 부분은 사각형 ㅂㄴㄷㄹ입니다.

최상위 사고력

1 $80\,cm^2$　　2 $32\,cm^2$

3 $7\frac{1}{2}\,cm^2$　　4 $78\,cm^2$

1

삼각형 ㅇㅁㅅ의 넓이는 사각형 ㄱㅁㅅㄹ의 반이고,
삼각형 ㅁㅂㅅ의 넓이는 사각형 ㅁㄴㄷㅅ의 반입니다.
따라서 색칠한 사각형 ㅁㅂㅅㅇ의 넓이는
직사각형 ㄱㄴㄷㄹ의 넓이의 반이므로 $20\times8\div2=80(cm^2)$입니다.

해결 전략
점 ㅁ과 점 ㅅ을 선분으로 이어 봅니다.

2 삼각형 ㉠과 ㉡의 넓이의 합은 직사각형의 넓이의 반$(=\frac{4}{8})$입니다.
삼각형 ㉡의 넓이가 직사각형 넓이의 $\frac{1}{8}$이므로 삼각형 ㉠의 넓이는
직사각형 넓이의 $\frac{3}{8}$이 됩니다.
㉠의 넓이가 $12\,cm^2$이므로
직사각형 넓이의 $\frac{1}{8}$은 $12\div3=4(cm^2)$이고,
직사각형의 넓이는 $4\times8=32(cm^2)$입니다.

해결 전략
삼각형 ㉠과 ㉡의 넓이의 합은 직사각형의 넓이와 어떤 관계가 있는지 알아봅니다.

3

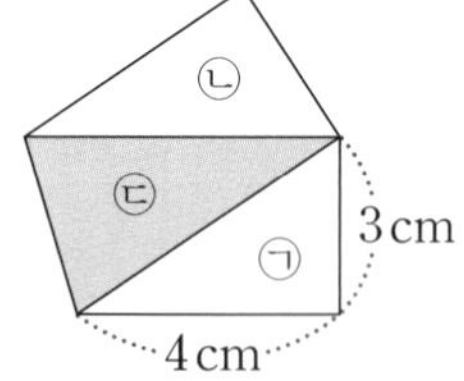

접었을 때 (㉡+㉢)과 (㉠+㉢)의 넓이가
같으므로 겹쳐지지 않은 두 삼각형 ㉠과 ㉡의 넓이도 같습니다.
㉠의 넓이는 $4\times3\div2=6(cm^2)$이므로 ㉡의 넓이도 $6\,cm^2$입니다.
접은 모양을 펼쳤을 때 색칠한 부분과 같은 모양이 한번 더 나타나고,
접기 전 직사각형 ㄱㄴㄷㄹ의 넓이는 $9\times3=27(cm^2)$이므로
(색칠한 부분의 넓이)$=(27-6\times2)\div2=15\div2=7\frac{1}{2}(cm^2)$입니다.

보충 개념
엇각의 성질을 이용하면 ㉠과 ㉡은 똑같은 삼각형이 되어 넓이가 같습니다.

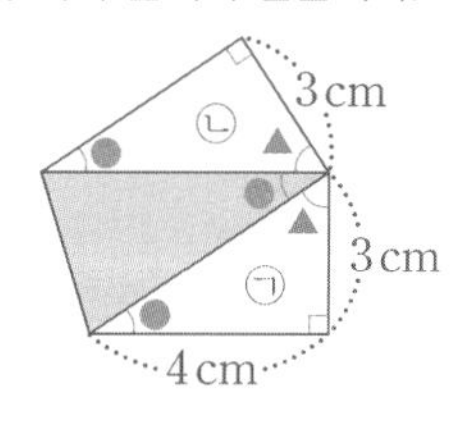

4

> 해결 전략
> 정사각형을 여러 개의 삼각형과 사각형으로 나누어 넓이가 같은 도형을 찾습니다.

정사각형을 여러 개의 삼각형과 사각형으로 나눕니다.

같은 기호의 도형은 각각 서로 넓이가 같습니다.

㉠, ㉡, ㉢, ㉣의 넓이는 한 변이 12cm인 정사각형의 넓이

$12 \times 12 = 144(\text{cm}^2)$에서

가운데에 있는 사각형의 넓이 $4 \times 3 = 12(\text{cm}^2)$를 뺀 것의 반입니다.

➡ $(144-12) \div 2 = 66(\text{cm}^2)$

따라서 색칠한 부분의 넓이는 $66+12=78(\text{cm}^2)$입니다.

최상위 사고력 **14** **등적변형 (1)**

14-1. 단위넓이 이용하기

130~131쪽

1

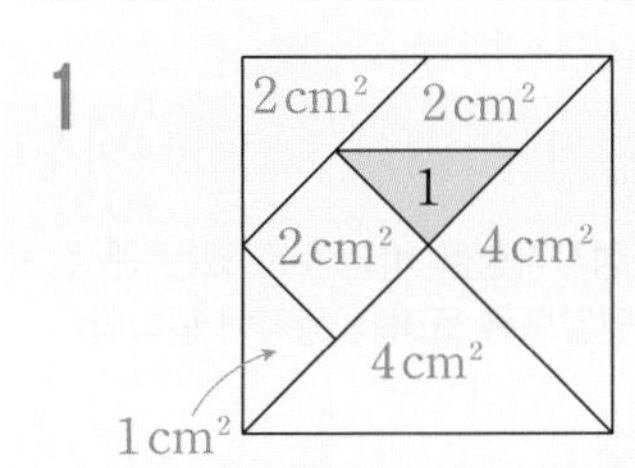

2 5배

최상위 사고력 36cm^2

저자 톡! 주어진 도형의 일부분의 넓이를 이용하여 도형 전체의 넓이 또는 또 다른 부분의 넓이를 구하는 내용입니다. 이번 단원 문제들의 주어진 도형은 크기와 모양이 같은 작은 도형 여러 개로 똑같이 나눌 수 있도록 제시됩니다. 따라서 이 특징을 이용하여 전체 도형을 작은 단위넓이로 나누고 단위넓이와 전체 도형의 넓이의 관계를 이용하여 주어진 넓이를 구하도록 합니다.

1 가장 작은 삼각형 조각을 단위넓이로 하여 정사각형을 나누면 모두 16조각으로 나누어집니다. 단위넓이가 1cm^2이므로 작은 조각의 수를 세어 나머지 조각의 넓이를 구합니다.

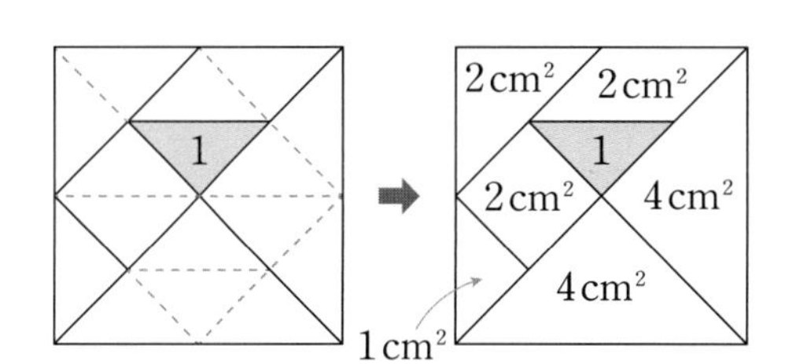

2 삼각형 가와 같은 크기로 사각형 나를 나누어 봅니다.
나는 가 조각 5개로 이루어져 있으므로
나의 넓이는 가의 넓이의 5배입니다.

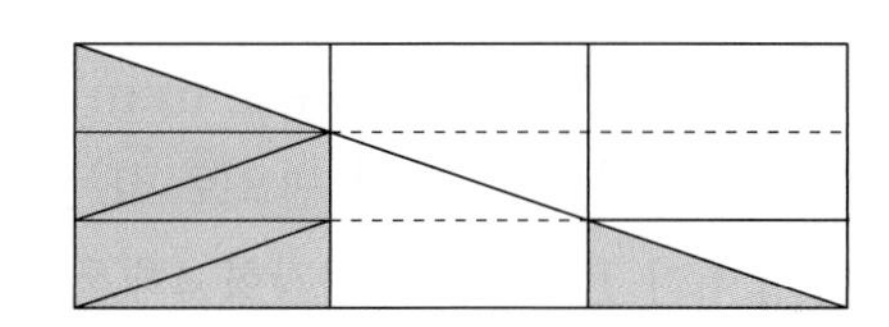

최상위 사고력 주어진 도형을 같은 모양과 크기의 삼각형으로 나누어 봅니다.

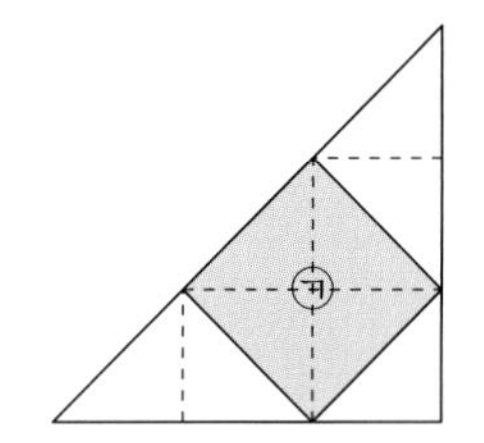

정사각형 ㉠은 작은 삼각형 4개로 이루어져 있으므로 작은 삼각형 1개의 넓이는 $32 \div 4 = 8(cm^2)$이고, 큰 직각이등변삼각형의 넓이는 $8 \times 9 = 72(cm^2)$입니다.

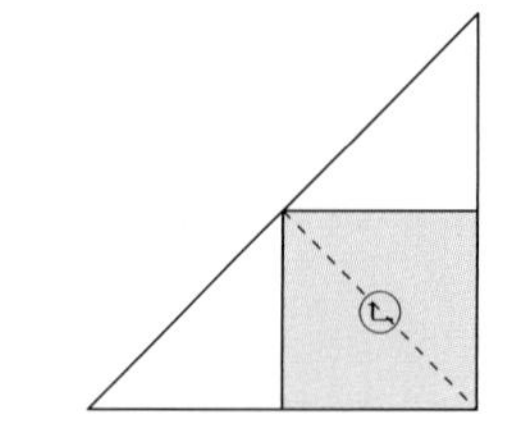

정사각형 ㉡의 넓이는 큰 직각이등변삼각형의 반이므로 $72 \div 2 = 36(cm^2)$입니다.

해결 전략
먼저 단위넓이를 이용하여 직각이등변삼각형의 넓이를 구해 봅니다.

14-2. 변형하기

132~133쪽

1 $16cm^2$ 2 $10cm^2$ 최상위 사고력 $20cm^2$

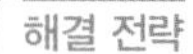

저자 톡! 단위넓이를 이용하는 문제 중에서 주어진 도형에서 단위넓이를 어떻게 이용해야 하는지 바로 생각하기 어려운 경우가 있습니다. 본문에 제시된 대표적인 유형의 문제들로 도형을 움직여 보거나 새로운 도형을 붙이는 등 도형을 변형해 보는 창의적인 문제해결 과정을 통하여 수학적 안목을 키울 수 있도록 합니다.

1

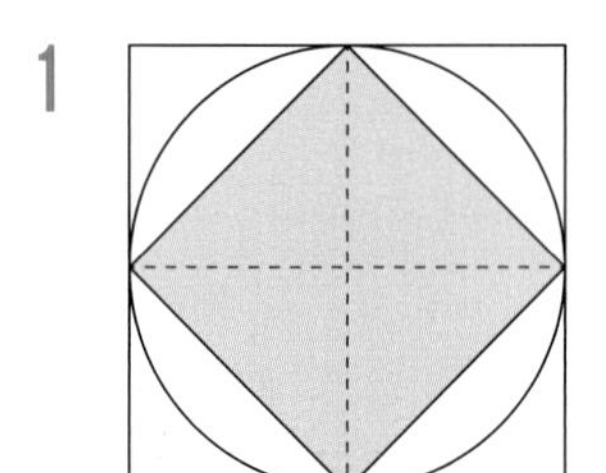

색칠한 정사각형을 45°만큼 회전시켜 위의 그림처럼 나타내면 가장 큰 정사각형은 모양과 크기가 같은 직각삼각형 8개로 나눌 수 있습니다.
색칠한 정사각형은 직각삼각형 4개로 이루어져 있으므로 큰 정사각형의 넓이는 작은 정사각형의 넓이의 2배인 $8 \times 2 = 16(cm^2)$입니다.

해결 전략
색칠한 정사각형을 바깥쪽에 있는 큰 정사각형에 맞닿도록 돌려서 생각해 봅니다.

보충 개념
색칠한 정사각형의 대각선의 길이는 원의 지름과 같습니다.

2 넓이가 $1cm^2$인 정사각형을 여러 개 붙여 선분 ㄱㄴ을 한 변으로 하는 정사각형을 그려 봅니다.
오른쪽 그림에서 색칠한 직각삼각형 2개를 붙인 것과 작은 정사각형 3개를 붙인 것의 넓이가 같으므로 색칠한 직각삼각형 4개의 넓이는 작은 정사각형 6개의 넓이와 같은 $6cm^2$입니다.
따라서 선분 ㄱㄴ을 한 변으로 하는 정사각형의 넓이는 직각삼각형 4개와 넓이가 $1cm^2$인 정사각형 4개를 포함하여 $6+4=10(cm^2)$입니다.

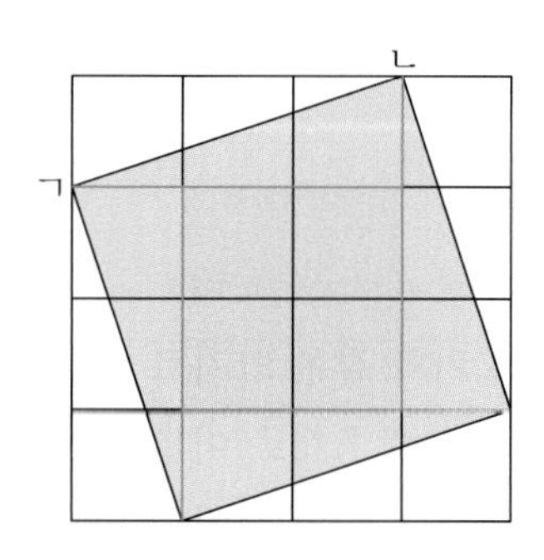

최상위 사고력 색칠한 삼각형을 이동하여 다음과 같이 정사각형으로 만듭니다.

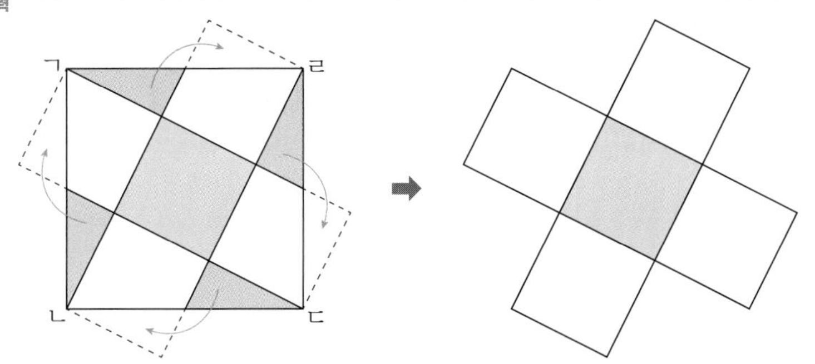

작은 정사각형 1개의 넓이는 색칠한 사각형 넓이와 같고,
색칠한 사각형의 넓이가 $4\,cm^2$이므로 정사각형 ㄱㄴㄷㄹ의 넓이는
$4\times5=20(cm^2)$입니다.

해결 전략
색칠한 사각형이 단위넓이가 되도록 도형을 변형해 봅니다.

14-3. 픽의 정리

134~135쪽

1 (1)

도형	㉠	㉡	㉢	㉣	㉤
둘레 위의 점의 개수(개)	3	4	5	6	7
넓이(cm^2)	0.5	1	1.5	2	2.5

, (도형의 넓이)=(둘레 위의 점의 개수)÷2−1

(2)

도형	㉥	㉦	㉧	㉨	㉩	㉪	㉫
둘레 위의 점의 개수(개)	3	4	5	6	4	6	4
도형 안의 점의 개수(개)	1	1	1	1	2	2	4
넓이(cm^2)	1.5	2	2.5	3	3	4	5

, (도형의 넓이)
=(둘레 위의 점의 개수)÷2
+(도형 안의 점의 개수)−1

최상위 사고력 A $7.5\,cm^2$, $10\,cm^2$

최상위 사고력 B 예

저자 톡! 픽의 정리는 도형의 둘레에 있는 점의 개수와 도형 안에 있는 점의 개수를 세어 넓이를 구하는 방법으로 도형의 변의 길이를 이용하여 넓이를 구하기 힘들 때 유용하게 사용하는 방법입니다. 픽의 정리의 유용함을 경험해 보고, 직접 구한 넓이와 일치하는지 확인해 보도록 합니다.

1 보충 개념

초등 교육 과정에서는 다각형의 넓이를 구할 때 다각형의 변의 길이를 이용합니다. 그러나 간격이 일정한 점판 위에 놓여진 다각형의 넓이는 변의 길이와 관계없이 점의 개수만으로 구할 수 있습니다.
이것을 '픽(Pick)의 정리'라고 하는데 오스트리아 수학자인 게오르그 픽(Georg Pick)이 1899년에 발견하였습니다.

(도형의 넓이)=(둘레 위의 점의 개수)÷2+(도형 안의 점의 개수)−1

픽의 정리로 지도 위에 모눈 종이를 겹쳐서 특정한 지역(다각형 모양)의 넓이를 간단히 구할 수 있습니다.

최상위 사고력 A

• (㉠의 넓이)=(둘레 위의 점의 개수)÷2+(도형 안의 점의 개수)−1
$=9\div2+4-1$
$=7.5(\text{cm}^2)$

• (㉡의 넓이)=(육각형의 넓이)−(삼각형의 넓이)
$=(8\div2+8-1)-(4\div2-1)$
$=11-1=10(\text{cm}^2)$

주의
색칠한 도형을 사각형과 삼각형으로 나누어 구할 수 있지만 점판 위에 있으므로 픽의 정리로 구해 보도록 합니다.

최상위 사고력 B

(다각형의 넓이)=(둘레 위의 점의 개수)÷2+(도형 안의 점의 개수)−1
=(둘레 위의 점의 개수)÷2+1−1
=(둘레 위의 점의 개수)÷2=2

➡ 둘레 위의 점의 개수가 4개이고, 도형 안의 점의 개수가 1개인 도형을 그립니다.

예

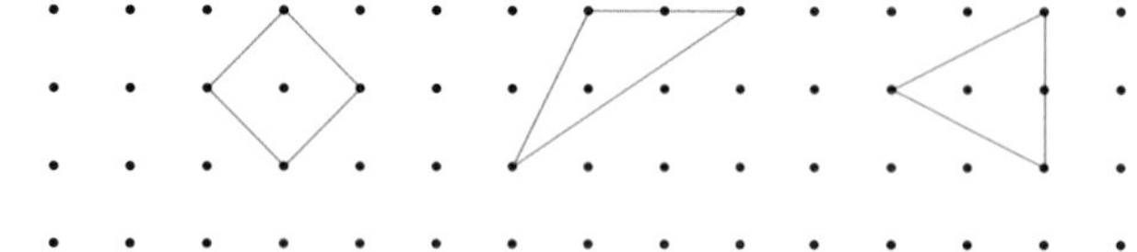

이외에도 그릴 수 있는 도형은 여러 가지입니다.

최상위 사고력

136~137쪽

1 16cm^2 2 64cm^2

3

1

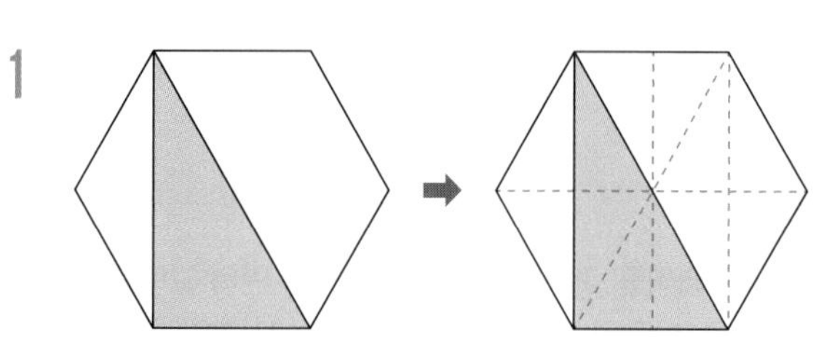

정육각형을 모양과 크기가 같은 작은 직각삼각형을 단위넓이로 하여 나눕니다.

색칠한 삼각형의 넓이는 작은 직각삼각형 4개의 넓이와 같으므로 정육각형의 넓이의 $\frac{1}{3}(=\frac{4}{12})$과 같습니다.

따라서 색칠한 삼각형의 넓이는 $48\div3=16(\text{cm}^2)$입니다.

2 직각삼각형 8개는 크기와 모양이 모두 같으므로 ㉠, ㉡, ㉢은 모두 정사각형입니다.
또한 직각삼각형의 크기가 모두 같고 큰 정사각형의 크기가 같으므로
(㉠의 넓이)+(㉡의 넓이)=(㉢의 넓이)입니다.
㉠의 한 변이 6cm이므로
$6\times6+$(㉡의 넓이)$=100$, (㉡의 넓이)$=64\text{cm}^2$입니다.

해결 전략
왼쪽 그림의 ㉠, ㉡과 오른쪽 그림의 ㉢은 크기가 같은 두 정사각형에서 각각 직각삼각형 4개를 빼고 남은 부분입니다.

3 넓이가 $3\,cm^2$인 삼각형은 픽의 정리

(도형의 넓이)=(둘레 위의 점의 개수)÷2+(도형 안의 점의 개수)−1을

이용하여 주어진 선분을 한 변으로 하는 삼각형을 그려 봅니다.

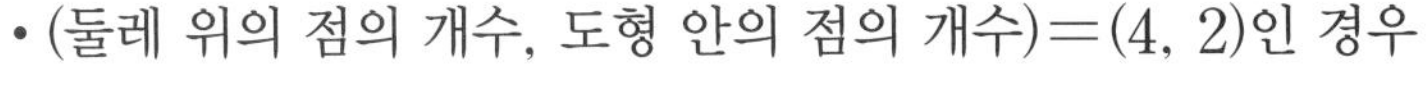

• (둘레 위의 점의 개수, 도형 안의 점의 개수)=(4, 2)인 경우

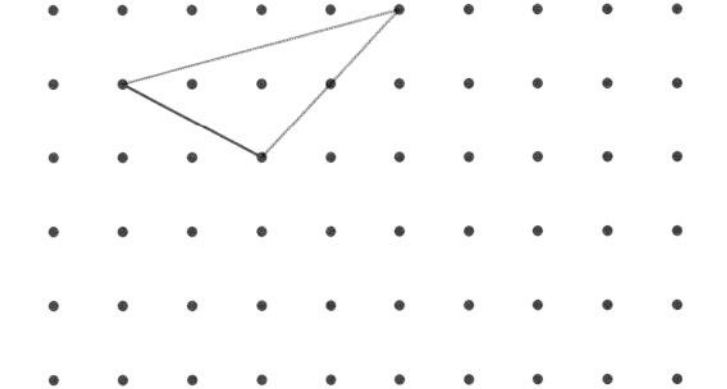

• (둘레 위의 점의 개수, 도형 안의 점의 개수)=(6, 1)인 경우

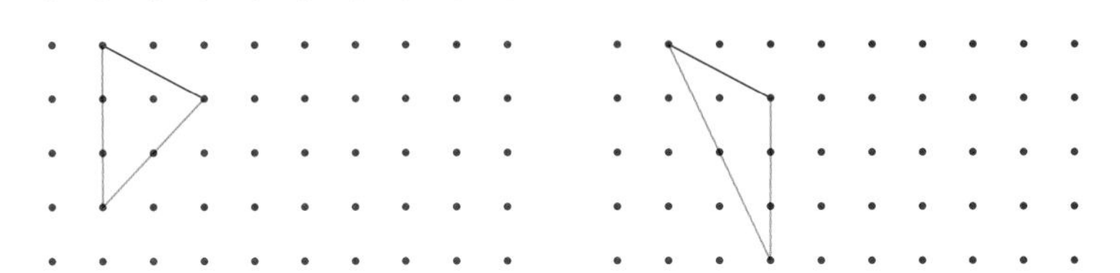

• (둘레 위의 점의 개수, 도형 안의 점의 개수)=(8, 0)인 경우

최상위 사고력 **15** **등적변형 (2)**

15-1. 사다리꼴의 넓이

138~139쪽

1

최상위 사고력 A

(1) (아랫변의 길이)×(높이)−((아랫변의 길이)−(윗변의 길이))×(높이)÷2

(2) (윗변의 길이)×(높이)+((아랫변의 길이)−(윗변의 길이))×(높이)÷2

최상위 사고력 B

예

저자 톡! 일반적으로 사다리꼴의 넓이는 ((아랫변의 길이)+(윗변의 길이))×(높이)÷2를 이용하여 구합니다. 이 공식은 원래의 사다리꼴에 똑같은 사다리꼴을 뒤집어 옆으로 붙여 만든 평행사변형에서 유도된 것입니다. 사실 이 방법 외에도 도형을 사용하는 방법에 따라 넓이를 구하는 공식은 다양합니다. 본문에 제시된 방법 외에 또 다른 방법이 있는지도 찾아보고, 더 나아가 둔각, 예각삼각형의 넓이를 구하는 다른 방법도 생각해 보도록 합니다.

최상위 사고력 A (1) 삼각형을 그려 평행사변형을 만들고, 평행사변형의 넓이에서 삼각형의 넓이를 뺍니다.

➡ (아랫변의 길이)×(높이)−((아랫변의 길이)−(윗변의 길이))×(높이)÷2

(2) 사다리꼴을 평행사변형과 삼각형으로 나누어 넓이를 구한 후 더합니다.

➡ (윗변의 길이)×(높이)−((아랫변의 길이)−(윗변의 길이))×(높이)÷2

최상위 사고력 B 넓이가 같은 삼각형과 직사각형에서 삼각형의 밑변과 직사각형의 가로가 같으면 직사각형의 세로는 삼각형의 높이의 절반($=\frac{1}{2}$)입니다.

따라서 삼각형의 윗부분을 잘라서 삼각형의 밑변을 직사각형의 가로로 하고 높이의 절반이 직사각형의 세로가 되도록 옮깁니다.

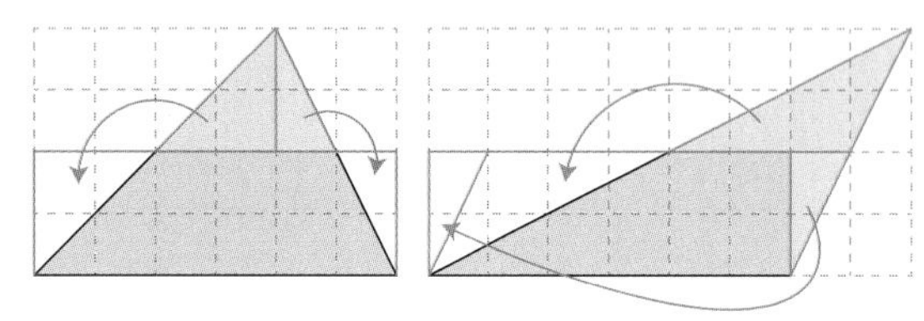

15-2. 높이가 같은 삼각형의 넓이 (1)

140~141쪽

1 3쌍 　 2 $4\,cm^2$ 　 최상위 사고력 18배

저자 톡! 높이가 같고 밑변의 길이가 같은 삼각형들은 모양에 상관없이 넓이가 모두 같습니다. 또한 높이가 같고 밑변의 길이만 다른 삼각형들은 그 넓이의 관계를 알 수 있습니다. 주어진 도형에서 넓이가 같은 삼각형을 밑변과 높이를 기준으로 다양하게 찾아보고, 필요에 따라 보조선을 그어 높이가 같은 삼각형을 만들어 문제를 해결하도록 합니다.

1 주어진 사각형은 사다리꼴이므로 윗변과 아랫변이 평행합니다.

해결 전략
밑변이 같은 삼각형 중에서 높이가 같은 삼각형을 찾아봅니다.

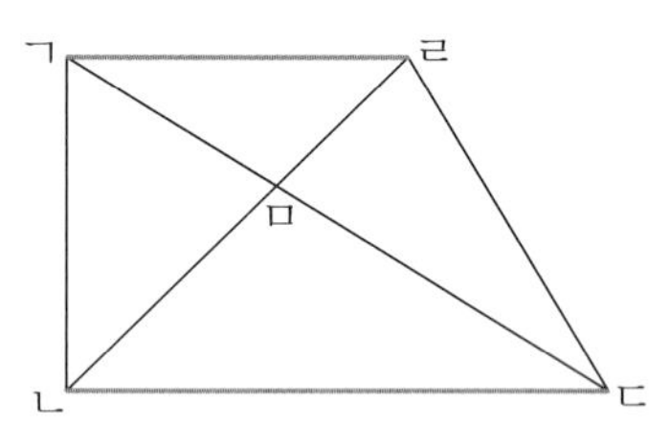

① 사다리꼴의 아랫변을 밑변으로 하고 높이가 같은 삼각형을 찾습니다.

➡ 삼각형 ㄱㄴㄷ과 삼각형 ㄹㄴㄷ

② ①에서 찾은 두 삼각형의 겹치는 부분인 삼각형 ㅁㄴㄷ을 제외한 도형의 넓이는 같습니다.

➡ 삼각형 ㄱㄴㅁ과 삼각형 ㄹㅁㄷ

③ 사다리꼴의 윗변을 밑변으로 하고 높이가 같은 삼각형을 찾습니다.

➡ 삼각형 ㄱㄴㄹ과 삼각형 ㄱㄷㄹ

따라서 넓이가 같은 크고 작은 삼각형은 3쌍입니다.

2

> 해결 전략
> 높이가 같은 삼각형을 찾아 밑변의 길이와 넓이의 관계를 이용해 봅니다.

색칠한 삼각형의 넓이를 ■ cm^2라 하면

삼각형 ㄹㅁㄷ의 넓이는 (■ $\times$ 3) cm^2이므로

삼각형 ㄹㄴㄷ의 넓이는 ■ + ■ $\times$ 3 = ■ $\times$ 4(cm^2)입니다.

삼각형 ㄱㄹㄷ의 넓이는 삼각형 ㄹㄴㄷ의 절반이므로 (■ $\times$ 2)cm^2입니다.

따라서 삼각형 ㄱㄴㄷ의 넓이는 ■ $\times$ 4 + ■ $\times$ 2 = ■ $\times$ 6 = 24(cm^2),

■ = 4 cm^2이므로 색칠한 삼각형의 넓이는 4 cm^2입니다.

> 보충 개념
> 높이가 같은 삼각형에서 찾을 수 있는 성질
> • 밑변의 길이가 같으면 넓이도 같습니다.
>
> 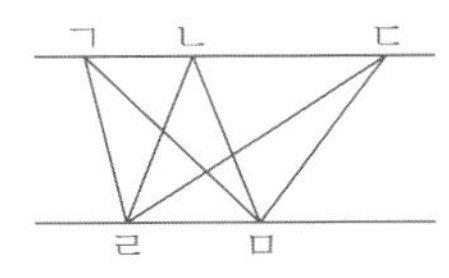
>
> ➡ (삼각형 ㄱㄹㅁ의 넓이)=(삼각형 ㄴㄹㅁ의 넓이)=(삼각형 ㄷㄹㅁ의 넓이)
>
> • 넓이는 밑변의 길이의 몇 배만큼 커집니다.
>
> 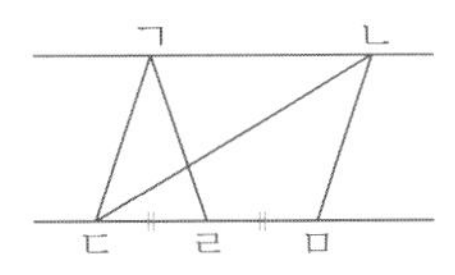
>
> ➡ (삼각형 ㄱㄷㄹ의 넓이) $\times$ 2 = (삼각형 ㄴㄷㅁ의 넓이)

최상위 사고력 삼각형 ㄹㅁㅂ의 넓이를 ■라 할 때 삼각형 ㄱㄴㄹ, 삼각형 ㅁㄴㄷ, 삼각형 ㄱㅂㄷ의 넓이를 ■를 이용하여 나타내어 봅니다.

> 해결 전략
> 선을 그어 삼각형 ㄹㅁㅂ과 높이가 같은 삼각형을 만들어 봅니다.

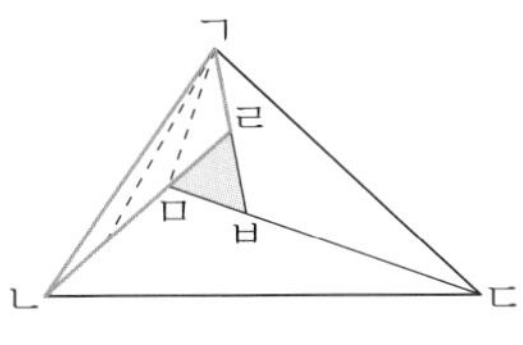

① 삼각형 ㄱㄴㄹ은 색칠한 삼각형과 높이는 같고 밑변의 길이는 3배이므로 삼각형 ㄹㅁㅂ의 넓이의 3배입니다.
➡ (삼각형 ㄱㄴㄹ의 넓이) = ■ $\times$ 3

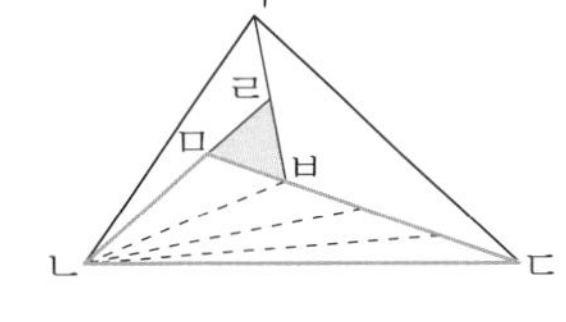

② 삼각형 ㅁㄴㅂ은 색칠한 삼각형과 높이는 같고 밑변의 길이는 2배이므로 색칠한 삼각형의 넓이의 2배입니다. 삼각형 ㅁㄴㄷ의 넓이는 삼각형 ㅁㄴㅂ의 넓이의 4배이므로 삼각형 ㄹㅁㅂ의 넓이의 8배입니다.
➡ (삼각형 ㅁㄴㄷ의 넓이) = ■ $\times$ 8

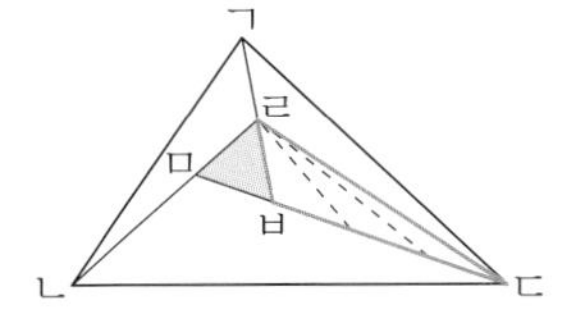

③ 삼각형 ㄹㅂㄷ은 색칠한 삼각형과 높이가 같고 밑변의 길이는 3배이므로 삼각형 ㄹㅁㅂ의 넓이의 3배입니다.
➡ (삼각형 ㄹㅂㄷ의 넓이) = ■ $\times$ 3

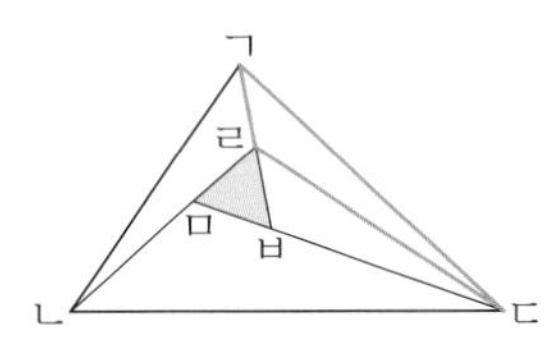

④ 삼각형 ㄱㄹㄷ은 삼각형 ㄹㅂㄷ과 밑변의 길이와 높이가 같으므로 삼각형 ㄹㅁㅂ의 넓이의 3배입니다.
➡ (삼각형 ㄱㄹㄷ의 넓이) = ■ $\times$ 3

삼각형 ㄱㄴㄷ의 넓이는 ①, ②, ③, ④에서 구한 넓이와 삼각형 ㄹㅁㅂ의 넓이의 합입니다.

따라서 (삼각형 ㄱㄴㄷ의 넓이)$=$■$+$■$\times3+$■$\times8+$■$\times3+$■$\times3=$■$\times18$이므로 삼각형 ㄹㅁㅂ의 넓이의 18배입니다.

15-3. 높이가 같은 삼각형의 넓이 (2)

142~143쪽

1 예

2 $21\,cm^2$

최상위 사고력 (1) 예

(2) 예

저자 톡! 삼각형과 사각형 등의 도형을 높이가 같은 삼각형으로 바꿀 때는 평행선을 이용하여 높이가 같은 이유를 설명할 수 있어야 합니다. 학생들에게 생소한 내용이라 어렵게 느껴질 수 있으므로 주어진 도형과 넓이가 같은 도형을 만드는 연습을 충분히 해 보도록 합니다.

1 다음과 같은 순서로 반듯한 길을 그려 봅니다.

① 선분 ㄱㄴ을 그어 삼각형 ㄱㄴㄷ을 만듭니다.

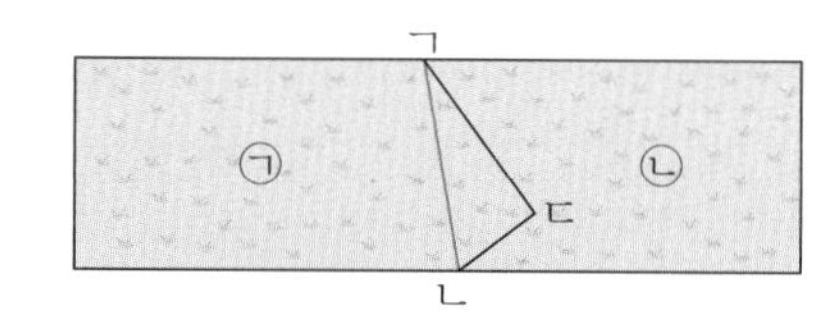

② 선분 ㄱㄴ과 평행하면서 점 ㄷ을 지나는 직선을 긋습니다.

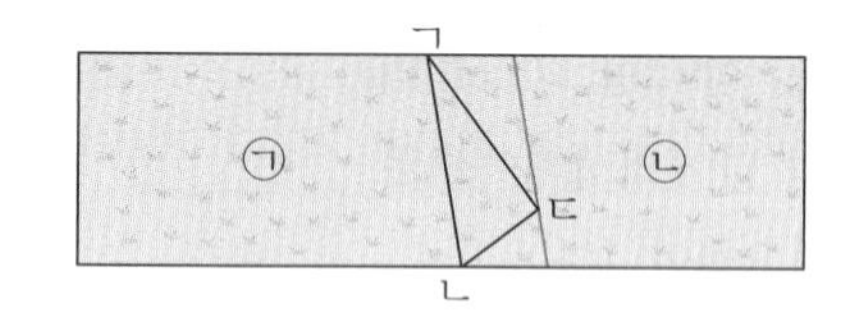

③ 점 ㄹ을 점 ㄱ과 이어 삼각형 ㄱㄴㄹ을 만듭니다.

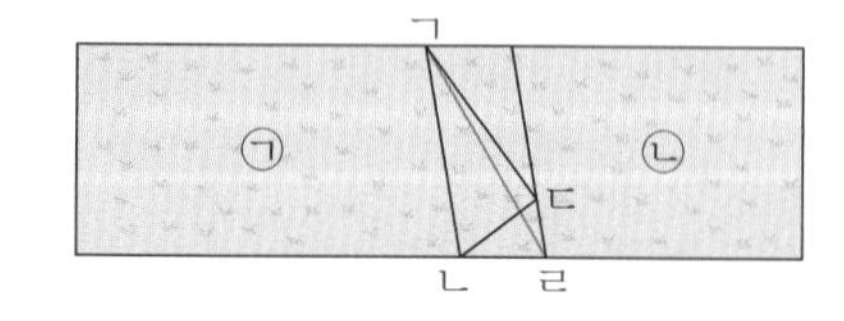

㉠ 농장의 땅 중에 삼각형 ㄱㄴㄷ은 넓이가 같은 삼각형 ㄱㄴㄹ로 바꾸었으므로 ㉠ 농장의 땅의 넓이는 변하지 않습니다.
따라서 선분 ㄱㄹ과 같이 길을 그리면 됩니다.
이외에도 여러 가지 방법이 있습니다.

해결 전략
삼각형 ㄱㄴㄷ과 넓이가 같은 삼각형을 만들어 봅니다.

2 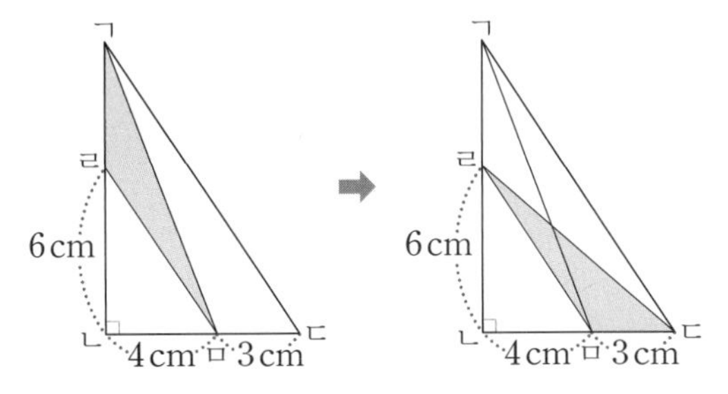

선분 ㄱㄷ과 선분 ㄹㅁ이 서로 평행하므로 삼각형 ㄱㄹㅁ과 삼각형 ㄹㅁㄷ의 넓이는 서로 같습니다.

따라서 삼각형 ㄱㄴㅁ의 넓이와 삼각형 ㄹㄴㄷ의 넓이는 서로 같으므로 삼각형 ㄹㄴㄷ의 넓이는 $(4+3) \times 6 \div 2 = 21(\mathrm{cm}^2)$입니다.

보충 개념
삼각형 ㄱㄹㅁ의 밑변은 ㄹㅁ, 높이는 ㄱㄹ, 삼각형 ㄹㅁㄷ의 밑변은 ㄹㅁ, 높이는 ㅁㄷ입니다.

최상위 사고력 (1) 다음과 같은 방법으로 오각형을 넓이가 같은 삼각형으로 바꾸어 봅니다.

• 삼각형 ㄱㄴㄷ과 넓이가 같은 삼각형 그리기
① 점 ㄴ을 지나고 선분 ㄱㄷ과 평행한 직선을 긋습니다.
② 변 ㄷㄹ을 왼쪽으로 연장합니다.
③ ①, ②에서 그은 두 직선이 만나는 점을 점 ㅂ이라 할 때,
삼각형 ㄱㄴㄷ과 넓이가 같은 삼각형 ㄱㅂㄷ을 그립니다.

• 삼각형 ㄱㄹㅁ과 넓이가 같은 삼각형 그리기
① 점 ㅁ을 지나고 선분 ㄱㄹ과 평행한 직선을 긋습니다.
② 변 ㄷㄹ을 오른쪽으로 연장합니다.
③ ①, ②에서 그은 두 직선이 만나는 점을 점 ㅅ이라 할 때,
삼각형 ㄱㄹㅁ과 넓이가 같은 삼각형 ㄱㄹㅅ을 그립니다.

따라서 삼각형 ㄱㅂㅅ은 주어진 오각형과 넓이가 같습니다.

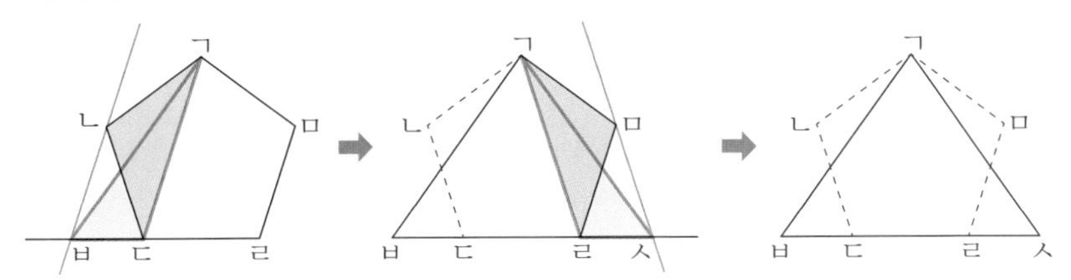

이외에도 주어진 오각형을 넓이가 같은 삼각형으로 바꾸는 방법은 여러 가지입니다.

해결 전략
오각형의 한 꼭짓점 ㄱ에서 대각선을 그어 나온 세 개의 삼각형 중에서 색칠한 두 개의 삼각형을 각각 넓이가 같은 다른 삼각형으로 바꾸어 봅니다.

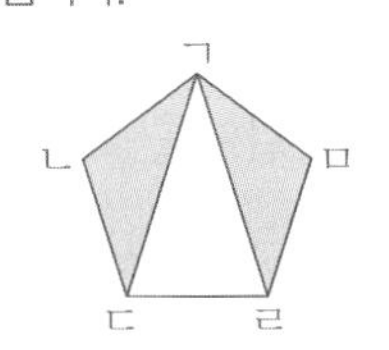

(2) 다음과 같은 방법으로 삼각형을 넓이가 같은 사각형으로 바꾸어 봅니다.
① 변 ㄴㄷ 위의 한 점 ㄹ을 자유롭게 정한 후 선분 ㄱㄹ을 긋습니다.
② 점 ㄴ을 지나며 선분 ㄱㄹ과 평행한 직선을 긋습니다.
③ ②에서 그은 평행선 위에 한 점 ㅁ을 자유롭게 정한 후
삼각형 ㄱㄴㄹ과 넓이가 같은 삼각형 ㄱㅁㄹ을 그립니다.

따라서 사각형 ㄱㅁㄹㄷ은 주어진 삼각형과 넓이가 같습니다.

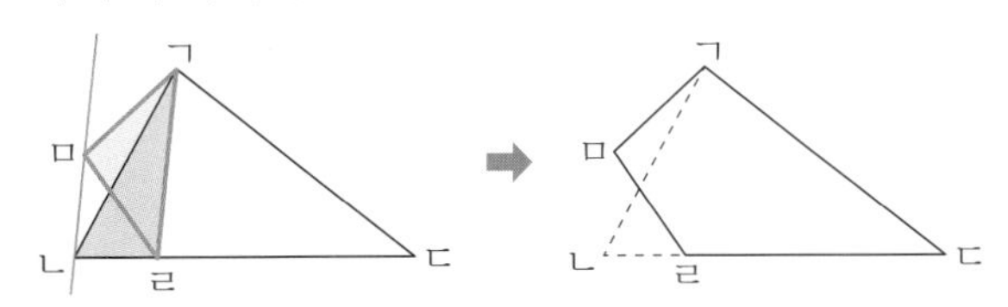

이외에도 주어진 삼각형을 넓이가 같은 사각형으로 바꾸는 방법은 여러 가지입니다.

해결 전략
사각형을 넓이가 같은 삼각형으로 바꾸는 방법과 반대로 생각합니다.

최상위 사고력

1 35cm^2

2 20cm^2

3 60cm^2

4 예

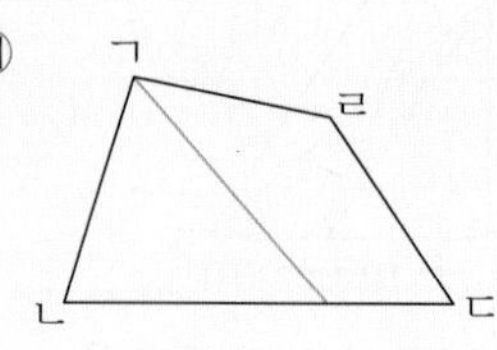

1 사각형을 삼각형 ㉠, ㉡으로 나누어 넓이를 구합니다.
㉠은 밑변의 길이가 4 cm, 높이가 10 cm인 삼각형이고,
㉡은 밑변의 길이가 6 cm, 높이가 5 cm인 삼각형입니다.
➡ (사각형의 넓이)=(삼각형 ㉠의 넓이)+(삼각형 ㉡의 넓이)
$=4\times10\div2+6\times5\div2=35(\text{cm}^2)$

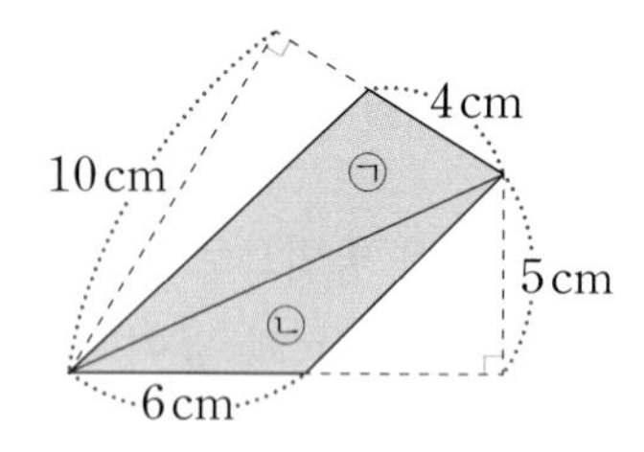

2 색칠한 사각형은 평행사변형이므로 마주 보는 변의 길이가 서로 같습니다.
한 변의 길이를 ● cm, 다른 한 변의 길이를 ▲ cm라고 할 때,
●+▲=15(cm)입니다.
평행사변형의 밑변을 ● cm인 경우와 ▲ cm인 경우로 나누어서 생각하면
(사각형의 넓이)=●×2=▲×4, ●=▲×2입니다.
●+▲=15이므로 ▲×2+▲=▲×3=15, ▲=5(cm)입니다.
따라서 색칠한 사각형은 밑변이 5 cm, 높이가 4 cm인 평행사변형이므로 넓이는 $5\times4=20(\text{cm}^2)$입니다.

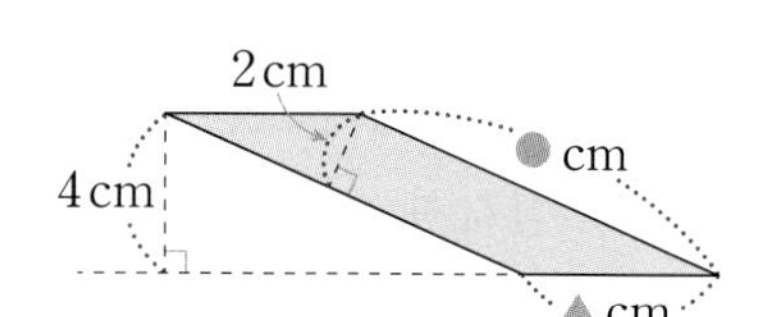

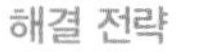

3 높이가 같은 삼각형의 성질을 이용하면 ①, ②에서 같은 색으로 칠한 삼각형의 넓이는 모두 같습니다.

해결 전략
선분 ㅂㅇ과 선분 ㅁㅅ을 그어 넓이가 같은 삼각형을 찾아봅니다.

① 삼각형 ㄱㄴㅁ과 삼각형 ㄹㅅㄷ의 넓이의 합 구하기

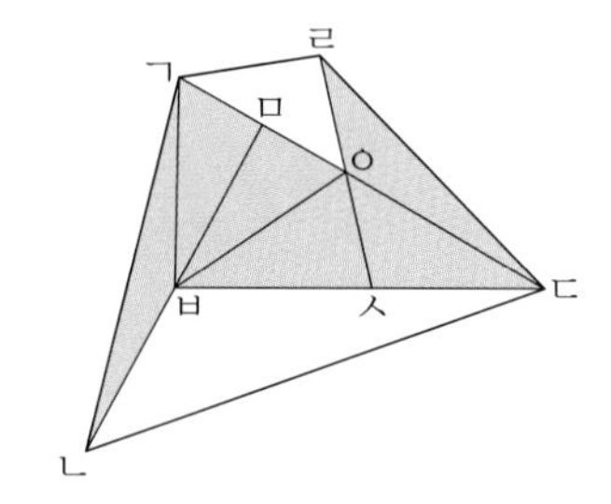

(삼각형 ㄱㄴㅁ의 넓이)+(삼각형 ㄹㅅㄷ의 넓이)
=(사각형 ㅁㅂㅅㅇ의 넓이)×2
$=24(\text{cm}^2)$

② 삼각형 ㄱㅇㄹ과 삼각형 ㅂㄴㄷ의 넓이의 합 구하기

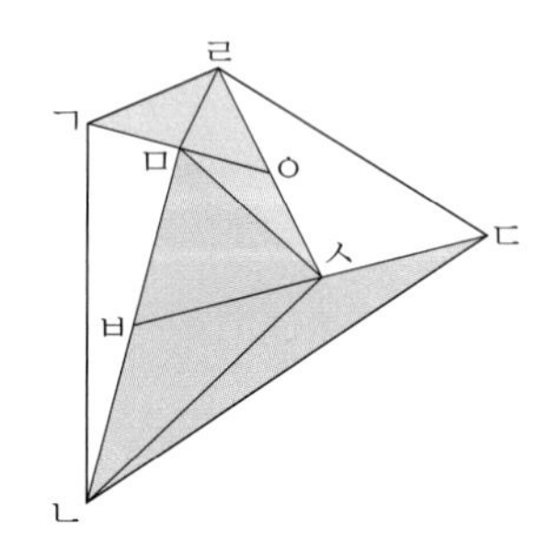

(삼각형 ㄱㅇㄹ의 넓이)+(삼각형 ㅂㄴㄷ의 넓이)
=(사각형 ㅁㅂㅅㅇ의 넓이)×2
$=24(\text{cm}^2)$

따라서 (사각형 ㄱㄴㄷㄹ의 넓이)=(①에서 구한 넓이)+(②에서 구한 넓이)+(사각형 ㅁㅂㅅㅇ의 넓이)
$=24+24+12=60(\text{cm}^2)$입니다.

4 넓이를 이등분하기 쉽도록 사각형 ㄱㄴㄷㄹ을 넓이가 같은 삼각형으로 바꿉니다.

해결 전략
사각형의 넓이를 이등분하는 것보다 삼각형의 넓이를 이등분하는 것이 쉽습니다.

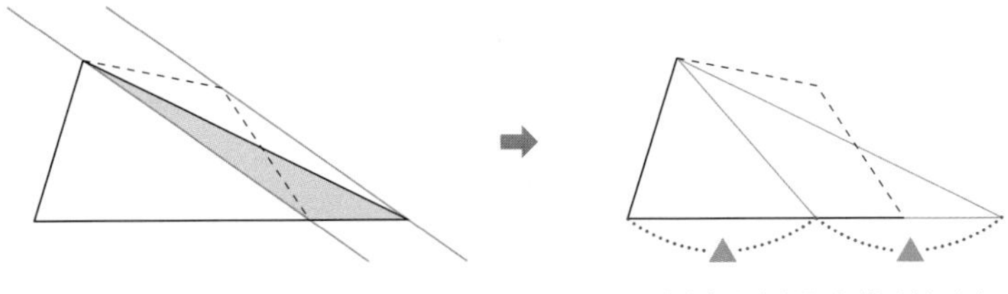

이외에도 넓이를 이등분하는 선분을 긋는 방법은 여러 가지입니다.

Review V 측정

146~148쪽

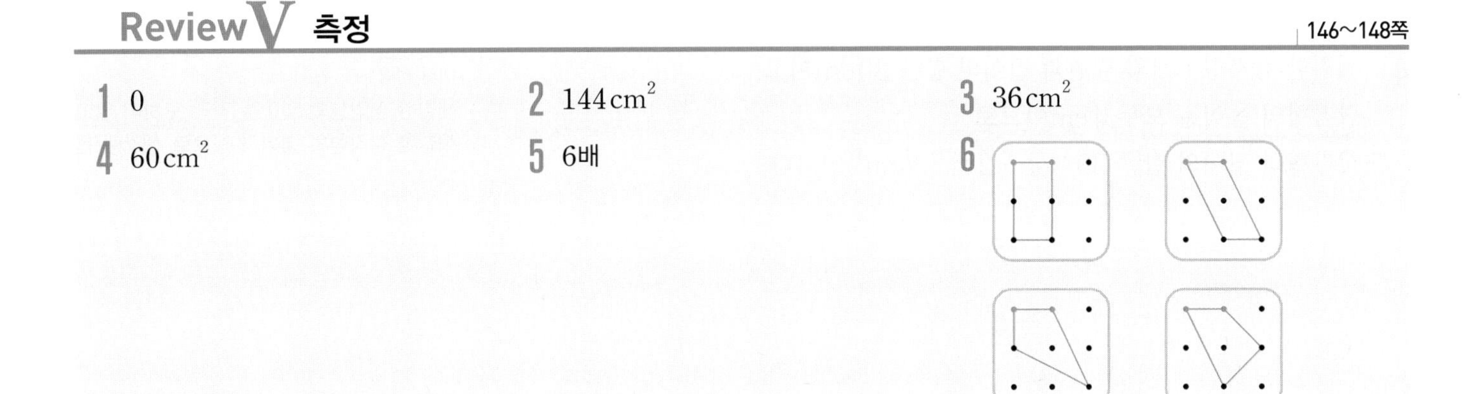

1 0 **2** $144\,cm^2$ **3** $36\,cm^2$
4 $60\,cm^2$ **5** 6배 **6**

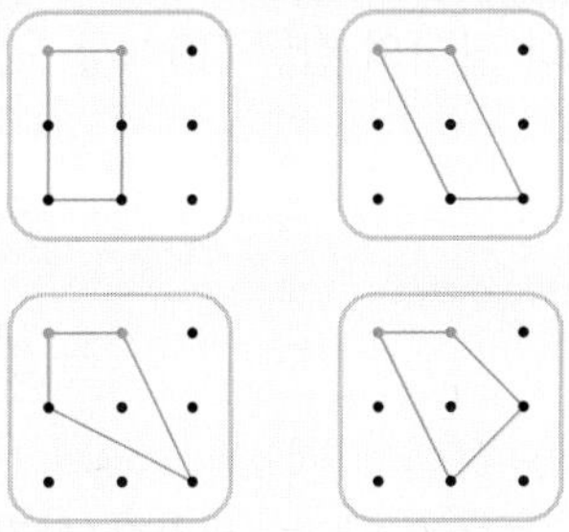

1 두 도형에서 겹쳐진 부분의 넓이는 같습니다.
주어진 조건에서 두 도형의 넓이가 같다고 했으므로 겹쳐지지 않은 두 부분 ㉠과 ㉡의 넓이도 같습니다.
따라서 겹쳐지지 않은 두 부분 ㉠과 ㉡의 넓이의 차는 0입니다.

2 가위로 자른 부분은 같은 길이의 선이 2개 생깁니다.
정사각형의 한 변의 길이를 ● cm라고 하면

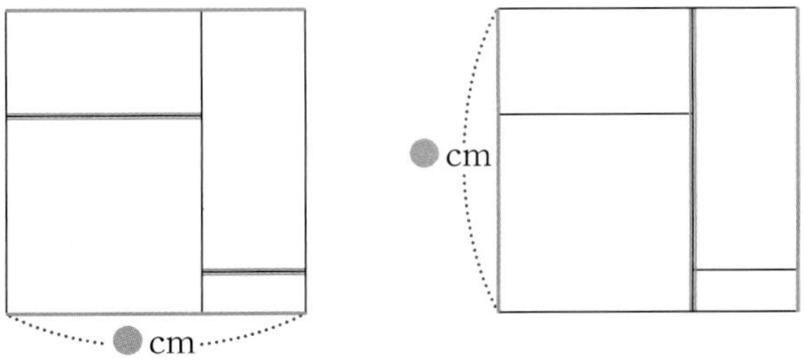

(가로의 합)$=$●$\times 4$, (세로의 합)$=$●$\times 4$입니다.
따라서 (만든 직사각형 4개의 둘레)$=$●$\times 4+$●$\times 4=$●$\times 8=96$(cm), ●$=12$cm이므로
(정사각형의 넓이)$=12\times 12=144(cm^2)$입니다.

3 주어진 삼각형의 변의 3등분점을 지나고 변 ㄱㄴ과 변 ㄱㄷ에 평행한 선분을 그으면 삼각형 ㄱㄴㄷ은 크기가 같은 작은 삼각형 9개로 나누어집니다.

> 해결 전략
> 주어진 삼각형을 단위넓이로 나누어 봅니다.

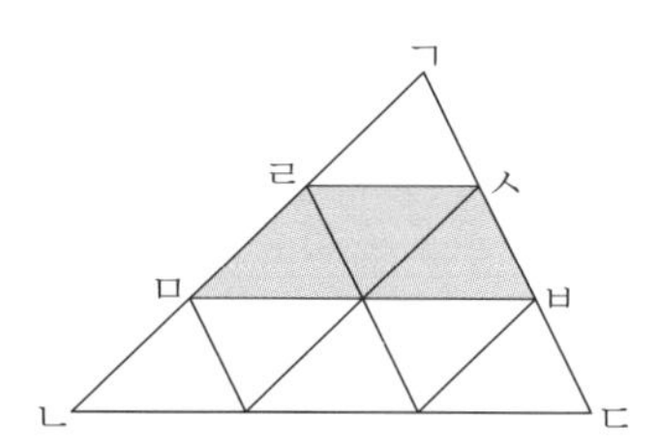

사각형 ㄹㅁㅂㅅ의 넓이는 $12\,\text{cm}^2$이므로

작은 삼각형 1개의 넓이는 $12 \div 3 = 4(\text{cm}^2)$입니다.

따라서 삼각형 ㄱㄴㄷ은 작은 삼각형이 9개이므로 넓이는 $4 \times 9 = 36(\text{cm}^2)$입니다.

4 색칠한 삼각형 6개의 밑변의 길이의 합은 30 cm이고,

삼각형의 높이는 모두 4 cm이므로

삼각형의 넓이의 합은 $30 \times 4 \div 2 = 60(\text{cm}^2)$입니다.

> 해결 전략
> 색칠한 삼각형의 넓이를 각각 구하지 않고 색칠한 삼각형의 넓이의 합으로 생각해 봅니다.

5 보조선 ㄱㄷ을 긋고, 색칠한 삼각형의 넓이를 ■라 하여 사다리꼴의 넓이를 구해 봅니다.

> 해결 전략
> 보조선 ㄱㄷ을 그은 후 높이가 같은 삼각형의 넓이를 이용해 봅니다.

① 색칠한 삼각형을 포함하는 삼각형 ㉮의 넓이 구하기

삼각형 ㉮는 색칠한 삼각형과 높이는 같고 밑변의 길이가 4배이므로 색칠한 삼각형의 넓이의 4배입니다.

➡ (㉮의 넓이)$=$■$\times 4$

② 삼각형 ㉯의 넓이 구하기

삼각형 ㉯는 삼각형 ㉮와 높이는 같고 밑변의 길이는 절반이므로 ㉮의 넓이의 반입니다.

➡ (㉯의 넓이)$=$■$\times 2$

따라서 (사다리꼴의 넓이)$=$(㉮의 넓이)$+$(㉯의 넓이)

$=$■$\times 4+$■$\times 2=$■$\times 6$이므로

사다리꼴의 넓이는 색칠한 삼각형의 넓이의 6배입니다.

6 넓이가 $2\,cm^2$인 직사각형에서 점을 하나씩 움직여 보며 다른 사각형을 찾아봅니다.

• 직사각형

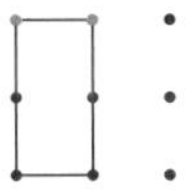

• 직사각형이 아닌 평행사변형

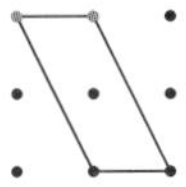

• 평행사변형이 아닌 사각형

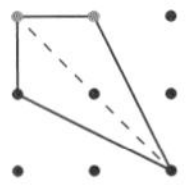

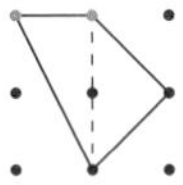

나누어진 삼각형의 넓이는 각각 $1\,cm^2$입니다.

다른 풀이

픽의 정리

(다각형의 넓이)=(둘레 위의 점의 개수)÷2+(도형 안의 점의 개수)−1을 이용하여 빨간색 두 점을 지나고 넓이가 $2\,cm^2$인 사각형을 그려 봅니다.

• (둘레 위의 점의 개수, 도형 안의 점의 개수)=(4, 1)인 경우

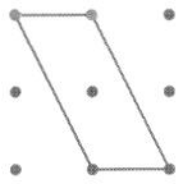

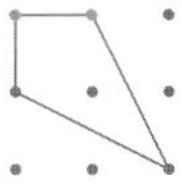

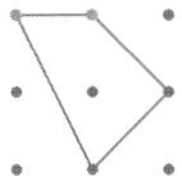

• (둘레 위의 점의 개수, 도형 안의 점의 개수)=(6, 0)인 경우

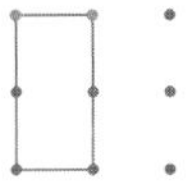

01	(1) 예 $(3+3)\times(3+3)=36$ (2) 예 $33+3+3-3=36$	02	2개
03	2488원	04	66 cm
05	64	06	예 2, 5, 10
07	2, 4, 6, 8, 10	08	60 cm^2
09	25	10	(1) 58 (2) 15

01 (1) 36을 두 수의 곱 $6\times6=36$으로 생각합니다.

➡ $6\times6=(3+3)\times(3+3)=36$

이외에도 $(3\times3+3)\times3=36$과 같은 방법도 있습니다.

(2) 36을 두 수의 곱 $4\times9=36$으로 생각합니다.

➡ $4\times9=(3\div3+3)\times(3\times3)=36$

이외에도 $33+3+3-3=36$, $(33+3)\times3\div3=36$, $33\div3\times3+3=36$ 등과 같은 방법도 있습니다.

해결 전략
수의 계산을 먼저 큰 두 부분으로 나누어 생각합니다.

02 1부터 10까지의 자연수의 곱을 소인수분해하면 소인수 5가 소인수 2보다 더 적게 나오므로 일의 자리부터 연속된 0의 개수는 소인수 5의 개수에 의해 결정됩니다.

소인수 5는 5의 배수인 5와 10에 각각 1번씩 나오므로 모두 2번 나옵니다.

따라서 일의 자리부터 연속된 0의 개수는 2개입니다.

해결 전략
주어진 곱에 소인수 2와 5가 몇 개씩 있는지 살펴봅니다.

03 $36=4\times9$이므로 36은 4와 9의 공배수이고, 375□2도 4와 9의 공배수입니다.

375□2가 4의 배수이면 끝의 두 자리 수가 4의 배수이므로 □=1, 3, 5, 7, 9입니다.

375□2가 9의 배수이면 각 자리 숫자의 합이 9의 배수이므로 $3+7+5+□+2=17+□$에서 □=1입니다.

따라서 초콜릿 값은 37512원이므로 민수가 받아야 할 거스름돈은 $40000-37512=2488$(원)입니다.

해결 전략
민수가 낸 금액인 375□2원은 초콜릿 1개의 값의 36배이므로 375□2는 36의 배수가 되어야 합니다.

04 작은 직사각형 1개의 가로를 ● cm, 세로를 ▲ cm라 하면
작은 직사각형 1개의 둘레가 30 cm이므로
(●+▲)×2=30(cm), ●+▲=15(cm)입니다.
가로에 따라 세로를 표로 나타내면 다음과 같습니다.

●	1	2	3	4	5	6	7	8	9	……
▲	14	13	12	11	10	9	8	7	6	……

직사각형 ㄱㄴㄷㄹ의 각 변의 길이를 ●, ▲를 이용하여 나타내면 다음과 같습니다.

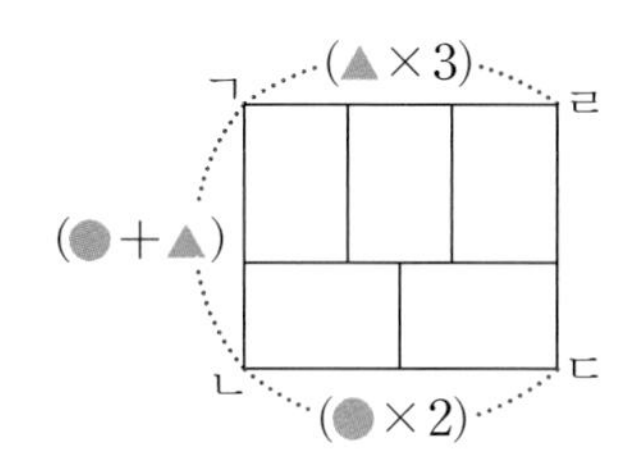

직사각형의 가로는 같으므로 ●×2=▲×3입니다.
위의 표에서 이 식을 만족하는 수의 쌍을 찾으면 (●, ▲)=(9, 6)입니다.
따라서 큰 직사각형의 가로는 ●×2=9×2=18(cm),
세로는 ●+▲=15(cm)이므로
직사각형 ㄱㄴㄷㄹ의 둘레는 (18+15)×2=66(cm)입니다.

해결 전략
큰 직사각형에서 작은 직사각형 가로 2개의 길이와 세로 3개의 길이가 같음을 이용합니다.

05 세 번째 조건에서 이 수의 약수는 홀수 개라고 했으므로 이 수는 제곱수입니다.
첫 번째 조건에서 이 수는 100보다 작다고 했으므로 100보다 작은 수 중에서 제곱수를 찾습니다.
➡ 1, 4, 9, 16, 25, 36, 49, 64, 81
두 번째 조건에서 이 수의 각 자리 숫자의 합은 10이라고 했으므로 위의 수 중 각 자리 숫자의 합이 6+4=10인 64입니다.

해결 전략
약수가 홀수 개인 수는 16(=4×4), 25(=5×5)와 같이 같은 수를 두 번 곱한 제곱수입니다.

06 분모 5의 약수는 1과 5뿐이므로 1과 5의 합으로 분자 4를 나타낼 수 없습니다.
따라서 $\frac{4}{5}$와 크기가 같은 분수 $\frac{8}{10}$을 이용합니다.
분자 8은 분모 10의 약수의 합으로 나타내면 1+2+5=8이므로
$\frac{8}{10}=\frac{1+2+5}{10}=\frac{1}{10}+\frac{2}{10}+\frac{5}{10}=\frac{1}{10}+\frac{1}{5}+\frac{1}{2}$입니다.
이외에도 분모에 따라 답은 여러 가지입니다.

해결 전략
분자를 분모의 약수의 합으로 나타낼 수 있는지 알아봅니다.

보충 개념
$\frac{4}{5}=\frac{16}{20}=\frac{1}{20}+\frac{5}{20}+\frac{10}{20}$
$=\frac{1}{20}+\frac{1}{4}+\frac{1}{2}$

07 표의 각 가로줄에서 앞의 두 수의 합이 그 다음 수가 되는 규칙이 있습니다. ㉡에 알맞은 수는 40보다 크고 50보다 작은 홀수이므로 ㉡이 될 수 있는 수는 41, 43, 45, 47, 49입니다.
각각의 경우 ㉠이 될 수 있는 수를 뒤에서부터 거꾸로 구해 봅니다.

① ㉡=41인 경우

10	7	17	24	41

② ㉡=43인 경우

8	9	17	26	43

③ ㉡=45인 경우

6	11	17	28	45

④ ㉡=47인 경우

4	13	17	30	47

⑤ ㉡=49인 경우

2	15	17	32	49

따라서 ㉠에 알맞은 수는 2, 4, 6, 8, 10입니다.

해결 전략
표의 각 가로줄에서 규칙을 찾습니다.

08 선분 ㄱㄷ을 그어 색칠한 도형을 삼각형 ㄱㅁㄷ과 삼각형 ㄱㄷㅂ으로 나눕니다.
이때 색칠한 도형의 넓이는 삼각형 ㄱㅁㄷ과 삼각형 ㄱㄷㅂ의 넓이의 합과 같습니다.

ㄱ ㄹ 8cm 6cm ㅂ ㅁ 4cm ㄴ ㄷ

두 삼각형은 서로 높이가 같으므로 삼각형의 높이를 □라 하면
(삼각형 ㄱㅁㄷ과 삼각형 ㄱㄷㅂ의 넓이의 합)
$=8\times\square\div2+4\times\square\div2=4\times\square+2\times\square=6\times\square$입니다.
색칠한 도형의 넓이는 $36\,\text{cm}^2$이므로
$6\times\square=36\,\text{cm}^2$, $\square=6\,\text{cm}$입니다.
따라서 두 삼각형의 높이 6 cm를 이용하면 평행사변형 ㄱㄴㄷㄹ의 넓이는 $(4+6)\times6=60(\text{cm}^2)$입니다.

해결 전략
밑변을 선분 ㄹㄷ으로 하는 평행사변형의 높이를 구하여 넓이를 구합니다.

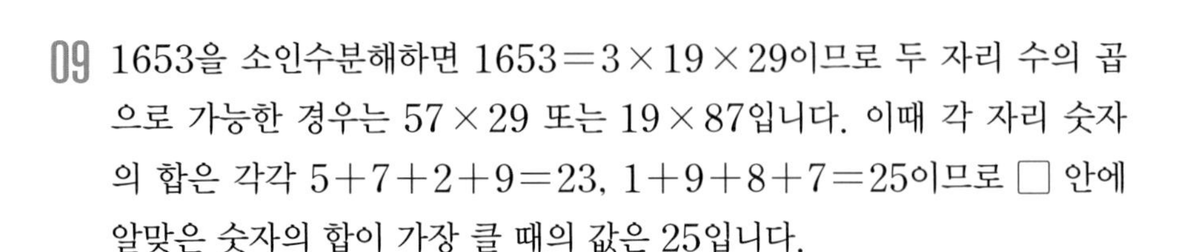

09 1653을 소인수분해하면 $1653=3\times19\times29$이므로 두 자리 수의 곱으로 가능한 경우는 57×29 또는 19×87입니다. 이때 각 자리 숫자의 합은 각각 $5+7+2+9=23$, $1+9+8+7=25$이므로 □ 안에 알맞은 숫자의 합이 가장 클 때의 값은 25입니다.

해결 전략
먼저 1653을 소인수분해합니다.
➡ $1653=3\times19\times29$

10 (1) $8\star14=(8, 14)+[8, 14]$

$=$(8과 14의 최대공약수)$+$(8과 14의 최소공배수)

$=2+56=58$

(2) $6\star\square=(6, \square)+[6, \square]$

$=$(6과 □의 최대공약수)$+$(6과 □의 최소공배수)

$=33$

6과 □의 최대공약수는 1, 2, 3, 6 중에서 하나입니다.

① (6과 □의 최대공약수)$=1$인 경우

(6과 □의 최소공배수)$=32$입니다. 32는 6의 배수가 될 수 없으므로 불가능합니다.

② (6과 □의 최대공약수)$=2$인 경우

(6과 □의 최소공배수)$=31$입니다. 31은 6의 배수가 될 수 없으므로 불가능합니다.

③ (6과 □의 최대공약수)$=3$인 경우

(6과 □의 최소공배수)$=30$입니다. 두 수의 곱은 최대공약수와 최소공배수의 곱과 같습니다.

따라서 $6\times\square=3\times30$, $\square=15$입니다.

④ (6과 □의 최대공약수)$=6$인 경우

(6과 □의 최소공배수)$=27$입니다. 27은 6의 배수가 될 수 없으므로 불가능합니다.

따라서 $\square=15$입니다.

해결 전략

먼저 ★을 약속3 을 이용하여 식으로 나타내고, 이어서 약속1 과 약속2 를 이용하여 식으로 나타내어 봅니다.

Final 평가 2회

5~8쪽

01 2

02 13, 23, 31

03 89

04 37개

05 예 $1+2+34+5+6+7=55$, $12-3+45-6+7=55$

06 $36\,cm^2$

07 $20\,cm^2$

08 $\frac{1}{7}$

09 $19\,cm^2$

10 156 cm

01 두 수의 곱을 최소공배수로 나누면 최대공약수가 됩니다.
(최대공약수)=(두 수의 곱)÷(최소공배수)$=84\div42=2$이므로
최대공약수는 2입니다.

> 해결 전략
> (두 수의 곱)=(최대공약수)×(최소공배수)의 관계를 이용합니다.

02 배수판정법을 이용합니다.
짝수는 소수가 아니므로 일의 자리에 2가 놓일 수 없습니다.
일의 자리에 1 또는 3이 놓이는 수를 찾아봅니다.
① 두 자리 소수 구하기
13, 21, 23, 31
이 중에서 21은 3의 배수이므로 두 자리 소수는 13, 23, 31입니다.
② 세 자리 소수 구하기
주어진 수 카드를 한 번씩만 사용하여 만들 수 있는 세 자리 수는 각 자리 숫자의 합이 항상 $1+2+3=6$이므로 3의 배수가 됩니다.
➡ 세 자리 소수는 만들 수 없습니다.
따라서 만들 수 있는 소수는 13, 23, 31입니다.

> 해결 전략
> 소수는 약수가 1과 자신뿐인 수이므로 어떤 수의 배수가 되면 안 됩니다.

03 주어진 식을 ㉠−㉡으로 생각하면 ㉠은 커야 하고, ㉡은 작아야 합니다.
계산 결과가 자연수이므로 ㉡의 계산 결과는 나누어떨어져야 합니다.
먼저 ㉠이 가장 큰 경우부터 살펴봅니다.
① ㉠=97인 경우 ➡ $97-32\div4=89$, $97-24\div3=89$
② ㉠=94인 경우 ➡ $94-27\div3=85$
③ ㉠=93인 경우 ➡ $93-42\div7=87$
④ ㉠=92인 경우 ➡ ㉡의 계산 결과가 나누어떨어지도록 만들 수 없습니다.
⑤ ㉠=79이거나 작은 경우 ➡ 계산 결과가 89보다 작습니다.
따라서 계산 결과가 가장 큰 값은 89입니다.

> 해결 전략
> 계산 결과가 크려면 더하는 수는 크게, 빼는 수는 작게 만들어야 합니다.

04 원을 최대 영역으로 나누기 위해서는 그 전에 그은 선들과 모두 만나도록 그어야 합니다.
직선 4개를 그려 원을 최대로 나누어 보면 다음과 같습니다.

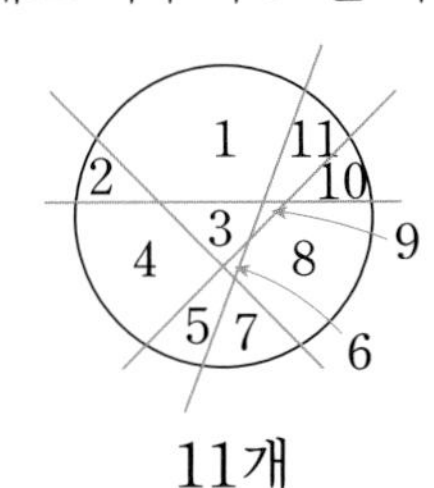

11개

직선의 개수와 최대로 나누어지는 영역의 개수를 표를 그려 규칙을 찾습니다.

직선의 개수(개)	1	2	3	4	……
나누어지는 영역의 최대 개수(개)	2	4	7	11	……

+2 +3 +4

➡ 규칙: (□개의 직선을 그어 나눌 수 있는 영역의 최대 개수)
$=2+(2+3+\cdots\cdots+(\square-1)+\square)$(개)
따라서 8개의 직선을 그으면 원은 최대
$2+(2+3+4+5+6+7+8)=37$(개)의 영역으로 나누어집니다.

해결 전략
직접 선을 그어 보며 늘어나는 영역의 개수를 구하고 규칙을 찾습니다.

05 방법 1 +만 사용하는 경우
$1+2+3+4+5+6+7=28$이므로 28이 55가 되기 위해서는 27만큼 더 커져야 합니다.
숫자 3을 4와 붙이면 34가 되어 27이 커집니다.
➡ $1+2+34+5+6+7=55$
방법 2 +, −를 모두 사용하는 경우
몇 개의 수로 먼저 55에 가까운 수를 만든 후 나머지 수를 조절합니다.
$12+45=57$이므로 나머지 수 3, 6, 7로 2를 만들어 빼면 됩니다.
➡ $12-3+45-6+7=55$

해결 전략
$1+2+3+4+5+6+7=28$이므로 55가 되기 위해서는 수를 붙여서 십의 자리 수를 만들어야 합니다.

06 먼저 주어진 정사각형의 각 변과 평행하며 각 변의 3등분점을 잇는 선분 4개를 긋습니다.
이때 정사각형은 크기가 같은 작은 삼각형 18개로 나누어집니다.

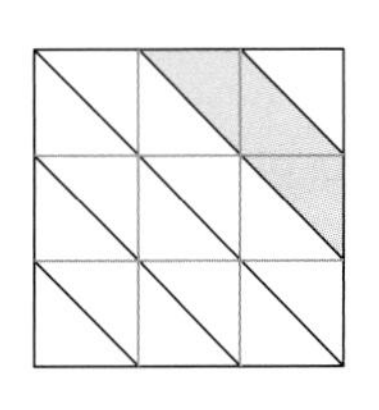

색칠한 사각형은 작은 삼각형 3개로 이루어져 있고 넓이가 $6\ cm^2$이므로 나누어진 작은 삼각형 1개의 넓이는 $6\div3=2(cm^2)$입니다.
따라서 정사각형은 작은 삼각형 18개로 이루어져 있으므로 정사각형의 넓이는 $2\times18=36(cm^2)$입니다.

해결 전략
정사각형을 단위넓이로 나누어 봅니다.

07

직사각형에서 대각선으로 나누어진 삼각형의 넓이는 같으므로 큰 직사각형에서 (㉢+㉠+㉤)의 넓이는 (㉣+㉡+㉥)의 넓이입니다.
작은 직사각형에서
(㉣의 넓이)=(㉢의 넓이), (㉥의 넓이)=(㉤의 넓이)이므로
두 식을 이용하면 (㉠의 넓이)=(㉡의 넓이)임을 알 수 있습니다.
따라서 ㉡의 넓이는 20 cm^2입니다.

해결 전략
직사각형을 대각선으로 나누면 넓이도 반이 됩니다.

08

$\frac{1}{■\times(■+1)}=\frac{1}{■}-\frac{1}{■+1}$의 관계를 이용하여 주어진 식을 두 수의 차를 이용한 식으로 바꾸어 계산합니다.

$\frac{1}{2}-\frac{1}{6}-\frac{1}{12}-\frac{1}{20}-\frac{1}{30}-\frac{1}{42}$

$=\frac{1}{2}-\left(\frac{1}{2}-\frac{1}{3}\right)-\left(\frac{1}{3}-\frac{1}{4}\right)-\left(\frac{1}{4}-\frac{1}{5}\right)-\left(\frac{1}{5}-\frac{1}{6}\right)-\left(\frac{1}{6}-\frac{1}{7}\right)$

$=\frac{1}{7}$

09

①

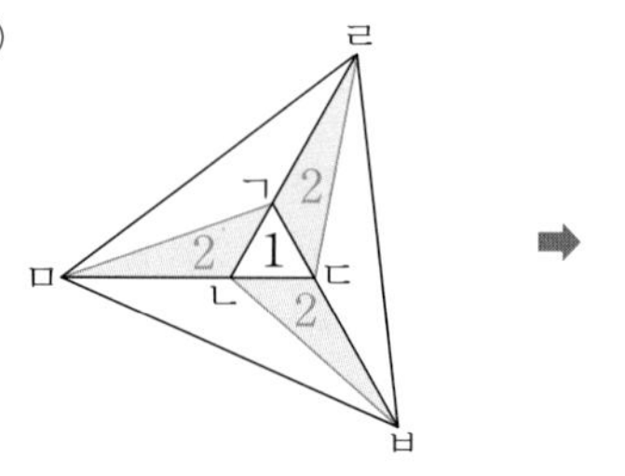

색칠한 삼각형은 삼각형 ㄱㄴㄷ과 높이가 같고 밑변의 길이는 2배이므로 넓이는 각각
$1\times2=2(cm^2)$입니다.

②

색칠한 삼각형은 ①에서 색칠한 삼각형과 높이가 같고 밑변의 길이는 2배이므로 넓이는 각각
$2\times2=4(cm^2)$입니다.

따라서 정삼각형 ㄹㅁㅂ의 넓이는
$1+2+2+2+4+4+4=19(cm^2)$입니다.

해결 전략
먼저 선을 그어 삼각형 ㄱㄴㄷ과 높이가 같은 삼각형을 만들어 봅니다.

10

넓이가 일정한 직사각형은 가로와 세로의 차가 작을수록 둘레가 작아집니다. 곱이 1512가 되는 두 수 중에서 두 수의 차가 가장 작은 경우를 찾습니다.
1512를 소인수분해하면 $1512=2\times2\times2\times3\times3\times3\times7$이고, 두 변의 길이가 다음과 같은 경우에 차가 가장 작습니다.
$2\times2\times3\times3=36(cm)$, $2\times3\times7=42(cm)$
이때 직사각형의 둘레는 $2\times(36+42)=156(cm)$입니다.

해결 전략
넓이가 일정한 직사각형은 정사각형에 가까울수록 둘레가 작아집니다.

MEMO

MEMO

MEMO

MEMO

MEMO

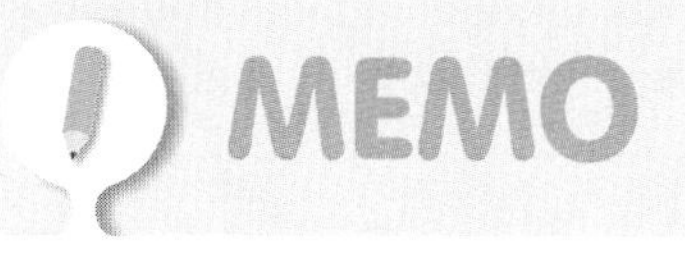
MEMO

MEMO

MEMO

MEMO

MEMO

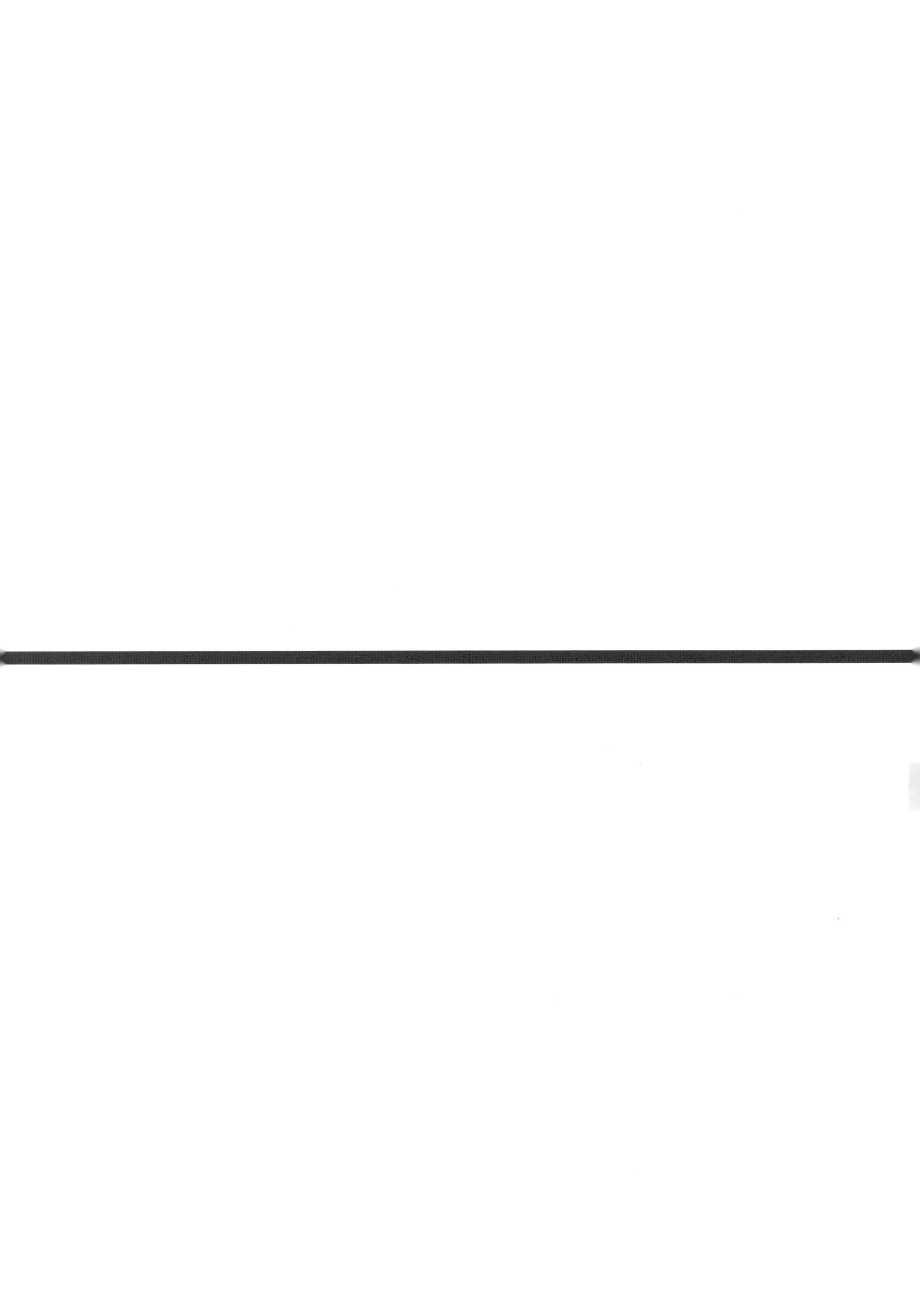

심화 완성 최상위 수학S, 최상위 수학

개념부터 심화까지

수학 좀 한다면 

상위권의 힘, 사고력 강화

최상위 사고력

상위권의 기준

최상위 사고력

따라올 수 없는 자신감!
디딤돌 초등 라인업을 만나 보세요.

구분	교재	대상	특징
수준별 수학 기본서	디딤돌 초등수학 원리	3~6학년	교과서 기초 학습서
	디딤돌 초등수학 기본	1~6학년	교과서 개념 학습서
	디딤돌 초등수학 응용	3~6학년	교과서 심화 학습서
	디딤돌 초등수학 문제유형	3~6학년	교과서 문제 훈련서
	디딤돌 초등수학 기본+응용	1~6학년	한권으로 끝내는 응용심화 학습서
	디딤돌 초등수학 기본+유형	1~6학년	한권으로 끝내는 유형반복 학습서
상위권 수학 학습서	최상위 초등수학 S	1~6학년	심화 개념 · 심화 유형 학습서
	최상위 초등수학	1~6학년	심화 개념 · 심화 유형 학습서
	최상위 사고력	7세~초등 6학년	경시 · 영재 · 창의사고력 학습서
	3% 올림피아드	1~4과정	올림피아드 · 특목중 대비 학습서
연산학습 교재	최상위 연산은 수학이다	1~6학년	수학이 담긴 차세대 연산 학습서
국사과 기본서	디딤돌 초등 통합본(국어 · 사회 · 과학)	3~6학년	교과 진도 학습서
국어 독해력	디딤돌 독해력	1~6학년	수능까지 연결되는 초등국어 독해 훈련서